ASSISTENTE DO VILÃO

O MAL ESTÁ CONTRATANDO...

ASSISTENTE DO VILÃO

SOS!

HANNAH NICOLE MAEHRER

ASSISTENTE DO VILÃO

Tradução

Isabela Sampaio

Publicado originalmente por Red Tower Books, um selo da Entangled Publishing, LLC.

Direitos de tradução negociados por Alliance Rights Agency y and Sandra Bruna Agencia Literaria, SL.

Título original: *Assistant to the Villain*

Editora responsável **Paula Drummond**
Editora de produção **Agatha Machado**
Assistentes editoriais **Giselle Brito e Mariana Gonçalves**
Preparação de texto **Bárbara Morais**
Revisão **Luiza Miceli**
Diagramação e adaptação de capa **Carolinne de Oliveira**
Projeto gráfico original **Laboratório Secreto**
Ilustração e design de capa original **Elizabeth Turner Stokes**

Texto fixado conforme as regras do Acordo Ortográfico da Língua Portuguesa (Decreto Legislativo nº 54, de 1995)

CIP-BRASIL. CATALOGAÇÃO NA PUBLICAÇÃO
SINDICATO NACIONAL DOS EDITORES DE LIVROS, RJ

M16a

Maehrer, Hannah Nicole
Assistente do vilão / Hannah Nicole Maehrer ; tradução Isabela Sampaio. - 1. ed. - Rio de Janeiro : Alt, 2023.
(Assistente do vilão ; 1)

Tradução de: Assistant to the villain
ISBN 978-65-85348-24-9

1. Ficção americana. I. Sampaio, Isabela. II. Título. III. Série.

23-86187 CDD: 813
CDU: 82-3(73)

Gabriela Faray Ferreira Lopes - Bibliotecária - CRB-7/6643

1ª edição, 2023 — 16ª reimpressão, 2025

Direitos de edição em língua portuguesa para o Brasil
adquiridos por Editora Globo S.A.
R. Marquês de Pombal, 25
20.230-240 – Rio de Janeiro – RJ – Brasil
www.globolivros.com.br

Para meus pais, pelas horas que passaram
me contando histórias na infância e pelos anos
que passaram ouvindo as minhas, saibam que
a de vocês sempre vai ser a minha favorita.

E para todos vocês, é assim que eu imagino
que seria a vida da assistente pessoal de um vilão
complexo e ambíguo em um livro de fantasia.

RENNEDAWN
BOTAR FOGO
ATACAR
IDEIA DE ALMOÇO: sushi de sereia!
LISTA DE AFAZERES DO MAL
Roubar placas de rua
Sequestrar donzelas
Insanidade
CAOS

áreas de caça de unicórnio
FLORESTA DAS NOGUEIRAS
Envenenar o poço da aldeia
Caverna do Fofucho
V _ L Ã _ _

PRÓLOGO

Era uma vez...

Evie conheceu o Vilão em um dia como outro qualquer.

Mais uma tentativa malsucedida de conseguir alguma coisa nas feiras de emprego de sua vila. Mais um dia sem nenhuma fonte de renda. Mais um dia decepcionando o pai doente e a irmã mais nova. E era por isso que estava perdida em pensamentos enquanto vagava em direção às árvores alinhadas como se fossem uma cerca no limite da Floresta das Nogueiras — e entrou bem ali.

No passado, a floresta era muito frequentada, mas naquele momento era o último lugar do mundo que qualquer pessoa com bom senso escolheria para perambular. Ainda mais sozinha. Bom, a menos que seu nome fosse Evangelina Sage e uma floresta proibida parecesse muito mais convidativa do que ir para casa e admitir para a família que você finalmente arrumara um emprego... e abrira mão dele.

Evie suspirou e estendeu a mão para deslizar os dedos pela casca áspera de várias árvores próximas conforme ia passando. A floresta era realmente bonita.

O Reino de Rennedawn era um dos mais modestos de todos os reinos encantados, e evitar a Floresta das Nogueiras, que ocupava um pedaço enorme de seu território, era um belo desafio. Mesmo assim, os cidadãos dali tinham se virado razoavelmente bem até o momento.

Era nesse pé que as coisas estavam desde o surgimento de uma figura sombria conhecida como Vilão, dez anos antes. Segundo os inúmeros boatos, ele se escondia perto dos limites da floresta a fim de encontrar vítimas para torturar. Evie não sabia praticamente nada a respeito do sujeito maligno, mas tinha quase certeza de que ele tinha formas melhores de passar o próprio tempo do que ficando à espreita atrás das árvores como um duende da floresta. Se bem que ela também não tinha visto nenhuma dessas criaturas por aí — elas tendiam a viver mais ao norte.

— Vilão — debochou Evie, embrenhando-se ainda mais nas árvores e enfiando as mãos nos bolsos fundos do vestido marrom simples. — Quem sabe ele não seria menos assassino se o apelido não fosse tão ridículo.

A não ser, é claro, que ele tivesse sido batizado com esse nome; sendo assim, Evie tiraria o chapéu para a mãe dele por ter sido tão visionária.

Evie tropeçou em um galho inesperado, tirando as mãos dos bolsos para se equilibrar numa árvore próxima, e depois se arrastou em direção aos murmúrios de um riacho.

Conforme andava, ela repassava as poucas informações que tinha a respeito do homem, a maioria das quais havia obtido através de panfletos porcamente desenhados com a frase PROCURA-SE. Nesses panfletos, o Vilão sempre era retratado como um homem mais velho, com a barba grisalha interrompida por grandes cicatrizes resultantes de brigas com suas vítimas; os dentes muitas vezes apareciam irregulares, como se ele os tivesse usado para arrancar o coração de quem o olhasse — ou talvez apenas precisasse ir ao dentista.

Eram tantos rumores espalhados a respeito do maior inimigo do reino que Evie não sabia direito no que acreditar. Ela sabia que, anos antes, o Vilão havia reduzido uma das aldeias de pescadores de Rennedawn Ocidental a cinzas. O reino tinha passado meses devastado pela fome após a perda do fornecimento de pesca, até finalmente se reconstruir. E havia várias outras histórias de horror. Furtos mesquinhos também pareciam ser um elemento básico da lista de afazeres do Vilão, que muitas vezes entrava de fininho em casas nobres para assustar as famílias e surrupiar suas preciosas heranças.

Enquanto se aproximava lentamente do riacho — mais largo do que ela achou que seria —, Evie se maravilhava com a beleza do sol que entrava pelos espaços entre as árvores, dando às flores que o rodeavam um brilho etéreo. A visão era tão deslumbrante que por um momento ela quase se esqueceu da situação difícil em que se encontrava. Mas depois tudo voltou de uma vez.

O pai ainda não sabia que Evie tinha perdido o emprego na ferraria havia um mês. Ela tinha certeza de que encontraria outra coisa antes que a família reparasse que a mesa estava um pouco menos farta no jantar ou que a pequena cabana estava mais fria por falta de lenha. Mas Evie teria que contar a ele naquela noite. Suas escassas reservas de comida estavam chegando ao fim.

Com um suspiro profundo, Evie se ajoelhou nas margens do riacho, afundando os joelhos no musgo esponjoso. Em seguida, correu as mãos pela água azul cristalina, então espirrou um pouco do líquido frio no rosto e no pescoço, na esperança de acalmar o coração acelerado.

Ela estava em apuros desta vez. E não tinha nada a ver com um vilão mítico.

Não. A culpa era dela mesma.

O pior de tudo era que ela quase tinha conseguido um bom cargo. Na feira daquela manhã, ofereceram-lhe a única vaga disponível de criada para uma família nobre em uma propriedade não muito longe de sua aldeia. Não era o ideal por conta da distância, mas Evie estava pronta para aceitar de bom grado. Até que, é claro, ela se virou e deu de cara com outra mulher ao seu lado, com tanta esperança nos olhos sorridentes que Evie sentiu um aperto no coração. Ainda mais depois de ter visto três crianças pequenas atrás da mulher.

Evie lhe entregara o certificado de emprego e observara o rosto dela se iluminar enquanto ela a abraçava e lhe dava um beijo em cada bochecha.

Eu fiz a coisa certa. Então por que estou com a sensação de que meu peito vai desmoronar?

Suspirando e jogando mais um pouco de água vermelha no rosto, ela começou a listar as próximas feiras de emprego. Talvez pudesse viajar para uma das vilas vizinhas...

Espera... *Vermelha?!*

Enquanto ofegava e recuava entre as flores, Evie sentiu os olhos se arregalarem de horror diante da água, antes límpida e azul, agora turvada por um carmesim profundo.

Sangue.

Evie fechou os olhos e tentou controlar a respiração. Depois de contar até dez, levantou-se, quase tropeçando na bainha do vestido longo, e voltou a caminhar lentamente em direção à água. Estava clara o suficiente para ver que o sangue estava vindo lá de cima do riacho.

Ela deu um passo naquela direção, depois outro, completamente despreparada para o que poderia encontrar.

Quanto mais avançava, mais o riacho se assemelhava a um rio de sangue: o vermelho opaco engolia qualquer resquício de azul. Devia ser um animal ferido, um dos grandes, se a quantidade de sangue servisse de alguma indicação. Certamente não era algo que justificasse a investigação pessoal de Evie.

Mesmo assim, ali estava ela, na floresta que de repente ficava mais escura à medida que o sol começava a se pôr atrás das árvores... seguindo um rio de sangue.

Evie balançou a cabeça e sentiu as plantas sendo esmagadas sob os pés quando parou abruptamente. Ela ia dar meia-volta. Na verdade, o corpo já estava meio virado quando avistou uma criatura de pelagem preta encurvada e levemente escondida entre a grama alta ao redor do riacho e uma árvore gigante.

Seja lá que tipo de criatura fosse, a coisa estava viva — gemidos e sons abafados de dor vinham mais ou menos da direção dela. Evie agachou-se e levantou delicadamente a saia para pegar a pequena lâmina que mantinha em uma bainha ao redor do tornozelo para emergências.

Ela pretendia acabar com o sofrimento da pobre fera. Mostrar-lhe tamanha bondade não seria um fardo. Só que, quanto mais se aproximava, menos aquela figura se parecia uma criatura. Na verdade, quase chegava a parecer...

Mãos humanas irromperam da pelagem preta, que Evie agora percebia não ser pelo, mas uma capa escura. Uma das mãos rodeou seu pulso e a puxou para baixo.

— Ai! — Ela caiu com força e o ombro bateu contra o chão da floresta. Um braço a envolveu pela cintura e a puxou, e Evie ficou deitada de lado, com as costas bem espremidas contra algo sólido e quente atrás dela... e foi aí que o bom senso entrou em ação e ela começou a se debater e gritar.

O braço ao redor de sua cintura a apertou ainda mais enquanto outra mão cobria seus lábios . Uma voz baixa surgiu em seu ouvido, causando-lhe arrepios no corpo inteiro:

— Fica quieta, sua trombadinha, ou vai acabar matando nós dois.

Naquele momento, Evie viu outra figura sinistra ali, do outro lado — várias, na verdade. Homens vestidos em prata. Carregavam armas bem grandes, e algumas delas brilhavam. *Era a Guarda Valente do rei!*

Ela lutou contra a mão, mas o homem ainda a prendia. Ele envolveu uma perna pesada sobre os tornozelos dela, mantendo-a imóvel.

— Mu sultu. — Evie tinha largado a faca ao cair no chão, então tateou a grama com o braço livre para ver se a encontrava.

— Relaxa — ele ordenou outra vez.

Tudo certo. Era algo bem plausível, considerando que um homem desconhecido, que ela tinha certeza de ser o alvo da perseguição da Guarda Valente, a imobilizara no chão. Mas Evie tinha feito por merecer, né? Tinha seguido um rio de sangue de verdade — o que mais ela esperava que fosse acontecer?

— U su mutu truxu. — Evie suspirou longa e pesadamente.

De repente, a mão tinha sumido de sua boca e a voz estava em seu ouvido mais uma vez.

— O que você está resmungando aí?

— Essa situação é a minha cara — sussurrou ela.

— Ser derrubada no chão por um desconhecido? — disse o homem em um tom que soou suspeitosamente curioso.

— Bom, não essa situação *exatamente*. Mas se eu contasse a alguém como vim parar aqui, ninguém acharia extraordinário. — Ela deu uma cotovelada nas costelas dele, fazendo com que seu captor praguejasse e grunhisse. — Ah, desculpa. Doeu? — Ela repetiu o gesto para se fazer entender.

— Chega! — sibilou ele antes de apontar para os homens vasculhando as árvores do outro lado do riacho. — Aqueles homens não ligam se você é uma inocente que tropeçou e caiu nos braços de um demônio. Eles vão te matar sem nem pensar duas vezes, e vão fazer isso rindo.

— Um demônio? — Evie riu baixinho, tentando virar o corpo para dar uma olhada nesse homem que se achava tanto assim, mas os braços dele a apertaram novamente, mantendo-a no lugar.

— Você sabe quem eu sou, né? — perguntou ele sem um pingo de arrogância na voz. E, mesmo assim, a casualidade com que o homem *sabia* da própria fama fez Evie sentir embrulho no estômago.

Ela já tinha sido chamada de muitas coisas depreciativas na vida. O mais bizarro era que todas começavam com a letra F. Frouxa, folgada, fracassada e, por uma estranha reviravolta, enfim poderia acrescentar o F final.

Ferrada.

Evie sabia quem ele era. Não entendia como, mas sabia.

O Vilão, Rei das Trevas, Caçador de Sonhos, estava com os braços em volta dela. O pior: ela não chegava nem perto de sentir o medo que deveria estar sentindo. Na verdade, não estava com um pingo de medo, e sim…

Ah, caramba. Evie estava *rindo*?

Sim, estava. Era incontrolável e, se risse mais alto, aqueles homens chegariam até os dois em questão de segundos.

O Vilão pareceu perceber isso também, porque bastou ela piscar para que a mão dele cobrisse sua boca de novo.

— A gente vai engatinhar bem devagar para trás daquela árvore. — Ele ergueu Evie para que ela pudesse ver o grande carvalho em questão. — E aí vamos correr.

— Nós dois? — questionou ela enquanto era abruptamente virada e empurrada na direção da árvore. Não havia como discutir, por isso, conforme instruído, ela se manteve abaixada e foi engatinhando até estar encostada em segurança do outro lado do tronco. Ofegante e assustada ao encontrar sangue pintando a parte de trás do braço, Evie se virou para ver se o Vilão ainda estava por perto.

Desaparecera.

— Onde raios ele se…

— Aqui.

Evie girou na direção da voz, boquiaberta.

— Como foi que você conseguiu chegar… — Mas ela perdeu o fio da meada quando o viu.

Em sua defesa, era muita coisa para processar.

A primeira constatação foi que os cartazes de PROCURA-SE estavam completamente errados. Ele não era um homem mais velho, com cicatrizes e barba grisalha. Na verdade, não havia nenhum traço de cinza naquele cabelo denso e escuro. Ele tinha maçãs do rosto salientes acima da barba por fazer, que contornava uma mandíbula bem-marcada. Evie imaginou que ele não poderia ser mais do que seis ou sete anos mais velho. Se ela tivesse que chutar, diria que o Vilão não passava dos… vinte e oito, vinte e nove? Mas não tinha como estar certo. Devia existir uma regra em algum lugar que determinasse uma idade mínima de cinquenta anos para ser um vilão, talvez sessenta, se fosse para forçar a barra.

Mas não jovem! E, a maior de todas as tragédias, bonito.

Mas era isso que o Vilão era: bonito. A pele era marrom-clara, bronzeada de sol e uniforme. Como se, quando não estava aterrorizando as pessoas, passasse as horas vagas deitadinho no gramado, talvez delicadamente tomando um chá e lendo poesia com o dedinho levantado.

Essa imagem fez Evie dar uma risadinha nervosa. O Vilão arqueou uma das sobrancelhas perfeitamente espessas que emolduravam os olhos mais escuros que ela já tinha visto na vida. Olhos que se estreitaram, avaliando-a com certa confusão. Parecia que ele ainda não tinha entendido completamente que Evie era outro ser humano que estava vivo e respirava, pois a olhava como se a existência dela fosse um enigma.

— Você não deveria ter essa aparência — disse ela, e se surpreendeu ao quase pensar que a expressão atônita no rosto dele era bonitinha.

Ele é um assassino!, sua consciência protestou, mas o restante dela, a parte que não estava ligada ao seu cérebro supersensato, o achava bonito demais para se importar.

Evie deu um passo cauteloso na direção do Vilão e tentou buscar dentro de si o medo que sabia que estava ali. A qualquer momento, ela ficaria paralisada de terror e correria aos berros no sentido contrário, mas ele já estava tão perto que dava até para tocá-lo e ela ainda não tinha fugido.

Humm. Nada de medo, mas chegou a sentir uma leve preocupação — um bom indício de que ainda mantinha um pouco de juízo. Até, é claro, sua leve preocupação ser ofuscada por pensamentos constrangedores, como o de qual seria o cheiro dele caso ela se inclinasse um pouco mais para perto.

— Tem alguma coisa em meu rosto... que te desagrada? Ou talvez seja o fato de eu estar sangrando por três feridas diferentes, graças aos homens da sua aldeia? — A voz dele era suave, e por fora o Vilão parecia calmo, mas Evie enxergava uma raiva contida por trás de seus olhos escuros.

Será que ele achava que ela o estava julgando?

— Hum, pois é... O sangue não é maneiro... mas eu estava me referindo ao fato de você parecer ter sido esculpido em mármore, e só acho que, como regra geral, pessoas inerentemente más deviam ter uma aparência grotesca.

A fúria desapareceu como se nunca tivesse estado ali, e a única resposta do Vilão foi piscar.

— Você simplesmente não pode sair matando pessoas e ser bonito. Dá um nó na cabeça. — Evie começou a desenrolar o cachecol que a irmã mais nova, Lyssa, lhe dera de presente em seu último aniversário, e então se aproximou do Vilão, estendendo-o como um sinal de paz.

— Para limpar o sangue, Vossa Malvadeza.

Pegando o cachecol com o punho cerrado, o Vilão enrolou-o em volta da cintura e o apertou bem para estancar o sangramento.

— Você me acha *bonito*?

Por mais estranho que pareça, Evie teve a sensação de que ele teria preferido ser chamado de *grotesco*, pelo jeito como seu rosto se contorceu de desgosto.

— Não é uma questão de achar... é um simples fato. Olha só como suas maçãs do rosto são simétricas. — Ela se aproximou e pôs as mãos em cada lado do rosto dele.

O Vilão arregalou os olhos e Evie também, assim que percebeu o que estava fazendo.

— Você está tocando meu rosto — disse ele secamente.

— ... Parece que sim.

— Está satisfeita com essa decisão? — O Vilão ergueu a sobrancelha escura outra vez.

Ele é um assassino profissional, né? Talvez me mate agora, se eu pedir com jeitinho.

— Eu estava tentando defender meu argumento. — Evie deu de ombros, deixando as mãos caírem nas laterais do corpo.

Com uma pitada de admiração nos olhos, ele balançou a cabeça e disse:

— Você é caótica.

— Você se importaria de escrever isso em uma carta de recomendação? Eu conseguiria um emprego rapidinho, e estou precisando muito de trabalho. — Antes que o Vilão pudesse responder, um leve farfalhar vindo dos arbustos ao lado deles fez os pelos da nuca de Evie se arrepiarem.

Virando a cabeça na direção do barulho, ela deu um passo cauteloso na direção do Vilão, que a pegou pelos ombros e a puxou para perto de si rapidamente.

— O que...

Evie ouviu a flecha antes de senti-la.

Uma dor aguda atravessou sua pele quando a flecha roçou seus ombros, fazendo-a cair contra o peito firme do Vilão.

— Machucou. — As palavras saíram com naturalidade, como se ela tivesse acabado de levar um arranhão.

Eles tinham sido avistados, mas o Vilão permaneceu calmo quando disse:

— Só pegou de raspão. Eu sei que dói, mas temos que fugir. — Ele a virou depressa, mas com jeitinho, e os dois seguiram no sentido oposto, enquanto o Vilão mancava por conta dos ferimentos.

— Põe o braço em volta de mim. — Ele se encolheu enquanto corriam por entre várias árvores, Evie logo atrás.

— Por quê? — resmungou ela enquanto o Vilão a puxava para mais perto. — Você está indo tão devagar quanto eu!

Um lampejo de humor cruzou o rosto dele como uma estrela em chamas, bela e brilhante por um breve instante, mas que logo desaparecia no horizonte.

— Eu estou indo mais devagar para acompanhar o seu ritmo.

E foi então que Evie entendeu tudo. Em pouquíssimo tempo, sua situação tinha passado de filha do açougueiro desempregada para cúmplice do maior inimigo do reino.

Caramba, talvez ela fosse *mesmo* caótica. Não tinha nem se passado meia hora ainda, né?

Isso a fez pensar em uma pergunta delicada. Uma que Evie faria bem em não lembrar a ele. Mas já era tarde demais — as palavras escaparam antes que ela pudesse contê-las:

— Por que está se dando ao trabalho de acompanhar meu ritmo? Você poderia facilmente me deixar para trás e aproveitar o tempo que eles vão gastar lidando comigo para fugir.

Isso aí, Evangelina. Dê a ele motivos para te abandonar e você ter que explicar por que estava fugindo com o Vilão, para início de conversa. Assine sua sentença de morte. Mandou bem!

Ele sustentou o olhar dela por um segundo, mas ainda foi capaz de se desviar de uma flecha que passou zunindo, sem quebrar o contato visual. Evie sentiu uma pontada de inveja. Ela não conseguiria desviar nem de uma árvore morta se estivesse olhando diretamente para ela.

— Mas que linha de raciocínio implacável, senhorita…? — Ela notou um tom cansado por trás das palavras dele e ficou satisfeita. O Vilão não era tão bom de corrida. Ele não estava no time dos perfeitos nem dos invencíveis.

Estava, no entanto, perguntando o nome dela.

— Evangelina Sage... ou só Evie. — Tá, a voz dele podia até soar meio cansada, mas a dela parecia ter passado por um ralador de queijo. Correr nunca tinha sido lá seu forte, correr *rápido* então, segundo ela, era a pior coisa que poderia lhe acontecer.

— Hunf — foi a única resposta, o que foi desconcertante, já que o Vilão não tinha revelado se seguiria o conselho malignamente bom de Evie e a deixaria para trás.

Era provável que alguns homens da aldeia a reconhecessem, mas, como pareciam com sede de sangue, as chances de a deixarem sobreviver eram pequenas. Ainda mais levando-se em conta que Evie estava correndo ao lado da pessoa que eles perseguiam, um cara que provavelmente estava prestes a derrubá-la e atirá-la aos lobos.

E, claro, como o universo conspirava contra ela, Evie não precisou esperar que ele fizesse o serviço. Um galho solto escondido sob os arbustos se sobressaía apenas o suficiente para que pegasse a ponta da sua bota, e então ela desabou no chão.

O som de mais vozes masculinas estava quase alcançando os dois. Eles estavam ferrados.

Ou, melhor dizendo, Evie estava ferrada. O Vilão provavelmente pegaria o cachecol dela e levaria toda sua malvadeza para bem longe. Do chão, ela olhou para a parte de trás da cabeça dele, admirando a eficiência com que se movia. Era como se o mundo se curvasse a ele.

Evie viu aquela cabeça ridiculamente perfeita se virar para o espaço vazio ao lado dele e depois de volta para onde ela estava estatelada no chão. Suas costas ardiam, seu ombro doía. E mais um roxo dava as caras depois de ter caído pela segunda vez no mesmo dia.

As vozes estavam se aproximando, e soavam furiosas. Evie tentou ficar de pé para pelo menos se esconder. Mas a mão familiar surgiu à sua frente e ela a pegou, apesar do choque que reprimia toda a sua capacidade de tomar decisões.

— Você cai bastante. — O Vilão a examinou de cima a baixo enquanto dizia isso. Parecia registrar o fato como se estivesse fazendo uma descoberta científica. — Vamos embora, Sage.

Ignorando a formalidade do uso do sobrenome, Evie retrucou:

— A primeira vez que eu caí foi porque você me puxou! — Ela segurou o braço que ele oferecia para se apoiar, e os dois se afastaram dos perseguidores o mais rápido que puderam.

— Mas você caiu tão fácil... Eu mal puxei.

— Você está mesmo me culpando por não ter sido resistente o suficiente para aguentar alguém me dando um *puxão* pelo pulso?

Ele não se dignou a dar uma resposta, simplesmente a segurou com mais força enquanto corriam pela floresta como uma dupla de bandidos. Depois de um tempo, a paisagem interminável de árvores começou a ficar mais escura. Não só por causa do sol, que se punha rapidamente, mas também porque as árvores passavam a ter um tipo de cor diferente. Troncos e galhos compridos e retorcidos sustentavam folhas deformadas de um verde-musgo, e os pios estridentes de pássaros estranhos dominavam o ar denso, causando-lhe arrepios profundos.

— Para onde estamos indo? — perguntou ela, hesitante. A pouca luz que restava no céu pareceu desaparecer em questão de segundos, e a noite caiu sobre eles como se fosse um manto indesejado. Quer dizer, indesejado para ela, pelo menos. O Vilão olhou ao redor em meio à escuridão e, pela primeira vez desde que o encontrara, Evie notou um brilho verdadeiramente perverso naqueles olhos.

Ele pertencia àquele cenário, à noite, à escuridão. Era tudo dele.

E Evie... ainda não estava com medo.

Que coisa inusitada.

— Para um lugar seguro: minha casa, o lugar de onde toco meu negócio.

Evie tentou desvencilhar o braço e virar na direção oposta.

— Seguro? Em um lugar que o povo chama de Morada do Massacre? Tô de boa, obrigada. Prefiro tentar a sorte com os brutamontes da aldeia.

O braço dele parecia uma garra de aço ao redor dela, e Evie não conseguia se mexer. Era como se estivesse grudada nele.

— Se eu quisesse você morta, teria deixado você lá atrás.

Ela arqueou a sobrancelha. Os dois se moviam em um ritmo bem mais tranquilo do que antes, as vozes distantes atrás deles quase se perdiam no silêncio.

Eles os despistaram. Por enquanto. A sensação de segurança fez com que a curiosidade inapropriada de Evie se sobressaísse.

— Por que é que eles estavam te perseguindo, afinal? — perguntou, olhando para o Vilão e para a bolsa que ele estava segurando de lado. — Você roubou alguma coisa? Armas? Dinheiro? O primogênito de alguém?

O Vilão parou por um momento, e Evie soltou um grito quando a bolsa se mexeu. Antes que ela pudesse protestar, ele enfiou a mão ali dentro e tirou um sapo maior do que o normal, tão verde que quase se confundia com os olhos circulados de dourado. Estava sentado tranquilamente na mão do Vilão, encarando-a. Ela retribuiu o olhar.

— Esse sapo está usando uma coroa? — indagou Evie após alguns segundos de silêncio.

O Vilão ignorou a pergunta e ergueu um pouco mais o sapo.

— Não nego que roubar é um dos meus pontos fortes. Todavia, neste caso, aqueles homens é que estavam tentando *me* roubar.

As coisas estavam começando a fazer sentido, só que de uma forma tão estranha que até mesmo Evie estava com dificuldade de entender.

— Roubar de você... um *sapo*... que está usando uma *coroa*?

O Vilão deu meia-volta e continuou a andar, e Evie o seguiu em silêncio.

— Este não é um sapo comum — explicou. — Ele consegue... entender e se comunicar com humanos como se fosse um de nós. — O sapo soltou um coaxar robusto como se quisesse demonstrar suas excelentes habilidades de comunicação, mas o Vilão o ignorou. — E ele está sob *meus* cuidados. — As palavras soaram como um alerta para Evie. — Animais mágicos são leiloados por muito dinheiro. Os homens da sua aldeia acharam prudente descobrir quanto custaria roubar ele de mim durante meu passeio diário.

Evie arfou, horrorizada.

— E o motivo da coroa é...?

O Vilão fez uma pausa, mostrando-lhe o sapo como se a razão fosse óbvia.

— O nome dele é *Reinaldo*.

Evie o encarou por um momento.

— Está falando sério?

— Estou com cara de quem está brincando?

Justo. Verdade seja dita, Evie torcia para que ele não tentasse fazer uma piada: o choque poderia matá-la.

Ele abriu a bolsa e, delicadamente, colocou Reinaldo, o Sapo, ali dentro antes de se virar para Evie.

— Falta pouco para chegarmos à mansão.

Evie continuou a segui-lo, mas dessa vez não ficou em silêncio.

— Como eu vou saber que você não está me mantendo viva só para me matar de um jeito mais divertido depois?

— E qual seria um jeito divertido de matar alguém? — O rosto dele era inescrutável, mas Evie notou que o surpreendera de novo.

— Bom, sei lá! Mas imagino que alguém que faz certa atividade com tanta frequência deva achar nela alguma diversão. — Ela pôs a mão no ombro dele para se equilibrar enquanto passava por um tronco caído.

O ombro do Vilão ficou tenso com aquele toque, e Evie até que não odiou completamente o sentimento que veio ao perceber aquilo, mas o rosto dele permaneceu impassível.

— Você está certa. Existem algumas maneiras divertidas. — Assim que Evie passou pelo tronco com segurança, ele se afastou e ela recolheu a mão. — Mas pelo visto nem vou precisar implementá-las, já que sua falta de jeito vai ser a sua ruína.

— Olha aqui, não sou desajeitada. Eu caí uma vez. A primeira foi culpa sua também. — Ela marchou na frente dele de braços cruzados. — Tenho meus defeitos, Vossa Malvadeza, mas ser desastrada não é um deles...

Plaft!

De repente, algo atingiu a cabeça de Evie e ela cambaleou para trás. *Ai.*

Ela piscou na noite, completamente confusa com o que acabara de acontecer.

O Vilão suspirou pesadamente atrás dela enquanto a contornava para tocar o agressor invisível. Mas, assim que os dedos dele chegaram lá, uma barreira começou a se dissolver em volta dos dois num clarão de luz azul. Os cantos da paisagem derreteram, revelando grandes paredes de pedra e um portão de ferro preto. Por trás, surgiram torres imponentes de paralelepípedo.

O castelo dele estava escondido por magia — que tinha acabado de acertá-la na cabeça.

O portão se abriu e o Vilão fez sinal para que Evie entrasse primeiro. Como se estivesse resignada a se jogar de cabeça em um poço de dragões famintos, ela obedeceu. Sinceramente, àquela altura, o que mais poderia fazer? Ela já tinha esgotado todas as opções quando concordara em ajudá-lo e deixá-lo ajudá-la em troca. Melhor enfrentar o que viesse pela frente.

A Morada do Massacre era tão grande que mal podia ser chamado de mansão.

Provavelmente poderia acomodar a vila de Evie inteirinha e mais umas duas do mesmo tamanho, com folga. Algumas partes estavam desgastadas, mas havia um charme na aparência rústica. As pedras que compunham a estrutura da propriedade eram de tons suaves de cinza e marrom, com musgo e trepadeiras entre elas, mas aquela desordem lhe dava um ar convidativo e misterioso.

Talvez até meio aconchegante.

Eles contornaram fontes quebradas e cheias de mais musgo enquanto o olhar de Evie se perdia pelo jardim que estava, contra todas as expectativas, bem cuidado. Na verdade, ela jurou ter visto um canteiro de narcisos e teve que segurar a risada.

Mas o que realmente assustava era o tamanho daquilo tudo. Parecia até que o lugar ia crescendo quanto mais eles se aproximavam, do mesmo jeito que o frio na barriga de Evie.

Em poucas palavras: era um lugar imenso e um cenário épico para morrer.

Engolindo em seco, ela encarou a madeira escura de uma porta enorme e lançou um olhar interrogativo para o Vilão.

— Se você der um empurrãozinho, a porta se abre. — Havia um sarcasmo meio confuso em tudo que ele dizia. Era como se, lá no fundo, o Vilão tivesse um senso de humor próprio ou simplesmente achasse todo mundo incompetente.

— Eu sei abrir uma porta — retrucou ela, irritada.

Ele a encarou com um olhar desconfiado.

— Então por que ainda está fechada?

Ah, então é isso, o mundo está cheio de incompetentes mesmo, Vossa Malvadeza.

— Deixe-me abri-la, senhor! — Uma voz rouca ecoou da janela acima deles, e Evie deu um gritinho de susto, trombando com o Vilão.

— Venha rápido, Marvin. A srta. Sage parece estar tendo algum tipo de ataque.

— Há quanto tempo ele está ali em cima? — Ela se afastou da solidez daquele peitoral e se surpreendeu com o frescor do aroma que vinha dele. O Vilão não deveria exalar um cheiro de morte? Não era para ser um misto de canela, uísque e cravo.

— Ele é um dos meus guardas. Está sempre ali em cima. — E, como se tudo tivesse sido cronometrado, a porta pesada se abriu com um rangido ameaçador.

Evie o seguiu para dentro do hall sombrio.

— Bom, estou dentro do seu covil, Vossa Malvadeza. Por que me trouxe até aqui?

Ele revirou os olhos escuros e se arrastou pelo vasto cômodo em direção a uma série de degraus de pedra imponentes contra a parede oposta, que levavam a sabe-se lá onde. E, então, falou por cima do ombro:

— Se vai trabalhar para mim, Sage, precisa parar de me chamar assim.

Ele dava passadas largas e Evie correu para acompanhá-lo enquanto começavam a subir.

— Trabalhar para você? — A ideia era ridícula demais. — Eu não posso fazer isso. Você é... é... mau.

Ele parou abruptamente no segundo lance, encostando-se em um vitral.

— Sou, sim — retrucou, sem fazer nenhum esforço para negar. O Vilão caminhou na direção dela, impondo-se. Evie sabia que estava tentando intimidá-la. — Mas você disse que precisava de emprego.

Disse? Ah, sim, tinha dito mesmo, num momento de divagação. Evie estava acostumada a ter essas reflexões ignoradas, não registradas como uma candidatura de emprego.

— Preciso mesmo — admitiu, cansada. — Mas por que você me ofereceria um emprego? O que te fez pensar que eu sou qualificada para qualquer coisa que você faça?

— Você tem uma mentalidade implacável que considero valiosa e me ajudou, apesar de tudo o que ouviu sobre mim. — Ele olhou para o cachecol ensanguentado em volta da cintura.

— Seus ferimentos! — Evie recuou, incrédula. — Esqueci completamente. Está sentindo muita dor?

Ele fez uma careta, mas não removeu o cachecol.

— Eu me curo rápido. E os *seus* ferimentos?

O hematoma no quadril dela certamente ficaria feio e roxo. Quanto ao arranhão da flecha que quase tinha arrebentado a pele das suas costas, ainda estava ardendo, mas o pior já passara.

— Vou sobreviver. — Ela deu de ombros, optando por não mencionar o ferimento de faca adicional no ombro esquerdo, feito por seu último empregador.

Aquilo ainda doía pra caramba.

Ele fez que sim, estendendo a mão, e perguntou:

— O que me diz, Sage?

Evie hesitou, sabendo que confessar poderia ser sua sentença de morte, mas não foi capaz de mentir.

— Você ainda me ofereceria esse trabalho... seja lá qual for... se soubesse que meu pai já foi um cavaleiro do rei?

O semblante dele permaneceu inalterado; na verdade, parecia entediado.

— Ele ainda é?

— Não, não! Isso foi bem antes de eu nascer. Era só uma maneira de juntar dinheiro para o açougue. Ele se aposentou depois de se casar com minha mãe. — A próxima parte era dolorosa, então ela disse sem rodeios. — De qualquer maneira, a essa altura ele está doente demais para trabalhar, e sua única lealdade é em relação à família.

O Vilão deu de ombros.

— Então não vejo por que isso seria um problema.

Bom, resolvida essa questão, ela estava certa de que ainda podia encontrar várias outras.

— O que significa trabalhar para você? — indagou, encarando a mão dele como se fosse ao mesmo tempo um salva-vidas e uma sentença de morte. — Não quero machucar ninguém nem ajudar você a fazer isso. Também não quero ser uma das suas... amigas íntimas.

Enquanto as mãos voltavam para junto do corpo, os lábios do Vilão se curvavam para cima, quase como se estivesse tentando... sorrir?

— Você definitivamente não é o tipo de mulher que eu levaria para a cama.

O rosto de Evie corou, e a dor no ombro de repente parecia insignificante comparada ao ardor da rejeição que sentia no peito. Era ridículo, porque ela não queria ser desejada por aquele homem, mas, pelo amor dos deuses, Evie pelo menos tinha algum orgulho.

Estendendo a mão para ela mais uma vez, o belo rosto do Vilão tornou-se um muro impassível, desprovido de emoção, exceto por uma leve delicadeza nos olhos. Então, ele disse:

— Vou direto ao ponto. Eu não vou te forçar, mas agora você sabe onde fica a "Morada do Massacre", como você tão bem nomeou. Sabe que não sou imune a uma lâmina e, pior de tudo, viu o meu rosto.

O Vilão olhou fixamente para um cacho na testa dela. Evie devia estar com uma aparência terrível depois de ter corrido pela floresta feito uma criminosa.

— Você é um risco para mim, e eu não tenho tempo para deixar a Tatianna vasculhar sua mente e remover as memórias de hoje. Estou sangrando na minha camisa favorita. Você precisa de trabalho e eu estou disposto a lhe oferecer uma posição generosa com um salário ainda mais generoso. — Ao perceber sua hesitação, ele suspirou e acrescentou: — E posso garantir que eu nunca machuquei um inocente.

— Mas e minha vila? — disparou ela impulsivamente. — E se eu te ajudar a machucar alguém que conheço?

— Seria bem constrangedor para você — disse ele, sem um pingo de compaixão.

Ela o encarou com olhos semicerrados até o Vilão ceder.

— Vou poupar os *aldeões* das minhas *verdadeiras* intenções assassinas. — Seu tom era de concordância, mas Evie sentia que havia algo nas entrelinhas.

Ela mal podia acreditar que estava de fato considerando a oferta, mas a ideia de ser capaz de sustentar a família fazia seu coração bater mais forte. Antes que se desse conta, sua mão já estava apertando a dele.

Evie esperava que fosse fria, mas era quentinha. A sensação daqueles dedos envolvendo os dela a entorpecia.

— Tudo bem, aceito sua proposta. Que tipo de depravações eu vou fazer para você, Vossa Malvadeza?

Mantendo as mãos dos dois entrelaçadas e sem desviar o olhar, ele esboçou um sorrisinho nos lábios carnudos.

— Parabéns, Sage. A partir de hoje, você é minha nova assistente pessoal. — Em seguida, soltou a mão dela e se virou para continuar subindo as escadas, mas mal tinha dado três passos quando voltou a se virar para Evie, que estava atordoada.

— E, se for para me chamar de qualquer coisa, "senhor" está ótimo.

CAPÍTULO I
Evie

Cinco meses mais tarde...

Havia cabeças decepadas penduradas no teto *de novo*.

Evie suspirou e acenou para Marvin enquanto fechava a porta pesada do castelo e cruzava o salão principal. Os saltos baixos ecoavam no chão de pedra, acompanhando o ritmo acelerado do seu coração.

O Vilão estava de mau humor.

Uma cabeça decepada era de se esperar, é claro. Era uma regularidade à qual Evie, por mais bizarro que pudesse parecer, já tinha se acostumado no tempo em que trabalhava ali. Mas naquele momento três cabeças pendiam do teto, bocas abertas em um grito silencioso, como se tivessem deixado essa vida em puro terror. E, se ela olhasse bem...

Argh, uma delas estava sem um dos olhos.

Evie examinou o chão antes de dar outro passo, esperando desesperadamente evitar pisar no olho, como tinha acontecido algumas semanas antes, ao entrar na câmara de tortura do chefe para passar uma mensagem. O grito que ela dera naquela ocasião foi quase inaudível, mas, caso acontecesse novamente, não dava para saber se manteria a compostura. Ela podia lidar com um dedo solto ou quem sabe até um dedão do pé, mas os olhos explodiam quando pisados, e esse parecia ser o limite que a mente de Evie tinha traçado.

Ela deu de ombros e seguiu em frente. *Um limite justo, se querem saber minha opinião.*

Mas isso era irrelevante. O tipo de horror que ela encontrava todo dia já não a perturbava como deveria. A necessidade de normalidade tinha perdido a força, pouco a pouco, desde que começara a trabalhar ali, mas ela não ligava. O conceito de "normal" era para aqueles que não tinham a capacidade de expandir a própria mente para além do inimaginável. Era algo que sua mãe dizia durante a infância e, por algum motivo, era o único conselho que Evie não conseguia ignorar.

Não havia como evitar, de qualquer maneira. Afinal, ela era a assistente pessoal do Vilão. Evie riu do próprio cargo, imaginando como o anúncio da vaga seria ridículo:

Deve ser organizado.
Deve gostar de trabalhar até tarde e
apreciar escrever documentos longos.
Deve se sentir confortável e até apoiar
incêndios criminosos, tortura, assassinato.
E não deve gritar quando houver, ocasionalmente,
um cadáver em cima de sua mesa.

Em defesa do chefe, ele só tinha feito essa última uma única vez desde que Evie começara a trabalhar ali. Ao chegar no trabalho com a pontualidade de sempre, ela cruzara o escritório e imediatamente avistara o cadáver de um homem robusto esparramado em cima da mesa. Vários cortes pelo corpo, pedaços de carne faltando.

Ele tinha sido torturado antes de ser morto, isso estava claro, e o chefe decidira despejar o homem em sua mesa branca impecavelmente organizada, que ficava bem ao lado do enorme e desorganizado escritório do Vilão. Evie nunca esqueceria o olhar dele quando ela entrou, viu o corpo e então o encontrou encostado na entrada do escritório. Ele simplesmente ficou ali, de braços cruzados, observando-a com atenção.

Ah, sim, pensara Evie. *Ele está me testando.*

Pelo menos ele não parecia *esperar* que ela falhasse.

Evie já estava tão acostumada com *aquela* expressão no rosto dos aldeões que ela a havia catalogado na própria mente na categoria "coisas que a faziam querer cometer atos de violência".

Então, em vez disso, ela avaliara cada possível reação que lhe seria mais útil naquele tipo de situação — ou seja, que a permitisse continuar empregada — e acabara simplesmente sendo ela mesma.

Bom, ela mesma com um cadáver mutilado em cima da mesa.

Evie olhara de relance para o chefe, sentindo um nó no peito pela maneira intensa como ele a encarava. Era quase como se ele *desejasse* que ela não falhasse, o que não fazia sentido algum. Talvez estivesse com má digestão — devido às torturas daquela manhã e tudo mais.

— Bom dia, senhor. Você gostaria que eu trabalhasse com esse cavalheiro aqui, na minha mesa? Ou essa é sua maneira sutil de me dizer que deseja que eu leve o corpo para um lugar mais adequado? — perguntara ela com um sorriso amistoso no rosto.

Ele simplesmente arqueara a sobrancelha e, em seguida, afastara-se do batente da porta, caminhando até a mesa — e o corpo.

Evie contivera um suspiro ao ver o couro preto se ajustar às coxas do Vilão enquanto ele se inclinava sobre a mesa — porque ele jogara o corpo por cima do ombro como se fosse um saco de batatas, não por ter belíssimas coxas. Os olhos dele permaneceram fixos nos dela enquanto se dirigia à janela mais próxima... e prontamente atirava o homem lá fora.

Evie se segurara para não arfar, determinada a mostrar sua competência. Além do mais, esse trabalho ainda estava *infinitamente* melhor do que o anterior.

Respirando fundo, Evie sustentou o olhar do Vilão, tentando ignorar a repentina atenção à vestimenta de couro dele ou, mais arriscado ainda, às coxas.

— Muito criativo o método de descarte, senhor... Que tal se eu trouxesse uma xícara de elixir de caldeirão do Edwin? — O ogro que trabalhava na cozinha preparava todo dia aquela mistura marrom feita de feijões mágicos, acompanhada de doces feitos na hora. Ela nunca tinha ouvido falar da bebida, mas melhorava a produtividade e parecia deixar todo mundo mais bem-humorado, cadáveres à parte.

Os lábios do Vilão esboçaram um meio sorriso, e seus olhos escuros brilhavam com uma espécie de divertimento contido. Não estava exatamente sorrindo, mas era o suficiente para o coração dela acelerar.

— Sim, Sage, você sabe como eu gosto.

Desde então, ela não encontrara mais nenhum corpo na mesa ao chegar no trabalho, mas isso não significava que os últimos meses não tivessem sido desafiadores. Na maioria das vezes, o Vilão costumava estar fora, provavelmente tocando o terror entre os moradores das cidades vizinhas de alguma maneira que ela preferia não pensar. Eles tinham feito uma espécie de trato de que ele não causaria problemas na vila *dela* — ou pelo menos foi isso que ela entendera a partir do grunhido que ele tinha soltado. Mas, mesmo assim, algo lhe dizia que até um corpo na sua mesa seria mais divertido do que o humor dele naquele dia.

Porque sinais de decapitações excessivas só poderiam significar uma coisa: um dos seus planos tinha falhado pela terceira vez em dois meses.

Evie suspirou mais uma vez ao se aproximar da interminável escadaria sinuosa. Ela parou e a observou por um instante, perguntando-se por que havia magia o bastante nas paredes para mover objetos por conta própria e manter a temperatura agradável, mas não o suficiente para tornar as escadas menos... bem, terríveis. Então, balançou a cabeça. Isso seria acrescentado à caixinha de sugestões.

Nota mental: sugerir uma caixinha de sugestões.

Ao começar a subida diária, Evie evitou a porta que surgia à sua esquerda após o primeiro lance. A porta que levava aos aposentos particulares do chefe.

Só os deuses sabiam o que o Vilão fazia na parte *pessoal* daquela vasta e decididamente sombria construção de pedra.

Não pense na vida pessoal dele, Evie.

Mais uma boa regra para a lista que ela vinha incrementando religiosamente desde o seu primeiro dia ali.

Pare de tentar fazer o chefe rir, Evie.

Não toque no cabelo do chefe, Evie.

Não ache tortura atraente, Evie.

Não diga ao Edwin que o elixir de caldeirão está forte demais, Evie.

Sua respiração foi ficando pesada enquanto ela subia para o segundo andar e seguia pelo corrimão à luz de velas em direção ao próximo lance, sentindo as panturrilhas queimarem sob a saia azul espessa que roçava o topo dos tornozelos.

O eco de um grito vindo das câmaras de tortura nos calabouços lá embaixo a fez parar. Ela arregalou os olhos por um momento, balançou a cabeça e logo voltou a subir as escadas.

Apesar de suas outras atividades claramente nefastas, o chefe tinha um conjunto estranho e confuso de princípios que ele seguia à risca: o primeiro deles era nunca machucar inocentes, para o alívio dela. Sua maldade era mais do tipo vingativa. Evie também gostava de saber que sua lista de princípios incluía tratar as mulheres com o mesmo nível de respeito e consideração que os homens. O que, olhando em retrospecto, não era muito, mas pelo menos as regras do trabalho eram mais consistentes do que a perspectiva do mundo exterior.

Antes de trabalhar para o soberano do mal, Evie tinha sido funcionária do ferreiro local da sua aldeia, Otto Warsen. Ela organizava as ferramentas e lhe entregava os instrumentos que ele precisava para se concentrar na forja. Era um bom trabalho, que lhe pagava o suficiente para que pudesse sustentar o pai doente e ainda estar em casa a tempo de fazer o jantar para ele e a irmã mais nova.

Ou pelo menos tinha sido um emprego razoável — até deixar de ser.

Evie passou os dedos pelo ombro por baixo da camisa de linho, sentindo a cicatriz áspera e saliente escondida ali. Se tivesse sido uma lâmina comum, teria cicatrizado direito. Só que a magia impregnada naquela adaga branca agora vivia debaixo da sua pele como uma maldição. Uma maldição tão perversa que, toda vez que ela sentia uma pontada de dor em qualquer parte do corpo, a cicatriz brilhava. Um incômodo, já que objetos inanimados pareciam cruzar o seu caminho com uma frequência alarmante.

Se havia algo em que tropeçar, certamente daria um jeito de encontrar.

Soltando uma risadinha em meio à respiração ofegante, Evie começou a subir o último lance de escadas — um covil do tamanho de uma vila e ele os fazia trabalhar no andar mais alto? Maldade, teu nome é Vilão. Mas ela seguiu em direção à pessoa que havia alterado o curso da sua vida.

Referir-se ao chefe apenas como uma "pessoa" parecia insuficiente. Em muitos aspectos, ele era extraordinário, mas ser responsável por todas as suas vontades e necessidades acabara por torná-lo mais humano aos olhos dela. O véu misterioso que o cobria quando Evie começara o trabalho tinha desaparecido, e uma imagem bem mais clara estava formada na sua mente.

Mesmo assim, ela ainda tinha muito a aprender.

Como, por exemplo, que tipo de escuridão espreitava dentro dele para que houvesse *três cabeças* penduradas naquele bendito teto.

Evie chegou ao último degrau e passou a mão pela testa suada, lamentando o tempo que gastara se arrumando aquela manhã. Não precisava de um espelho para saber que as bochechas estavam vermelhas e que os fios finos soltos da trança grudavam na testa. Enquanto avançava pelo corredor, ela sentia o suor escorrendo entre as coxas.

Uma ideia tentadora cruzou seus pensamentos: calças largas.

O chefe tinha deixado bem claro que não havia regras sobre como os funcionários deviam se vestir, o que significava que, pela primeira vez em um emprego de Evie, ela tinha permissão para usar algo diferente de vestidos sóbrios. Mas ela temia que usar algo tão escandaloso quanto calças pudesse atrair muita atenção.

Mulheres? Têm pernas? Chamem o arauto da cidade!

Não, ela já atraía suspeitas o suficiente em sua pequena aldeia a respeito do "misterioso" trabalho que a fazia sumir todos os dias. Melhor passar despercebida para que ninguém se desse ao trabalho de olhar mais de perto.

Se alguém lhe fizesse perguntas sobre o seu trabalho, ela dizia que tinha conseguido uma vaga de arrumadeira em uma grande propriedade em uma vila vizinha.

Não era totalmente mentira. Ela vivia limpando as sujeiras do Vilão — é claro, em geral elas envolviam sangue.

Ao chegar ao fim do corredor, ela puxou a arandela dourada mais próxima ao vitral e deu um passo para trás enquanto a parede de tijolos se abria lentamente, revelando o salão de baile oculto que também servia como local de trabalho. Em seguida, entrou apressada na sala ampla enquanto a parede se fechava atrás dela e respirou fundo. O aroma fresco de pergaminho e tinta impregnava o ar de um jeito confortável e familiar que nunca deixava de fazê-la sorrir.

— Bom dia, Evangelina.

E agora sua manhã estava arruinada.

Rebecka Erring estava sentada com sua equipe de administração à esquerda, e todos eles interromperam o trabalho para olhar para Evie. Os olhos de Rebecka encontraram os dela por trás de grandes óculos redondos, e Evie disse:

— Bom dia, Becky.

Ela alisou a frente do vestido de gola alta, que era dois números acima do necessário.

— Veremos — rebateu, seguida por seis pares de olhos que voltaram a se concentrar nos pergaminhos quando perceberam que não haveria conflito aquele dia.

Verdade seja dita, Becky era muito bonita. Era apenas dois anos mais velha do que Evie, mas era como se esses dois anos lhe dessem uma sensação de superioridade de quem tinha uma década a mais de experiência.

Sua pele marrom-clara era impecável, e seu sorriso contido não diminuía nem um pouco sua beleza notável. As maçãs do rosto e o queixo tinham a mesma largura, chamando a atenção para todos os destaques do seu rosto. Se a personalidade dela refletisse minimamente a beleza física, Becky poderia ser a melhor pessoa que Evie conhecia.

Mas, infelizmente, ela era abominável.

Evie abriu um sorriso afetuoso, prendendo uma mecha de cabelo atrás da orelha.

— Trabalhando bastante essa manhã?

A outra mulher retribuiu o sorriso, forçando tanto a barra que mais um pouco quebrava.

— Fui a primeira a chegar hoje, então tomei a dianteira. — No linguajar de Becky, isso significava: "Cheguei antes de você, logo, sou melhor que você. Contemple minha assiduidade impecável."

Fazendo um esforço descomunal para não revirar os olhos, Evie abriu caminho em meio às pessoas que se movimentavam freneticamente pelo local. O chefe exigia eficiência de todos os seus empregados, e todos ali queriam mais que tudo mostrar seu valor.

A sala oculta era ampla e repleta de mesas e escrivaninhas. Vitrais que ilustravam cenas de maldade e tortura adornavam uniformemente as paredes de tijolo bege, projetando uma luz aconchegante pelo ambiente. O lustre cheio de teias de aranha acima deles cintilava em contato com a luz, fazendo Evie se lembrar das cabeças penduradas lá embaixo. Ela esperava de coração que o grito vindo das câmaras de tortura não fosse outra cabeça prestes a ser exposta.

Ela só estivera nos calabouços algumas vezes, e nunca por tempo suficiente para conhecer de fato aquele recinto horripilante. Mas algumas estagiárias, sim. Aquelas visitas eram o ponto alto das suas conversas melindrosas perto da cozinha.

— Tem cheiro de carne podre e desespero — dissera uma.

Na mesma hora, Evie perguntara como era o cheiro do desespero, mas as outras garotas simplesmente voltaram a sussurrar entre si.

Ela nunca tinha sido muito boa em fazer amigos.

Para início de conversa, desde o desaparecimento da mãe quando criança, Evie se tornara especialista em deixar que questões sérias passassem por ela como se fossem ondas, evitando que a afetassem profundamente.

Por um breve instante, ela achou que esse trabalho pudesse lhe conferir um ar mais sério. Que as pessoas a veriam como alguém com sofisticação e vivência de mundo. Mas, apesar de todos os motivos que tinha para virar uma figura sombria e ameaçadora, Evie continuara sendo quem sempre tinha sido, uma otimista — o que, convenhamos, não é nem um pouco adequado para o escritório de um vilão. Claro, ela *não queria* se tornar uma pessoa malvada, mas, quando alguém passa a maior parte da vida tentando ver o sol, às vezes começa a ansiar pela chuva.

Em seus momentos mais íntimos, ela se perguntava como seria nunca mais sorrir, como seria ser temida do jeito que o chefe era. Mas Evie Sage não era uma vilã, e quem sugerisse o contrário seria tratado como chacota.

Claro, não era evidente que todo mundo ainda a via da mesma forma, já que ela seguia enfrentando tudo com um sorriso no rosto? Assim como fizera com o resto da aldeia, Evie tinha mentido para o pai e mantido Lyssa e ele alheios aos detalhes de onde ia todos os dias. Era para o bem deles, de verdade. O pai já se preocupava demais com os fardos que colocava sobre as duas filhas estando doente e incapaz de trabalhar desde que pegara a Doença Mística — uma enfermidade que assolava o reino pelos últimos dez anos.

A doença atacava sem motivo aparente, e tudo indicava que selecionava suas vítimas ao acaso. Algumas morriam rápido — as sortudas. Outras ficavam tão debilitadas que mal podiam sair da cama enquanto a doença lhes roubava a vida, como o mais cruel dos ladrões.

O pai estava doente fazia tempo o bastante para que a curandeira garantisse a Evie e a Lyssa que, por enquanto, ele não morreria. Mas, durante boa parte do tempo, estava tão fraco que não tinha condições de continuar na profissão que exercia antes.

Felizmente, ele tinha sido açougueiro, o que era uma bênção para Evie, pois ela crescera rodeada de sangue e cadáveres, e atualmente esse mesmo ambiente estava presente em sua profissão. Se bem que ver corpos de animais era bem diferente de ver corpos de homens.

Ao sentar-se à escrivaninha e dar início à sua rotina diária de organizar as contas, lembrou a si mesma de que, pelo menos aquele dia, sua mesa estava limpa. Evie estava trabalhando havia apenas uma hora quando algo se chocou contra a parede atrás dela, fazendo-a saltar da cadeira e cair de traseiro no chão com um baque constrangedor. Na queda, seus braços esbarraram nos papéis, e duas horas de trabalho organizando faturas se esparramaram à sua volta como flocos de neve de papel.

Que erro de iniciante, Evie.

Ela sabia que sempre tinha que estar alerta, com a escrivaninha tão perto do escritório do chefe.

Evie observou o último papel pousar em seu peito, sem se dar ao trabalho de se levantar ou pegar os documentos. Algo ou alguém certamente tinha sido arremessado contra a parede... Mais um estrondo, seguido por dois baques mais suaves e um vidro se estilhaçando.

E lá se vai o quadro que eu tinha pendurado na semana passada.

Ainda no chão, sentindo-se ridícula, Evie virou-se e ajoelhou-se para recolher os papéis espalhados.

— Ai — murmurou, esfregando o traseiro.

Mas ela poderia muito bem ter gritado, dada a maneira abrupta com que a porta preta do escritório do Vilão se abrira, fazendo as paredes tremerem e os outros funcionários congelarem. Lentamente, Evie ergueu o olhar dos papéis que tinha em mãos, fixando-se primeiro na ponta de uma bota preta reluzente e depois subindo mais. Então, viu calças escuras que deveriam ser mais folgadas, mas que, em vez disso, abraçavam coxas musculosas ligadas a um torso de tirar o chapéu.

Seus olhos passaram pelo V solto na camisa preta bufante do Vilão, que revelava a parte superior do seu peito forte. Mesmo desalinhado, ele estava absurdamente atraente.

Quando seu olhar finalmente encontrou o rosto dele, ela teve que segurar o suspiro e logo enterrá-lo onde ninguém jamais seria capaz de encontrá-lo. Mas como resistir? Aquele maxilar era marcado e anguloso o suficiente para ser considerado uma arma, forte o suficiente para fazer suas entranhas tremerem.

Não deixe o chefe fazer suas entranhas tremerem, Evie.

Ela costumava achar que a parte mais difícil de observar nele eram os olhos. Eram de um preto surpreendente que sugava quem o olhava, uma teia pronta para capturar a alma. Eram olhos que imploravam para que desviassem o olhar, mas Evie ignorava aquele apelo, pois eram muito agradáveis de se observar.

E a boca.

Talvez fosse a parte mais expressiva do rosto dele; cada movimento era tão sutil, mas tão rico em significados que ela começara a catalogá-los. Naquele momento, por exemplo, a boca dele estava tensa. Quando Evie olhou nos olhos do Vilão, ele a observava fixamente. A cabeça estava levemente inclinada e ela sentiu um embrulho no estômago ao imaginar o que ele devia estar achando dela ali, de quatro no chão, como se estivesse brincando de pula-carniça ou outro jogo ridículo.

Ele estava confuso? Perplexo? Prestes a me matar por ser tão destrambelhada?

O Vilão se agachou lentamente, ajoelhando-se até ficar da altura dos olhos dela.

Desprovida da intimidação fundamental que deveria estar sentindo, Evie abriu um sorriso de orelha a orelha para o homem que todo o reino temia.

— Bom dia, senhor. — Em seguida, ouviu-se um gemido abafado de dentro do escritório do chefe. Arqueando as sobrancelhas e inclinando a cabeça para olhar atrás dele, acrescentou: — Manhã agitada, é?

O chefe também arqueou as sobrancelhas em resposta.

— Bastante.

Balançando a cabeça como se estivesse incomodado com a própria resposta, ele começou a recolher o restante dos papéis espalhados antes de colocá-los na mesa dela.

Evie pôs o pé no chão para se levantar e se encolheu com dor, o que acabou lhe rendendo um olhar penetrante da encarnação do mal à sua frente. A boca dele se contorceu numa careta. Será que ele estava… irritado? É claro que estava irritado. Evie tinha interrompido seus afazeres ao cair de bunda no chão.

Ela começou a se levantar apoiando a mão na quina da mesa, mas o chefe a segurou pela cintura e a ergueu antes que Evie pudesse protestar. Não que ela fosse protestar se tivesse tido tempo para isso, porque aquelas mãos grandes eram… bem, muito agradáveis.

Quando Evie finalmente ficou de pé, ele tirou as mãos dela num instante e as cerrou ao lado do corpo. Um calor subiu por suas bochechas enquanto, toda sem jeito, ela tentava olhar para qualquer lugar, menos para o rosto dele, temendo encontrar um sorriso irônico ou alguma coisa pior. Por fim, o olhar dela parou no decote em V da camisa preta do chefe.

E, por alguma razão absurda, a boca de Evie decidiu produzir uma quantidade excessiva de saliva.

Evangelina Celia Sage, se você escolher justo esse momento para babar, nunca mais vai ler um romance safado na vida.

Distraída demais por aquele pedaço de pele à mostra, Evie quase não percebeu a maneira como seu chefe a avaliava. Não do jeito que os antigos patrões faziam, mas de uma forma bem mais analítica. Como se estivesse em busca de inconsistências.

— Como você caiu, Sage? — Suas palavras tinham uma ligeira sofisticação, um sotaque cadenciado que tornava seu timbre ainda mais sedutor.

— Minha cadeira se voltou contra mim — disse Evie secamente. — E meu traseiro ficou bem íntimo do chão.

Os lábios dele esboçaram um sorriso e ela sentiu como se tivesse encontrado um tesouro. Ao se virar para pôr o restante dos papéis no lugar, sentiu mais uma pontada dolorosa descendo pelas costas, então fez uma careta.

O leve indício de sorriso desapareceu dos lábios do Vilão, e Evie amaldiçoou sua própria falta de jeito por isso.

— Você precisa da curandeira? — perguntou ele, colocando a mão em um lado da mesa e se inclinando de um jeito que destacava seu antebraço forte por baixo da manga dobrada da camisa.

Hmm... de repente, sua boca estava completamente seca.

— Não, senhor, não gostaria de submeter Tatianna à minha guerra contra a cadeira. — Ela se inclinou, fazendo sinal para que o Vilão se aproximasse, como se fosse compartilhar um segredo. Então, ele inclinou levemente a cabeça, voltando a orelha para ela, e Evie disfarçou a surpresa ao ver que estava embarcando na sua brincadeira. — Melhor deixar isso entre nós, ou a cadeira pode convocar as outras para uma revolta.

Então o chefe fez algo que quase levou a alma mortal de Evie a abandonar seu corpo: ele riu. Ou melhor, tossiu — muito — na própria mão, que estava fechada sobre a boca, claramente escondendo um sorriso que o Vilão estava lutando com todas as forças para reprimir.

Evie murmurou seu choque em voz baixa:

— Nem foi tão engraçado assim.

Os olhares atentos dos demais funcionários chamaram a atenção dos dois e, antes que o chefe se virasse para lançar um olhar de repreensão para a plateia, a multidão se dispersou como formigas que viram um pé gigante se aproximando.

Menos, é claro, Becky, que manteve os olhos de falcão fixos nos dois lá do outro lado da sala.

— Vá ver a curandeira, Sage. Temos uma semana agitada pela frente e não posso me dar ao luxo de ver você caindo morta.

— Acho que ninguém nunca morreu por causa de um hematoma na bunda, senhor.

Ele semicerrou os olhos e sua boca fez um movimento familiar que até mesmo Evie sabia que significava que tinha ido longe demais.

Ela deu um passinho para trás.

— Mas com certeza não quero ser a primeira, então vou... vou lá agora.

Evie o contornou e passou pelo escritório dele. Lá dentro, avistou um homem esquelético que estava deitado sob um tijolo que tinha se soltado da parede lá em cima. Sem dúvida, tinha acontecido depois que o homem fora arremessado contra ela.

Reinaldo estava na beirada da mesa do chefe, como sempre fazia nesses últimos meses, observando-a com seu olhar penetrante antes de erguer o pé grudento com uma das suas plaquinhas de comunicação. Aquela, escrita com giz vermelho, dizia: AI.

Evie acabara se afeiçoando à presença da criaturinha. Ele basicamente ficava sentado ali, observando e distribuindo conselhos silenciosos com a plaquinha de ardósia que o chefe tinha lhe dado para escrever. Sua minúscula coroa dourada sempre se destacava na cabeça viscosa.

Ai mesmo, comentou Evie com Reinaldo sem emitir nenhum som antes de voltar a prestar atenção no homem ferido no chão.

Ela tentou reunir a empatia que deveria sentir pela dor de outra pessoa, mas já tinha visto tantos homens entrarem e saírem daquela sala que estava tentando guardar sua compaixão para aqueles que a merecessem.

Um cara de aparência traiçoeira, que Evie estava quase certa de ter visto jogando pedras em um grupo de patos em sua aldeia na semana anterior, não se qualificava. Um sorriso enfeitou seus lábios enquanto ela tentava lembrar a si mesma de que provavelmente o chefe não estava acabando com a raça desse homem em defesa da honra de uma meia dúzia de patos. Sua mente também argumentou que, por mais que ele não estivesse defendendo intencionalmente os patos em questão, o havia feito por tabela.

O que, por algum motivo, era igualmente fofo.

Ela forçou seu sorriso a se tornar uma expressão neutra e seguiu em direção ao pequeno corredor que levava aos aposentos da curandeira. Para ver o hematoma. Na bunda.

Antes que pudesse enfiar a cabeça nas mãos pelo desastre que tinha sido sua manhã, Evie lembrou-se do chefe ajoelhado diante dela, entregando-lhe os papéis descartados, o vislumbre do peito dele, *o sorriso*.

Talvez sua manhã não tenha sido um desastre *completo*.

Claro, era impossível prever qual seria a reação dele quando ela retornasse à sua mesa e tivesse que admitir a discrepância que havia encontrado na contabilidade aquela manhã. Ainda não sabia tudo a respeito do Vilão, mas sabia que ele detestava registros desorganizados, quase tanto quanto ela odiava olhos perdidos por aí.

CAPÍTULO 2
Evie

— **Vire-se.**

Evie não se mexeu.

— Talvez você pudesse me chamar para sair antes.

Sinceramente, nem mesmo um jantar na melhor taverna de todas a convenceria a mostrar o traseiro para a curandeira. Com certeza a magia poderia funcionar através do tecido de sua saia — se ela pensasse nisso, talvez pudesse fazer com que fosse verdade.

Evie sentou-se na mesa de exames e conteve uma careta de dor ao se mexer, mantendo o olhar fixo no da curandeira num cabo de guerra que não tinha a menor intenção de perder.

Desde que Evie a conhecera, não havia um dia em que a curandeira não usasse ao menos um elemento rosa. Naquele dia, a delicada cor fazia sua aparição habitual na forma de lacinhos presos ao redor de seu lindo cabelo, fazendo-a parecer mais nova do que seus vinte e sete anos, mas nem por isso uma adversária mais fraca. Diante da recusa de Evie em se mover, ela arqueou uma sobrancelha escura.

— Por favor, Tati — disse Evie com um sorriso suplicante. — Já atingi minha cota de humilhação hoje, e acho que mostrar meu traseiro para você faria o medidor explodir.

A certa altura, Tatianna suspirou e pôs uma trança escura atrás da orelha, semicerrando os grandes olhos castanhos enquanto as mãos começavam a emitir um brilho quente.

Ah, graças aos deuses.

A luz fez Evie prestar atenção nas mangas esvoaçantes de mais um vestido extravagante que abraçava as curvas generosas da mulher. Normalmente, Evie se sentia culpada demais para gastar seus salários em algo tão frívolo quanto um vestido novo, mas isso não significava que ela não invejava o lindo guarda-roupa da curandeira.

Tatianna aproximou as mãos de Evie, pairando na frente dos seus ombros sem tocá-la de verdade, e de repente sentiu a mesma sensação de quando se sentara nas pedras quentes da praça da aldeia depois de um dia de sol forte de verão.

— Você machucou o cóccix, amiguinha. Machucou feio, para dizer a verdade. — A voz de Tatianna era como uma água cristalina, nítida e suave, afastando-a levemente de seu pânico. Evie soltou um suspiro de alívio. Um machucado que poderia bancar.

— Claro que machuquei. — Ela esfregou a testa. — E quanto vai me custar a cura?

Um sorriso de orelha a orelha se abriu no rosto de Tatianna. Para quem não a conhecia, aquilo acalmava até a pessoa mais ansiosa. Mas Evie a conhecia, e aquele sorriso era, na falta de uma palavra melhor... assustador.

— Hmm — disse a curandeira, dando tapinhas contemplativos no queixo. — Se quiser a cura completa, quero dois segredos.

— O que significa que você vai ganhar dois segredos, porque em que mundo eu ia querer passar o dia com um hematoma dolorido no traseiro? — Evie massageou as têmporas e arqueou a sobrancelha. — Estamos falando de um segredo de qual tamanho?

Caminhando em direção à mesa de unguentos e poções, Tatianna riu enquanto o vestido balançava de um lado para o outro.

— Nada que seja digno de chantagem, mas melhor do que os mexericos que você ouviria na cozinha.

Evie revirou as suas lembranças em busca de algo que fosse suficiente enquanto Tatianna mexia nas tinturas e movia as mãos brilhantes sobre uma tigelinha. Compartilhar segredos não era exatamente um problema para Evie; na maior parte das vezes, ela era um livro aberto. Para dizer a verdade, sua dificuldade era *guardar* informações muito pessoais, especialmente com Tatianna.

Se Evie tivesse como pagar todo mundo com seus pensamentos e hábitos particulares e ridículos, nunca mais precisaria trabalhar.

Saltando da mesa com uma energia nervosa, Evie caminhou até a prateleira perto da porta e encontrou uma garrafinha. Que coisinha mais fofa. Ela achou que daria um bom enfeit...

— Não mexe nisso! — gritou Tatianna, fazendo o coração de Evie acelerar.

— O quê? Por quê? O que é isso? — Evie lançou um olhar frenético para a garrafa e para a mão que quase a tocara. — Isso transforma as pessoas em sapos ou algo do tipo?

— O quê? — Tatianna balançou a cabeça, confusa. — Não, é um sedativo de ação lenta. É muito poderoso.

Evie afastou a mão como se tivesse sido queimada, franzindo a testa enquanto Tatianna sorria e dizia, casualmente até demais:

— Eu guardo minhas poções de sapo em outro armário.

Um ruído abafado escapuliu da garganta de Evie, mas, antes que pudesse perguntar se a curandeira estava brincando, ela prosseguiu:

— Um segredo, por favor — disse Tatianna, voltando-se para a poção em preparo.

Evie fez uma pausa contemplativa e então sorriu.

— Eu sonhei com o chefe ontem à noite.

Houve uma série de estrondos e um berro vindos da direção onde Tatianna estava, mas era tão incomum vê-la perder a compostura que Evie se perguntou se havia alguma figura invisível no recinto.

Então, Tatianna se virou, derrubando várias outras coisas em sua pressa de encará-la.

Evie abriu a boca, levando a mão ao rosto como se houvesse algo escrito ali que ela não conseguia ver.

— Que foi?

Não havia ladrões o suficiente nas periferias da vilas do leste de Rennedawn para roubar o brilho travesso no olhar de Tatianna.

— Ah, e o que você e o chefe fizeram nesse sonho, sua assistente safadinha?

Evie deu uma risada e tentou se abaixar para pegar os pergaminhos descartados, mas logo se endireitou ao sentir o machucado protestar.

— Você é muito presunçosa de supor que não foi algo inocente.

Tatianna bufou de indignação, devolvendo os ingredientes à mesa com um leve aceno de mão. Um dom raro para as curandeiras, mas útil para Tatianna, que de vez em quando precisava usar suas habilidades para retirar objetos de uma ferida sem tocá-los.

— Por acaso você já viu o cara? Até parece que algo associado a ele poderia ser inocente. — Ela fez uma pausa dramática, levantando as mãos com um floreio. — Ele é a personificação do pecado.

Evie fez um círculo com a mão acima da cabeça, formando uma auréola imaginária, mas a curandeira se limitou a rir e começou a misturar os ingredientes de volta na tigela, as mãos voltando a adquirir o brilho amarelo quente.

— Eu te adoro, Evangelina, mas você está longe de ser inocente. — Tatianna abriu um sorriso enquanto dava meia-volta e entregava a Evie uma tigelinha marrom com um cheiro tão adocicado que chegava a ser enjoativo. — Você foi corrompida por tabela, meu bem. Agora, passe isso no bumbum e coloque as luvas primeiro, senão vai deformar os ossos das suas mãos.

Puxando apressadamente as luvas, Evie pegou a tigelinha e correu para trás de um biombo de pano no cantinho em busca de privacidade. Em seguida, desceu a saia alguns centímetros e espalhou o unguento entre o tecido da roupa e a parte inferior das costas. Enquanto fazia isso, Evie refletiu sobre sua delicada situação de trabalho. Já presenciara coisas verdadeiramente horríveis até então, cada uma mais perturbadora do que a outra. Mas ela nunca tinha sentido a necessidade de impedir nada, só o desejo de oferecer ajuda onde podia e se distanciar quando não podia.

Porém, isso era irrelevante. Até os cidadãos mais "honoráveis" eram capazes de cometer crueldades terríveis. Ela não se sentiria culpada por aceitar dinheiro de onde ele viesse. Ainda mais de um lugar onde nunca tinha sido maltratada ou vista como um objeto.

Uma náusea a invadiu ao sentir a parte quebrada do osso se recompondo, uma sensação doentia e sobrenatural. O corpo não fora feito para se curar nesse ritmo, mas ela não tinha tempo a perder com um osso quebrado.

Depois que o último fragmento se encaixou como uma pecinha de quebra-cabeça, Evie se endireitou e depois se inclinou de um lado para o outro para testar a mobilidade. A dor aguda tinha desaparecido como névoa ao vento, substituída por uma dor mais contida, mas bem mais preferível.

— Vai ficar dolorido pelas próximas horas, mas, depois disso, já deve voltar ao normal. — Jogando o resto dos ingredientes na lareira de pedra, Tatianna arregaçou as mangas. — Só toma cuidado... os ossos ainda estão maleáveis. Se você se sentar de mal jeito, eles podem se mover.

Evie torceu o nariz, balançando a cabeça de um lado para o outro para afastar a imagem.

— Que coisa repugnante.

Tatianna entregou a Evie um frasquinho rosa com tampa e disse:

— Da próxima vez que alguém me pedir para descrever meu trabalho, é exatamente isso que eu vou dizer.

Antes que Evie pudesse perguntar o que havia no frasco, Tatianna a interrompeu, e seu tom de voz adquiriu uma delicadeza preocupada.

— Para o seu pai. — Ela esticou os ombros e olhou pela janela. — Para aliviar a dor. Me desculpa por não poder fazer mais por ele.

Evie começou a sentir uma ardência nos olhos, fazendo com que ela desse uma fungada discreta e limpasse a garganta numa tentativa de disfarçar. Em seguida, pegou cuidadosamente o frasco e o guardou no bolso da saia.

— Então, se eu sentar errado... minha nádega direita vai ficar maior do que a esquerda?

Uma risada surpresa escapou dos lábios de Tatianna enquanto ela dava um leve empurrão no ombro de Evie.

— É muito fácil enganar você, amiguinha. Minha magia é poderosa e tudo vai ficar bem. Agora, de volta ao trabalho.

Deixando de lado a melancolia que ainda pairava no ar, Evie abriu um sorriso de orelha a orelha e deu meia-volta em direção à porta.

— Ah! — disse ela, virando-se novamente. — O segundo segredo!

Tatianna arqueou a sobrancelha, fixando os olhos em Evie por um instante.

— O segundo?

— Isso — disse Evie, cheia de ousadia, e então chegou mais perto. — O sonho que tive com o chefe na noite passada. Foi sujo, *sim*.

Dando risadinhas ao ver a expressão surpresa de Tatianna, Evie virou-se para ir embora, mas parou no mesmo instante.

Então, engoliu em seco e, com os olhos arregalados, disse:

— Olá, senhor... Alguma chance de você querer acrescentar minha cabeça lá na entrada?

CAPÍTULO 3
Evie

Evie seguiu o chefe pelo corredor de volta à área do escritório aberto. O rosto ardia como se tivesse comido pimenta, e a rapidez com que ele se movia só aumentava o rubor no pescoço e nas bochechas.

O Vilão apenas a olhara com cara de paisagem. Totalmente desprovido de qualquer emoção. Na verdade, ela pensou ter visto o resquício de emoção que havia nele desaparecer no instante em que os olhares se cruzaram. Como se o comentário bobo que ela fizera não fosse digno nem de constrangimento ou indignação.

Minha burrice é profunda o suficiente para merecer reconhecimento, caramba.

Ela abriu a boca para dizer isso, mas o chefe parou em frente às grandes portas de madeira que davam para a varanda e as abriu, indicando que ela passasse à sua frente. Esfregando as palmas suadas na saia, Evie deu um passo à frente, sentindo o calor do sol do meio-dia na pele.

Evie não era lá tão fã de lugares altos, então ver a distância de onde ela estava até o chão a fez recuar e se agarrar à pedra do parapeito.

— Você está perdendo a vista — disse o chefe, com uma voz baixa e rouca que fez sua cabeça formigar, como o tamborilar da chuva no telhado.

— Eu sei como é a Floresta das Nogueiras — respondeu ela em tom seco, e então fechou os olhos com vontade. Mas as imagens das árvores grandiosas eram nítidas em sua mente. Ela havia crescido em uma aldeia nos arredores da floresta que ocupava grande parte das terras de Rennedawn. Árvores do tamanho de gigantes cobriam a área que rodeava a mansão, uma densa folhagem verde se destacava contra o céu azul límpido. O tempo quente e agradável que acariciava sua pele era típico do clima ameno daquele reino, atraindo todos os tipos de seres para aquela modesta parte do mundo.

Evie finalmente reuniu forças para abrir os olhos e detectou um breve sorriso nos lábios do chefe.

Glorioso.

Argh, que glorioso o quê, Evie.

Ela claramente precisava ser sedada.

O Vilão prosseguiu como se ela não estivesse se atrapalhando toda:

— Eu queria te afastar de ouvidos indiscretos. — Ele se aproximou, o cabelo escuro formando leves ondas contra o rosto. — É um assunto muito sério.

Algo na postura dele, com o vento fazendo sua capa preta esvoaçar, fez Evie ter um forte pressentimento. Claro, essa emoção perfeitamente racional acabou sendo eclipsada pela parte menos sensata do seu cérebro que sempre ignorava o perigo para admirar a aparência atraente do chefe.

Qualquer indivíduo com bom senso sabia que as mais belas lâminas eram sempre as mais afiadas, mas para Evie isso não tinha nada a ver. Seu senso ia e vinha ao sabor do vento, não havia nada de *bom* nele.

Desenhando círculos nervosos com a ponta do sapato, ela encarou os olhos do chefe.

— Tá, antes que você venha com todo esse papo de Lorde das Trevas pra cima de mim, eu tive *mesmo* um sonho sujo, mas eu quis dizer... sujo. Tipo, literalmente sujo. De lama. Uma carruagem passou e espirrou lama na gente, aí você disse: "Melhor lavar isso, Sage."

Dava para sentir aquela terrível avalanche de palavras que lhe escapava toda vez que ela estava nervosa ou havia um silêncio indesejável, então ela continuou:

— Foi um dos meus sonhos mais comuns, na verdade. Nada de explícito ou inapropriado. — Agora, ela gesticulava descontroladamente, como se estivesse tentando voar.

O que piorou a situação foi o rubor surgindo nas maçãs altas do rosto dele e o leve arregalar de olhos diante das palavras que escapuliam dela

Uma pessoa esperta pararia de falar ao ver aquela óbvia expressão de surpresa, mas Evie não era esperta. Quer dizer, Evie era esperta, mas parecia que o cérebro e a boca não estavam conectados.

— Não tinha ninguém pelado — concluiu, confiante, se balançando sobre os calcanhares.

Não tinha. Ninguém. Pelado?

Os olhos do Vilão brilharam e a imaginação distorcida de Evie teve a audácia de ver algo ardendo ali, só por um momento, antes de se fecharem de novo. Ele limpou a garganta e coçou a nuca, parecendo meio irritado.

Vê-lo perder qualquer resquício de sua impecável compostura dava a Evie uma satisfação imensa.

— Eu não estava me referindo às suas fantasias noturnas, Sage. — O Vilão engoliu em seco enquanto caminhava ao redor de Evie para olhar os arredores. A Morada ficava numa parte tão densa da floresta que ninguém pensaria em se aventurar por ali. Cada aldeia em Rennedawn foi intencionalmente construída em grandes clareiras entre as árvores, quase como se os deuses tivessem criado o mapa de suas terras com as próprias mãos.

Mas a Morada do Massacre era a exceção, totalmente revestida de floresta, como se fosse uma armadura.

O chefe apoiou as mãos em cada lado dos pilares de pedra. Evie sabia que daria para ver seus ombros e costas tensos, não fosse pela capa.

— Sage?

Ah, ele estava falando, não estava? Evie estava muito ocupada cobiçando o chefe como se ele fosse a última fatia de torta.

— Ah, sim, eu… concordo. — Ela assentiu enfaticamente, balançando-se para a frente e para trás e fazendo de tudo para disfarçar a confusão com uma falsa confiança.

— É mesmo? — Ele assobiou baixinho e levantou a mão para esfregar a barba por fazer mantida à perfeição no queixo. — Pois bem, tendo em mente a sua aprovação, vou começar os preparativos para casar você com um dos gremlins do rio, para garantir uma passagem segura para os nossos carregamentos dos reinos do sul.

— O quê? — Evie arfou. — Senhor, eu… Não, eu não estava… Isso não pode ser sério! — Mas podia, sim. Evie já o tinha visto fazer coisas bem piores com outros funcionários que não cooperavam, e ela que tinha organizado a maioria delas. Seu coração estava acelerado, o sangue rugia pelos ouvidos, abafando todos os sons.

Sem se dar conta, ela se aproximara dele, procurando qualquer traço de humanidade em seus olhos pretos. Qualquer coisa que pudesse sentir piedade dessa humana sem magia e com uma terrível falta de atenção.

Mas, em vez de humanidade, ela viu os olhos se estreitarem e formarem pequenas rugas nos cantos. Evie deu um passo bem grande para trás para observar melhor a expressão do Vilão. Os lábios estavam curvados para cima e, quando Evie percebeu, soltou um gritinho.

— Era uma piada? — Ela quase se encolheu de vergonha com o espanto evidente em sua voz, mas foi impossível controlar sua reação a algo tão imprevisível.

O chefe abriu o maior sorriso que Evie já tinha visto nele, e uma única covinha surgiu na bochecha esquerda.

— E você tem covinhas?

Ele revirou os olhos, e então a covinha sumiu.

— Só essa. Agora que tenho toda a sua atenção...

— Foi a sua primeira? — interrompeu Evie, incapaz de processar tanta informação nova de um jeito eficiente.

O chefe inclinou a cabeça para trás, surpreso.

— Minha primeira o quê, seu furacãozinho?

— Sua primeira piada.

Ele grunhiu e abriu a boca para falar, parecendo bem indignado, na opinião de Evie.

— Mas não é poss... — Ele se interrompeu para beliscar a ponte do nariz. — Sage, você realmente acha que sou incapaz de ter senso de humor?

— Claro que não — disse ela seriamente. — Você me contratou.

O Vilão soltou um suspiro resignado e ajeitou meticulosamente uma mecha de cabelo escuro.

— Falo com você por menos de três minutos e já fico mais confuso do que os estagiários durante meu dia favorito da semana.

— Metaforicamente falando, claro, já que não estou atirando flechas em *você*. — Evie lançou-lhe um olhar penetrante para reiterar o quanto reprovava o treinamento de "autodefesa" do chefe com as pobres almas que vinham para "estágios". Filhos de nobres rejeitados, pessoas com dívidas de jogo e outros malfeitores se candidatavam ao cargo o tempo todo.

A Morada do Massacre ficava bem afastada da capital do reino, a Cidade de Luz, de onde a maioria dos estagiários vinha. A opulência e a abundância eram um imenso contraste com a miséria do novo local de trabalho que, para muitos, era o *primeiro* local de trabalho. Evie já tinha ido à cidade uma vez quando criança. Um dia inteiro de viagem ao norte de sua vila, quando a floresta ainda era considerada segura para viajar. Ela era nova demais para se lembrar de detalhes, mas não esquecia a energia contagiante que vibrava no ar. Lembrava-se vagamente de ter conhecido um especialista em magia junto com os pais e, assim como as histórias que as crianças da sua vila lhe contaram, ele tinha sido gentil e prestativo, com um conhecimento aparentemente infinito para compartilhar.

Era legal saber que vários estagiários tinham magia, já que muitos deles concluíam suas tarefas mais rápido.

Deve vir bem a calhar na hora de limpar os banheiros. Evie riu por dentro.

Mas eles não paravam de se candidatar e de voltar, apesar da dificuldade do trabalho.

A prova estava na pilha de cartas repletas de pesar que contavam como um filho azarado de um nobre se viu em dívida profunda com um bordel caríssimo. Era sempre alguém que precisava *muito* de uma segunda chance e, embora o perigo do trabalho fosse bem conhecido nas partes menos desejáveis do reino, o salário também era.

Evie tinha quase certeza de que os estagiários ganhavam um pouco menos do que ela, o que, em qualquer outra circunstância, poderia lhe causar um certo grau de indignação, mas ela trabalhava para o Vilão. Era grata por ter um dos poucos cargos que não exigiam participação no Dia da Debandada.

O evento acontecia no final de cada semana de trabalho, a menos, é claro, que o chefe estivesse tendo um dia ruim. Aí, poderia ser no início da semana, no meio da semana, de manhã, durante o horário de almoço de Evie, ou... Bom, a lista continua. Pelo menos era consistente, já que todo Dia da Debandada consistia no chefe mandando os estagiários para fora para que fugissem de algo. Até então, ela os vira tentar escapar de uma balestra e de inúmeras criaturas mágicas. Mas o favorito de Evie foi o dia em que o chefe estava tão farto das palhaçadas dos estagiários que começara a persegui-los pessoalmente pelo pátio dos fundos.

Foi o mais rápido que ela já os tinha visto correr.

— Vale lembrar que, a seu pedido, não mato um estagiário há muitos meses.

Evie balançou a cabeça, sem forças.

— Senhor, odeio diminuir seus sucessos, mas existem pessoas que passam a vida inteira sem matar *ninguém*.

Ele permaneceu sério.

— Que entediante.

— E não dá para dizer que foram "meses", né? Você empurrou Joshua Lightenston por cima desse parapeito na semana passada, e ele quebrou o pescoço.

— Bom, ele mereceu.

Evie jogou as mãos para o alto, rendida.

— Por quê?

O chefe esfregou o queixo e fez uma careta de quem se lembrou de algo desagradável.

— Ele fez um comentário que eu não gostei.

— Se eu tivesse esse privilégio, a Becky já teria ido parar lá embaixo um monte de vezes. — Evie fez uma pausa contemplativa. — Na verdade, senhor…

— Não.

— Mas e se eu fizer uma lista oficial e bem-organizada de prós e contras? — suplicou.

— Me dê um contra de ter Rebecka Erring como funcionária. — A brisa ficou mais forte, empurrando aquela mecha escura rebelde para a testa do Vilão.

— Ela está determinada a ser minha inimiga.

De repente, o chefe voltou a fechar a cara, tão do nada que Evie ouviu a própria respiração acelerar.

— Sempre mantenha os inimigos por perto, Sage. A vida é mais interessante assim.

O sorriso que ele lhe dava naquele momento não tinha alegria, apenas promessas cruéis.

Evie engoliu em seco, decepcionada consigo mesma por sentir a necessidade de se afastar lentamente, de sair do alcance dele e voltar à realidade.

— Falando em inimigos… Podemos discutir o assunto que me fez trazer você aqui para conversar antes que os outros funcionários comecem a acreditar que vou jogar *você* por cima do parapeito? — perguntou ele.

Evie revirou os olhos e gesticulou para que ele continuasse.

— Pode falar.

O Vilão fez cara feia e virou de costas para ela, voltando a olhar para a vista da floresta.

— Mais uma remessa foi comprometida.

Evie tentou não grunhir, mas a frustração era palpável. Ela levara *semanas* para organizar aquela troca de remessa e planejar os pontos de controle indetectáveis entre a Morada e a Cidade de Luz. O escritório operava com cargas ilegais entrando e saindo, vendendo-as, trocando-as e roubando-as diretamente do rei Benedict na maioria das vezes.

— Eu já suspeitava, desde que vi o excesso de… — Evie deu uma batidinha no topo da cabeça com o dedo indicador.

— Eram da Guarda Valente.

Os guardas pessoais do rei Benedict? Eles nunca se metiam nos negócios do Vilão. Para dizer a verdade, era estranho que, em todas as vezes que o Vilão havia desafiado Benedict ao se apoderar dos seus recursos, roubando cargas de todos os tipos, ele nunca tenha revidado.

— Então eu presumo que não conseguimos sair com nenhum dos bens que pegamos emprestados? — Esse acordo comercial iria trazer pelo menos quatro caixas grandes cheias de armas da coleção pessoal do rei Benedict. Privá-los não só das espadas e das armas de fogo em si, mas do valor das armas, sem dúvida seria uma perda imensa para o estimado governante.

Ou teria sido, se toda a operação não tivesse sido arruinada.

— Meus Guardas Malevolentes conseguiram pegar duas delas.

Os Guardas Malevolentes eram o grupo de elite responsável pelas partes mais violentas dos negócios do Vilão: o *trabalho de campo*, como alguns estagiários tinham passado a chamar. Os guerreiros mais impiedosos estavam entre eles, e muitos eram detentores de magia de diversos tipos e formações. A maior parte do escritório os evitava, mas Evie ajudava Edwin a preparar sanduíches para eles.

Droga, esqueci de repor o queijo. Eles são capazes de matar por provolone.

— Melhor do que nada, eu imagino — respondeu Evie. Ela aceitaria qualquer favorzinho se isso significasse não ter que examinar um mapa em busca de outro local para a troca discreta nas trilhas naturais da floresta.

— Sempre otimista, não é, Sage? — O tom era leve, mas sua expressão indicava que ele não achava aquilo tão bom.

— Gosto de antecipar as coisas boas. Assim é mais fácil vê-las… mesmo quando as ruins acontecem.

O chefe olhou para ela com uma emoção indecifrável.

— Ah, se todos nós pudéssemos ver o mundo pelos seus olhos.

— Seria muito colorido. — Ela sorriu de orelha a orelha e virou o rosto para a brisa. — Então são três remessas comprometidas nos últimos dois meses.

— Três remessas a mais do que o ideal. — De repente, a voz dele ficou mais baixa. Um tom letal que ela já tinha visto fazer os cavaleiros mais corajosos se tremerem de medo. Por algum motivo, Evie achava reconfortante, o que era… perturbador.

Perigo não é atraente, Evie; é assustador.

Ou… é as duas coisas, rebateu seu cérebro.

— Tirando os pequenos carrascos lá embaixo, como você planeja lidar com isso? — Evie temia a resposta, mas aquilo estava se tornando um padrão muito claro. Sistemas que por meses funcionavam para eles estavam falhando sem mais nem menos, e o denominador comum estava ficando bem evidente.

— Temos um traidor entre nós — disse o Vilão em voz baixa.

Evie respirou fundo, porque ele se erguia imponente e sombrio, prometendo destruição, e ela só conseguia pensar...

— Como posso ajudar?

Evie tinha certeza de que o relógio na parede tiquetaqueava mais alto quando ela tentava se concentrar. Cada movimento do ponteiro dos segundos parecia raspar seu crânio.

Tic-tac-tic-tac.

— Argh. — Evie jogou a cabeça sobre a mesa. Fazia dois dias que vinha revisando a lista de funcionários em seu diário folheado a ouro favorito, anotando observações ao lado de cada nome. Quaisquer indícios de suspeita ou lealdades duvidosas precisavam ser registrados. Evie ia descobrir quem os estava sabotando e entregaria o sujeito em uma bandeja de prata ao chefe.

— No que você está trabalhando? — *Ah*, a outra perturbação de seu juízo.

Evie levantou a cabeça e fechou o caderno, quase acertando a mão curiosa de Rebecka Erring. No mesmo instante, devolveu sua pena ao frasco de tinta favorito, um presente que ganhara do pai.

— Nada com o que você precise se preocupar. — Evie contraiu os lábios em um sorriso forçado, tentando manter cada palavra irritadiça dentro da cabeça.

— Por que você está fazendo uma lista com os nomes dos funcionários? Eu preciso saber de tudo que acontece neste escritório — disse Becky, com um ar de superioridade.

Evie observou a mulher atentamente e então apoiou o queixo nas mãos.

— Então isso quer dizer que você sabe que as fadinhas do escritório usam tinta para fazer autorretratos do próprio traseiro? — As fadinhas cuidavam de tarefas simples no escritório, em geral atuando como escribas. Era um trabalho rápido para elas, já que eram muitas, mas os seus temperamentos imprevisíveis ocasionalmente as levavam a soltar a imaginação com a tinta.

— De novo? — Becky deixou escapar um grunhido frustrado ao se endireitar e balançar a cabeça. Então se virou rapidamente, semicerrando os olhos por trás dos óculos ao ver as minúsculas criaturas esvoaçantes. Todas elas riam enquanto espalhavam os papéis pela sala.

— Venham aqui, suas miseráveis! — rosnou Becky enquanto se afastava, e Evie soltou um suspiro de alívio. Depois, pegou um doce de baunilha da lata que Lyssa lhe dera e o pôs na boca.

Apesar da eterna animosidade entre as duas, Evie não invejava o trabalho de Rebecca. Era de sua responsabilidade gerenciar todos os dramas, por menores que fossem, todos os conflitos entre estagiários ou entre quaisquer funcionários mais permanentes. Quando o chefe apresentou Evie para os outros empregados, ele explicara o sistema pelo qual a mansão funcionava. Cada funcionário era encarregado de diferentes tarefas em diferentes áreas. Evie pensara logo em uma colmeia. A especialidade particular de Becky era ser um recurso para os humanos e para outras criaturas, de modo que o chefe não precisasse lidar com o melodrama constante.

No início, Evie pensava que ela e Becky poderiam ser amigas, que a frieza que a mulher havia mostrado no primeiro momento se dissiparia. Mas, apesar de todos os esforços de Evie, Rebecka Erring estava determinada a não gostar dela. O motivo ainda era um mistério — não dava para saber se Becky a achava absurdamente irritante ou se o boato que Evie tinha ouvido de um dos estagiários era real. Que Becky, em algum momento, queria ser a assistente do Vilão e Evie tinha conseguido a vaga no lugar dela.

De qualquer forma, estava muito claro que Evie e Becky jamais seriam amigas, e por ela tudo bem.

Fechando o livro mais uma vez, Evie levantou-se da mesa com seu cálice de cerâmica na mão e rezou para que Edwin tivesse preparado um caldeirão de suco de feijão forte o suficiente para acordar os mortos.

Mas, enquanto se dirigia à cozinha, Evie foi incapaz de silenciar a vozinha em sua cabeça que questionava se havia uma inocência na rixa entre as duas ou se isso poderia levar Becky a seguir um caminho completamente diferente:

O da traição.

CAPÍTULO 4
Evie

Evie passou o resto do dia afogando as mágoas nos efeitos místicos do elixir de caldeirão enquanto observava cautelosamente os colegas de trabalho. *Alguém ali* era culpado e, por mais que gostaria que fosse Becky, a mulher seguia as regras tão à risca que Evie não conseguia imaginá-la capaz desse tipo de traição.

Resmungando ao se endireitar, ela sentiu a coluna estalar enquanto se torcia e virava. A dor nos músculos exigia a atenção dela, e Evie já havia concluído a suspeitosamente pequena quantidade de trabalho que tinha para fazer até o fim do expediente.

A qualquer momento, o grande sino da torre norte tocaria e todos na sala se dispersariam e voltariam à monotonia das suas vidas fora daquele lugar. As fadinhas retornariam à floresta, qualquer que fosse a criatura que estava atormentando os estagiários se esgueiraria de volta para sua caverna, os estagiários se arrastariam para os casebres que tinham condições de alugar e os demais funcionários também voltariam para casa.

Eram poucos os que moravam na mansão em tempo integral — Tatianna era uma, Edwin era outro e, além deles, havia a única pessoa capaz de manter o dragão, que no momento estava no pátio, calmo: um homem chamado Blade.

Como se pensar nele o tivesse invocado, Evie levantou os olhos e lá estava ele, o charmoso treinador de dragões, atravessando o escritório a passos largos com um grande corte na testa.

— A Tatianna está disponível? — Ele sorriu meio sem jeito para Evie, da maneira como fazia toda vez que surgia com mais uma lesão da fera escamada que eles haviam adquirido logo após ela ter começado a trabalhar ali.

Evie balançou a cabeça e sorriu.

— Não sei, sr. Gushiken. Por que não pergunta diretamente a ela?

Blade se inclinou para a frente, exibindo um bom pedaço do peitoral bem-definido acima do colete apertadíssimo. Evie nunca tinha certeza se ele fazia ironicamente, mas o treinador de dragões sempre parecia vestir cores que se contrastavam drasticamente. Naquele dia, seu colete era de um verde tão vivo que chegava a doer os olhos, e a calça era de um laranja que a lembrava de pôr do sol e borboletas.

Ele fingiu uma expressão de dor, agarrando o peito, e disse:

— Tão formal, minha doce Evie! Assim você me machuca.

Evie deu uma risadinha com o flerte descarado, fechando o catálogo de nomes. Em seguida, levantou-se da escrivaninha e deu a volta para encará-lo de frente. Os olhos cor de âmbar eram calorosos, assim como o resto da personalidade do rapaz. Ele sorriu e seus lábios carnudos se curvaram nos cantos, suavizando as maçãs do rosto angulosas e a borda estreita do queixo com covinha. Blade era a pessoa do escritório que tinha a idade mais próxima à dela, sendo apenas um ano mais novo.

— Não sou *sua* nada, seu galanteador. — Ela estendeu a mão para afastar o cabelo escuro que ia até os ombros dele e fez uma careta para a pele arrancada do couro cabeludo. — Aquela coisa vai acabar te matando um dia.

Quando Blade chegara, o dragão era quase do tamanho da mão de Evie, e ela tinha até o segurado algumas vezes, acariciando a criaturinha como se fosse um bebê indefeso. Mas a fera crescera em poucos meses, até chegar a um tamanho alarmante, rosnando e tentando abocanhar todo mundo. Apenas Blade conseguia se aproximar, mas nem ele saía ileso dos encontros.

Fora ele que tinha achado o ovo, afinal, nas montanhas a leste. Como o eterno explorador que era, estava fazendo uma caminhada pela região quando encontrara um ninho abandonado pela mãe. Ele contara a Evie que, depois que a criatura nasceu, apegou-se a ele imediatamente.

Blade criara um laço com a criaturinha, não conseguia se separar dela, só que os cuidados eram muito mais do que ele poderia arcar. Felizmente, foi por volta dessa época que ele achou um anúncio de alguém que se autodenominava "Vilão" em busca de toda e qualquer criatura mágica. Assim sendo, Blade surgira na escada da frente duas semanas após a chegada de Evie, oferecendo o dragão em troca de um lugar para dormir e a função de domador da fera. O chefe concordara com as condições dele, mas ainda não haviam encontrado nenhuma utilidade para o dragão, por vários motivos.

Um deles era que, quando não estava tentando arrancar a cabeça de Evie, o animal tinha medo de *tudo.*

Blade sorriu ainda mais.

— Aquela *coisa* é uma criatura adorável que, de vez em quando, faz birra. — Seus olhos brilharam ao ver Becky passar por eles, carregando uma pilha de papéis até o quadro preso na parede. — Tipo você, querida Rebecka!

Becky parou na mesma hora, voltando seu olhar surpreso para eles.

— Essa não é uma forma apropriada de se dirigir a uma colega de trabalho, sr. Gushiken. — Sua censura era quase palpável, mas, em defesa de Blade, o desprezo de Becky não parecia afetá-lo. Na verdade, ele parecia estranhamente motivado por aquela repreensão.

— Talvez devêssemos discutir isso mais a fundo na Taverna Evergreen. — Ainda teve a audácia de piscar para ela. — Você pode listar suas inúmeras reclamações.

Ajustando os óculos no nariz, Becky bufou e o olhou como se tivesse pisado em alguma sujeira.

— Eu preferiria beber tinta a passar o meu tempo livre conversando com um sujeito como você. Só estou fazendo isso agora pois estou sendo paga para dizer que sua higiene deixa muito a desejar.

Ela observou o sangue escorrendo pela bochecha dele e, com a mandíbula cerrada, falou:

— Seu sangue é tão ofensivo quanto seu cheiro. Dê um jeito nos dois imediatamente ou você vai se ver sem salário no final da semana.

Evie revirou os olhos enquanto a demônia se afastava.

— Por que você a provoca desse jeito?

Blade deu de ombros, usando uma das suas braçadeiras de couro para enxugar o sangue.

— Porque é divertido quando ela se irrita. — Blade baixou o tom de voz enquanto olhava para as portas fechadas. — Fiquei sabendo que houve outro problema com uma remessa. Como ele está lidando com isso?

— Você viu a entrada? — perguntou Evie em tom seco.

— Normalmente, então, né? — Blade deu uma risadinha e depois se calou ao se lembrar da proximidade do escritório do Vilão.

— Pode falar à vontade. Nos últimos dias ele esteve por toda parte, menos aqui.

— Nenhum incêndio criminoso pra você hoje, então? — Blade fingiu uma expressão de desapontamento.

Evie gargalhou, o que era perturbador, já que o homem não estava brincando. Ela havia causado muitos incêndios desde que conseguira o emprego, literal e figurativamente.

— Essa não é minha única função aqui, sabe?

— Ah, eu sei. — Ele assentiu na mesma hora. — Um passarinho me contou que você reduziu os acessos de raiva do chefe para dois por semana.

— Eu não o deixo falar com nenhum dos estagiários antes de tomar café da manhã, esse é o segredo. Ele fica ranzinza de estômago vazio — disse ela, imaginando quantas vidas foram salvas graças a uma simples rosquinha.

Evie se recostou na escrivaninha, olhando para o grande relógio na parede. O estridente badalar do sino ecoou pelo escritório, assustando alguns funcionários nas suas mesas e fazendo outros dispararem das cadeiras, com as bolsas já prontas para retornar para casa e ver os entes queridos.

Alguns pararam para observar a porta fechada do escritório do Vilão. Não era comum o chefe se ausentar no fim do dia. Normalmente, ele abria a porta para indicar que não ia matar ninguém por fazer sua fuga diária.

Evie olhou para eles e assentiu com uma autoridade tranquila.

— Podem ir. Ele já foi embora.

Ela lidaria com as consequências se o chefe ficasse irritado.

Sem questionar, todos correram em direção à porta escondida e o som dos passos pesados ecoou pelas escadas. Ao seguir em direção à própria bolsa, Evie guardou seus poucos pertences e tentou ignorar o desconforto que sentia.

Onde raios o Vilão estava se metendo ultimamente?

— Tenho certeza de que ele está bem — assegurou Blade, acenando para Tatianna enquanto ela aparecia pelo corredor. — Oi, Tati!

— Eu não estava preocupada com ele... — começou Evie.

Mas Blade já estava correndo em direção à curandeira. Tatianna examinou a testa dele e, com uma expressão resignada, apontou na direção dos seus aposentos, seguindo logo atrás.

Evie recolheu o restante das coisas e lançou um último olhar ansioso para a porta fechada do escritório do chefe.

Não se importe mais do que deveria, Evie.

Então, ela suspirou e se dirigiu às escadas.

Tarde demais.

Ao passar pelo portal, não pôde deixar de olhar novamente para a porta fechada do Vilão, imaginando se um dia desses ele acabaria não voltando.

CAPÍTULO 5
Evie

— **Está aguado — murmurou Lyssa,** a irmã de dez anos de Evie, bem baixinho.

— Shhhh. — Evie pôs o dedo nos lábios dela enquanto o pai se aproximava lentamente da mesa, carregando sua própria tigela de sopa. Ele estava de ótimo humor quando Evie chegara em casa naquele dia, o que significava que ele ia cozinhar.

Desde que o pai ficara doente, ele encontrava poucos prazeres na vida, mas um deles era preparar o jantar para as filhas quando se sentia disposto. Era sua forma de cuidar delas. Então, por mais que os pratos que ele fazia muitas vezes tivessem gosto de sola de sapato líquida, Evie fazia questão de garantir que ela e Lyssa engolissem cada gota.

Porque, quando o pai cozinhava, significava que estava bem, e isso lhes dava um gostinho do que a família deles era… antes.

Evie olhou para as duas cadeiras vazias à mesa, uma na ponta oposta ao pai e a outra ao lado dela. Os assentos que a mãe e o irmão mais velho, Gideon, ocuparam um dia, mas nunca mais ocupariam. Porém, as cadeiras permaneciam ali, como se a lembrança dos dois os assombrasse.

— Que tal, meninas? — Griffin Sage era um homem grande, com um sorriso caloroso e uma cabeleira castanha e espessa. Na juventude, ele tinha sido o partidão da cidade. Um homem que construíra um açougue bem-sucedido do zero. A mãe era uma estrangeira de um belo conjunto de reinos a sudeste do continente de onde moravam, Myrtalia, o lar de Rennedawn e outros cinco reinos. Ela amara o pai delas incondicionalmente até o incidente... até deixá-los.

As primeiras lembranças de Evie eram dos pais dela rindo juntos, cantando e dançando na pequena cozinha. Limpando a garganta, ela sorriu para o pai.

— Está uma delícia, papai. — Em seguida, lançou um olhar incisivo para a irmãzinha e disse: — Acho que a Lyssa vai querer repetir.

Um pezinho a acertou na canela com força por baixo da mesa. Com uma risadinha, Evie serviu mais uma generosa porção do líquido granuloso na tigela de Lyssa. Ela não ia alimentar esperanças de que aquela sensação de leveza durasse, aquela sensação de que todos os membros vivos da sua família estavam bem e felizes. Mas não havia regra dizendo que não podia tentar aproveitar.

— Como vai o trabalho na mansão? — O pai abriu um sorriso afetuoso para ela, com um brilho saudável nas bochechas que Evie não via fazia meses.

Engolindo um pedaço meio cru de batata, Evie começou a mexer a sopa com a colher, numa tentativa de parecer indiferente.

— Ah, tem sido bem monótono, na verdade.

— Eu queria trabalhar em um castelo. — Lyssa fez beicinho e fechou a cara enquanto dava outra mordida.

Evie tossiu, quase se engasgando.

— Não... não é um castelo, Lyssa. É simplesmente um casarão.

— Mas provavelmente tem o tamanho de um castelo, né? — A irmã a encarou com olhos grandes e questionadores.

Evie amava várias coisas a respeito de seu trabalho — as pessoas, a estratégia. Mas odiava aquela parte. A mentira.

Ela não podia contar à família uma única verdade sobre o que realmente fazia. Para eles e para o restante da aldeia, o Vilão era uma criatura abominável e repreensível. Caso houvesse um mero indício de que alguém estava associado a ele, a pessoa em questão vinha a ser punida na máxima extensão permitida pela lei. Mas, mesmo com a consciência de que um dia poderia ser descoberta, mesmo com a consciência de que a ira do reino poderia rapidamente se abater sobre ela, Evie não tinha medo. Pelo contrário: aquilo a empolgava.

Ela era tão imprudente quanto a mãe.

— É bem grande, sim. — Evie tomou um gole revigorante do vinho que havia comprado a caminho de casa, fazendo de tudo para mudar de assunto. — Como vão as aulas?

Para o seu alívio, aquela única pergunta fez Lyssa começar um desabafo sobre o menino da turma dela que não parava de puxar suas tranças. Evie suspirou, grata pela distração muito bem-vinda sobre a vida inocente de Lyssa. Ah, o que ela não daria para ter apenas uma pitada daquela felicidade juvenil...

Evie tinha só vinte e três anos, mas a sensação era de que já tinha vivido uma vida inteira. Entre cuidar da família e os maus-tratos que sofrera nas mãos de pessoas mais cruéis e maiores do que ela, era um milagre que seu cabelo ainda não tivesse ficado grisalho.

É um milagre que você tenha chegado aos vinte e três, considerando todas as situações ridículas em que se mete.

Evie supunha que era por isso que a própria mente aceitava tão bem o trabalho que fazia. Ela não tinha ideia do objetivo final do Vilão, além de fazer de tudo para ferrar o rei. Mas sabia das coisas importantes — ele não se aproveitava das funcionárias, pagava um salário justo para os empregados e solicitava que o seu elixir de caldeirão fosse preparado com pelo menos meio quilo de açúcar.

O último fato não era tão relevante quanto as outras virtudes, mas era o favorito de Evie. Toda manhã, ela tinha que entrar na cozinha, pegar sorrateiramente a quantidade de açúcar da preferência do Vilão junto com o creme da caixa refrigerada e adicionar ambos à sua bebida o mais discretamente possível. Evie não sabia por que ele tinha tanta vergonha daquela escolha, mas imaginava que não fosse bom para a reputação do chefe gostar de tais frivolidades.

Ela amava ainda mais saber que era uma das únicas que tinha conhecimento disso, tanto que se pegou encarando a parede e sorrindo enquanto o pulso acelerava.

Seu pai terminou de comer, limpou a mesa e pôs as tigelas de madeira no balde perto do fogão. Evie se levantou tão depressa que a cadeira balançou.

— Pode deixar comigo, papai! — Ela sorriu e lhe deu um tapinha no braço, ignorando a cara amarrada que ele fez.

— Evangelina, eu sou perfeitamente capaz de…

— Me conta uma das suas histórias? — Lyssa puxou o braço do pai com um sorriso de orelha a orelha e lançou um olhar cúmplice para Evie que a fazia parecer muito mais velha do que de fato era. Sua irmã não era totalmente imune à dureza do mundo, não importava o quanto Evie tentasse protegê-la.

Os dois voltaram a se sentar e Evie se retesou discretamente enquanto o pai se acomodava na cadeira da mãe. Lyssa se aconchegou no colo dele e olhou para cima quando ele começou a contar uma das suas várias histórias sobre vilões e os heróis que os derrotavam. Evie sentiu um aperto na garganta ao engolir a verdade: agora, ela trabalhava para aqueles que ele desprezava.

Voltando-se para o balde, Evie pegou o pano e esfregou uma panela com força. Ela sentiu as bochechas arderem e o coração acelerar com a respiração ofegante. Sentindo a água sob as mãos, fechou os olhos por um momento e começou a murmurar uma leve melodia de uma canção que a mãe tantas vezes cantarolara enquanto lavava a louça.

De alguma forma, aquilo confortava Evie, apesar de toda a dor que a mãe causara. Aquela melodia era uma das últimas coisas boas que a mãe lhe dera antes daquele dia, antes dos campos de dente-de-leão, simplesmente *antes*.

Evie viu seu reflexo no vidro da janela à sua frente e avistou o pai atrás dela levando uma Lyssa sonolenta em direção ao seu quarto. Voltando a olhar o próprio rosto, ela sentiu os lábios formarem um sorriso. Um sorriso que ela praticara tantas vezes. Mesmo quando sentia que seus pulmões iam falhar, mesmo quando o coração parecia que ia parar de tanto esforço, ela sempre conseguia sorrir.

A voz da mãe ecoou na sua cabeça. *Não se preocupe, hasibsi. Você conseguiria consertar um mundo em frangalhos com um simples sorriso.*

Ela estava errada, claro. Evie não tinha consertado nada naquele dia nem nos dias que se seguiram.

Mas Evie ainda sorria.

Nunca se sabe.

E, mais uma vez, esperava que fosse o suficiente para manter aqueles que amava em segurança.

CAPÍTULO 6
Vilão

Ela estava cantarolando de novo.

Trystan Arthur Maverine, ou mais carinhosamente conhecido pelo público como Vilão, tamborilava os dedos longos em sua mesa preta e lustrosa. O som deveria tê-lo irritado. Deveria ter reverberado em seu crânio. Ele já estava com dor de cabeça depois de ouvir risadas dos demais funcionários do outro lado da sua porta. Ser mau não deveria ser algo alegre, e sua enxaqueca era a prova disso.

Mas ele manteve a raiva sob controle. De qualquer forma, já tinha descarregado boa parte da fúria nos Guardas Valentes que havia, com muito prazer, abatido e pendurado nas vigas para que todos vissem.

Mais uma vez, a suavidade da voz dela vazava pela frestinha da porta do seu escritório. Se fosse qualquer outra pessoa, ele certamente abriria a porta de supetão e exigiria que o som irritante parasse no mesmo instante. Faria ameaças e intimidações até que todos tremessem de medo e sua reputação se consolidasse mais uma vez na mente dos funcionários. Era mais seguro para ele — *e* para eles.

Mas não era qualquer um; era Sage — ele só conseguia pensar nela dessa forma. Ter que trabalhar tão perto a ponto de sentir seu aroma de baunilha era mais intimidade do que alguém deveria ter. Feito um trouxa, ele se aproximou da porta e encostou o ouvido ali. Precisava saber que música era aquela. Tinha que ser algo de que ela gostava o suficiente a ponto de decorar a melodia.

Ou talvez fosse…

Paft!

Cambaleando para trás, ele levou a mão ao nariz e um grito de dor escapuliu de seus lábios. Estava tão distraído com a escolha de canção de Sage que não tinha percebido o som se aproximando.

Naquele momento, não havia mais cantoria, apenas o silêncio do choque e sua assistente atordoada do outro lado da porta aberta que tinha acabado de acertar seu rosto.

Ela franziu o elegante nariz enquanto dava um passo cauteloso para trás e agitava as mãos à sua frente.

— Opa.

Então, os lábios dela se curvaram num sorriso de orelha a orelha, e de repente a dor no rosto não era nada se comparada à sensação de aperto no peito do Vilão.

— Sinto muito, senhor. Eu deveria ter batido antes.

Ela deu de ombros, como se quisesse dizer: *O que vamos fazer comigo?*

Ele tinha algumas ideias.

Então, balançou a cabeça e olhou feio para ela.

— Existe algum motivo para você ter entrado no meu escritório como se fosse uma bola de canhão, Sage? Ou você só queria me agredir com minha própria porta?

Ela arregalou os olhos claros enquanto passava por ele e invadia ainda mais o seu espaço pessoal. Como se já não estivesse invadindo todas as outras áreas da sua vida.

— "Agredir" é meio forte, né? Tenho certeza de que você já apanhou de coisas piores, em lugares bem mais vulneráveis.

Ela parou por um instante, aparentemente considerando as palavras que acabara de dizer. O funcionamento da mente dela era diferente de tudo que ele já tinha visto. Era quase como se cada pensamento e palavra dita fizessem as engrenagens imprevisíveis da sua cabeça girarem até que ela conseguisse entendê-las à sua maneira específica. Era surpreendentemente intrigante. Era...

Uma distração repugnante, e ele detestava aquilo.

E então ela dizia algo que o deixaria sem palavras, como:

— Não que eu esteja pensando nas suas partes vulneráveis! Quer dizer, agora estou, pois levantei o assunto, mas eu quis dizer vulnerável tipo seu... — Ela fez uma pausa e, por alguma razão incompreensível, ele *precisava* saber como aquela frase seria concluída. Então, esperou. — Seu ouvido?

Uma emoção familiar e irritante o atravessou, fazendo-o sentir coisas repugnantes, como alegria e uma vontade incontrolável de rir.

Ele a encarou intensamente. O brilho de diversão daqueles olhos, o relevo das bochechas, o movimento quase imperceptível dos lábios, como se ela estivesse sempre pronta para sorrir a qualquer momento. Soltando um suspiro e passando a mão pelo cabelo, ele se virou para a mesa. Precisava recuperar o equilíbrio.

— Estou com pouca paciência hoje, Sage.

— Em comparação com todas as outras manhãs, senhor?

Trystan rodeou a mesa e sentou-se na cadeira, ignorando Reinaldo enquanto o sapo parecia se aproximar de Sage. Reinaldo se acomodava na mesa dele todos os dias fazia quase dez anos, dando a Trystan conselhos silenciosos e indesejados com as suas ridículas plaquinhas de uma palavra. Era incrível como o anfíbio só precisava de uma palavra para irritar. Era um talento.

Trystan fez um gesto para que Sage ocupasse uma das cadeiras menores em frente à mesa. Ele jamais chegara a mencionar que aquelas cadeiras não existiam antes da contratação dela, apenas cinco meses antes. Nunca quis encorajar os funcionários a se sentirem à vontade o suficiente para que se sentassem na sua presença.

Mas era prático tê-las agora que ele tinha um braço-direito para orientar diariamente. Não tinha nada a ver com desejar que ela se sentisse confortável.

Nada a ver mesmo.

Sage arqueou a sobrancelha e se acomodou na cadeira vaga enquanto as saias amarelas se agitavam em volta das pernas. Os cabelos escuros estavam presos na trança de costume, com um único cacho sempre escapando para repousar na bochecha. Seu sorriso se iluminou ao ver Reinaldo pular para perto dela, aninhando a cabeça verde em sua mão.

— Bom dia, meu reizinho — disse Sage, ajustando a coroa dele. — Você está lindo essa manhã.

Reinaldo coaxou sua aprovação.

A assistente pegou o sapo gentilmente nas mãos e o aconchegou contra sua bochecha. Naturalmente, ao ver aquilo, Trystan começou a planejar o fim do anfíbio.

— Sage, não transforme meus prisioneiros em animais de estimação.

— Então para de ter prisioneiros tão fofos. — Ela piscou para Reinaldo antes de devolver a criatura traidora à sua mesa.

— Entendido — concedeu ele, levantando ambas as mãos em sinal de rendição. Depois, suspirou e tentou voltar a quem era antes que aquele desastre natural em forma de gente entrasse no mundo dele.

Você é a encarnação do mal. O mundo teme a simples menção ao seu nome. Você é um assassino impiedoso.

Um sonzinho repentino escapuliu dela, suspeitosamente parecido com um espirro. Sage olhou para ele com uma expressão constrangida.

Trystan estava derretido, e cada grão de poeira naquela sala era seu inimigo.

— Prossiga — disse com o maxilar travado.

Sage pôs as mãos pálidas sobre a mesa e deslizou uma folha de papel na direção dele.

— Montei uma lista de todos os funcionários daqui, dando o máximo de detalhes possível sobre eles. Tenho certeza de que a Becky ou a Tatianna teriam mais informações, caso precise. A Tatianna ama os segredos dela e a Becky mantém registros tão impecáveis que deveria até trabalhar para o conselho do reino.

Foi surpreendente ouvir Sage fazendo qualquer tipo de elogio à srta. Erring; ele sabia da bizarra rixa entre elas. Embora relutasse em admitir, Trystan achava aquilo um tanto divertido.

Ele olhou para o papel no topo da pilha. A caligrafia elegante de Sage estava espalhada por toda a página, com os nomes de todos os funcionários e várias anedotas escritas ao lado de cada um. Era uma quantidade enorme de detalhes e devia ter lhe custado horas.

Trystan limpou a garganta e lançou a ela um raro olhar de aprovação.

— Bom trabalho, Sage. — Em seguida, pegou o restante dos papéis da pilha e os folheou lentamente. — Isso vai ajudar bastante.

Sage abriu um sorriso radiante e uma sensação repugnante e purulenta foi se agitando dentro dele. Mais uma vez, ele observou as engrenagens absurdas da mente dela começarem a girar por trás daqueles olhos.

— Senhor...

Ele deixou os papéis de lado e lhe deu toda a sua atenção.

— Algum problema?

Ela juntou as mãos, inquieta.

— Estou só pensando aqui... em vez de fazer todo esse trabalho de bastidores... por que não simplesmente *interrogar* todo mundo até encontrar o culpado?

E foi por isso que ele a contratara. Bom, um dos motivos. Sage era inteligente e calculista de uma forma que nem mesmo percebia, mas havia nela uma frieza sutil que era desconcertante vinda de alguém que parecia distribuir gentilezas como se fossem doces.

— Você quer saber... por que é que não estou torturando todos os meus funcionários até alguém confessar?

As bochechas dela coraram, o que o fez se sentir de certa forma tocado. Uma expressão de fingida indignação cruzou as feições delicadas de Sage.

— C-claro que não! — gaguejou ela.

Uma risada seca e baixinha escapou da garganta de Trystan antes que ele pudesse contê-la. Em seguida, ele se inclinou para a frente, apoiando-se nos cotovelos.

— Pode ter certeza, Sage, de que essa ideia passou por minha cabeça. Mas eu não quero só encontrar a pessoa que tem arruinado nossos planos tão trabalhosos.

Trystan fez uma pausa e a observou se inclinar também, como se hipnotizada por ele, só que aquilo era impossível.

— Quero pegar a pessoa de surpresa.

Ela arqueou as sobrancelhas ao compreender e ele prosseguiu:

— Quero que ela se sinta segura nesse escritório, achando que conseguiu nos enganar. Que *vai continuar* nos enganando. E, enquanto isso, descobrimos quem ela é em segredo. Quero que ela se sinta segura e, justo quando achar que está a salvo, vou destruí-la.

Ele esperou ver o medo no rosto dela. Esperou o desgosto se assentar. Mas, em vez disso, um sorriso de quem entendeu tudo se abriu nos lábios dela. Sage se recostou na cadeira e cruzou os braços com um brilho no olhar.

— E você sabe que se o traidor descobrir que você está atrás dele, vai avisar à pessoa a quem está servindo. Você quer pegar *essa* pessoa de surpresa também.

— Você... — Ele não conseguiu conter a surpresa. — Sim, é exatamente isso.

O sorriso dela se transformou em uma expressão radiante, como se fosse uma alegria poder entender a mente de Trystan.

— Ah, e ninguém está fora de suspeita, aliás. Meu nome também está na lista.

Aquilo o surpreendeu mais que tudo, porque claro que ela deveria estar na lista. Ninguém era completamente inocente. Muito menos esse furacão secretamente maníaco sentado à frente dele, por mais que ele soubesse que não era ela.

— Tira seu nome da lista — disse rispidamente.

Sage balançou a cabeça, fechando a cara para ele.

— Eu não deveria receber nenhum tratamento especial. Poderia facilmente ser eu; sou a que trabalha mais perto de você.

— Literalmente não pode ser você. — Seus olhos percorreram a marquinha dourada que circundava o dedo mindinho de Sage e depois voltaram para o rosto dela.

O olhar de Sage seguiu o dele, e de repente seu rosto indicou que tinha entendido.

— Ah, sim, o pacto de trabalho.

Não era fácil achar um guardião de pacto, nem a tinta mágica usada para fazer os pactos em si. O que Trystan mantinha na equipe lhe custava uma fortuna toda vez que precisava de seus serviços. É por isso que os pactos com os funcionários geralmente só eram feitos em verde para seus Guardas Malevolentes.

Eles atuavam como guardas do Vilão e espiões pessoais quando a situação assim exigia. Com os pactos de tinta verde, Trystan tinha a garantia de que os guardas nunca o trairiam. Uma vez que um novo guarda aceitasse o cargo através da assinatura, estaria vinculado à força vital de Trystan pelo anel tatuado. Se algo acontecesse ao Vilão por suas mãos, a tinta verde viraria veneno, invadindo a corrente sanguínea e matando-o rapidamente.

Era fácil conquistar lealdade quando a única outra opção era a morte.

Inicialmente, ele pretendia dar a Sage um anel verde com o pouquinho de tinta que havia sobrado da última compra. Mas, quando o guardião do pacto chegara, Trystan fora incapaz de seguir em frente.

Em vez disso, escolhera o dourado.

— Eu não poderia trair você, mesmo se quisesse — disse ela com determinação, olhando para aquela coisa com um toque de melancolia. — Não posso dizer que estou chateada por ser eliminada da lista de suspeitos. Para mim, pessoalmente, o trabalho que essa pessoa arruinou é suficiente para que *eu* queira torturar alguém.

Ele gostava de provocá-la além da conta de vez em quando, um hábito que queria deixar de lado.

— Tenho uns pobres coitados nos calabouços lá embaixo. Quer experimentar? — Trystan não estava falando sério.

Ela se levantou da cadeira e virou-se em direção à porta, parecendo desconcertada.

Que bom.

Sage tinha quase chegado à porta quando parou e olhou para trás.

— Eu faria isso, sabe? Torturaria alguém — esclareceu, com uma sinceridade alarmante no rosto. — Se eu soubesse que isso ajudaria você, se fosse alguém fazendo mal a você... Eu faria isso e provavelmente até gostaria um pouco. — Com isso, ela deu meia-volta, e o brilho do vestido compensava o peso das suas palavras.

Trystan esfregou o peito, sentindo todas as coisas que ela dissera quebrando pedaços das muralhas que ele tinha construído. Sentindo as rachaduras que chegavam até o sangue rugindo em seus ouvidos. Ele praguejou, afastou-se da cadeira e virou-se na direção da janela do canto para encarar o horizonte.

Em seguida, olhou de relance para a mesa, onde Reinaldo o observava com um semblante quase solidário antes de levantar uma das suas plaquinhas, que dizia: PERIGO.

Não me diga.

Trystan virou-se rapidamente para a janela, tentando controlar a respiração.

O maldito órgão entre as costelas continuava a martelar no peito sem parar. Ele praguejou de novo, apertando o peitoril da janela até os nós dos dedos ficarem brancos, mas seu coração não desacelerava.

Era quase como se insistisse em lembrá-lo de que existia.

CAPÍTULO 7
Evie

Evie ia gritar.

Passara o dia inteirinho perambulando discretamente entre diferentes setores do escritório. Ouvindo conversas aqui e ali, tentando captar algum sinal revelador. Mas o único assunto entre a equipe era em qual taverna se encontrariam para beber depois do expediente ou quem estava ficando com quem dentro do vestiário.

O último, Evie tinha que admitir, lhe despertava uma leve curiosidade.

Estava louca para falar com Tatianna sobre o traidor do escritório, mas, para sua tristeza, não podia descartá-la como suspeita. Ainda não, pelo menos. Na verdade, ao olhar o ambiente que se tornara tão familiar quanto um par de luvas usadas, Evie se deu conta de que não havia uma única pessoa ali em quem pudesse confiar. Quer dizer, exceto pelo próprio Vilão — e que ironia era aquela.

Era alarmante. A profunda sensação de traição a deixava angustiada. Parecia algo tão *pessoal*. Não eram os seus interesses que estavam sendo comprometidos, mas parecia que sim. Ela dedicara boa parte de seu precioso tempo tentando garantir que todo esforço e concentração fossem para o sucesso da empresa.

Mas era mais do que o trabalho em si; eram as pessoas com quem ela convivia. Não havia falsas pretensões de ser "melhor" ali. Todo mundo tinha defeitos o suficiente para comprometer qualquer ideal de valor moralista em favor da sobrevivência.

Era reconfortante, em um mundo que sempre tinha feito de tudo para que Evie se sentisse tragicamente sozinha.

Ela suspirou e se levantou, segurando o pequeno diário, deu uma volta pela sala e foi em direção à cozinha do escritório, surpreendentemente espaçosa. Cumprimentou Edwin ao entrar, sentindo o calor aconchegante do forno.

— Senhorita Evie! — Edwin a cumprimentou com uma reverência alegre antes de retirar uma bandeja de folhado do forno. — Pegue um, eu insisto!

Como todos os ogros, Edwin era imenso, quase tocava o teto com sua pele azul-turquesa luminescente. Ele tinha um sorriso largo e amigável, complementado pelos óculos ligeiramente menores do que deveriam ser. Além disso, era inteligentíssimo e sempre tecia comentários que faziam Evie pensar por um longo tempo, e ambos amavam literatura.

Evie apontou para o livro aberto na mesa.

— Daqui a pouquinho, talvez. E o que estamos lendo hoje?

— Ah, você ia gostar desse, senhorita Evie. — O ogro piscou para ela, o que fez o metal de seus óculos se mover com o gesto. — É um romance.

— Ah, é? — Evie abriu um sorriso radiante para ele.

— Vai lá na sua janela, eu levo uma taça para você. — Ele apontou para o outro lado da cozinha, por onde entrava uma luz suave. Ao entender, Evie sorriu e caminhou naquela direção.

A mansão tinha muitas janelas incrivelmente desenhadas, mas aquele cantinho escondido era seu favorito. Os azulejos posicionados ao acaso formavam a imagem de um sol vibrante iluminando um velho livro. Na visão de Evie, era uma representação perfeita, já que um bom livro trazia o mesmo conforto que o calor do sol no rosto.

Ela passava horas naquela cozinha, desabafando com Edwin, mas sobretudo com aquela obra de arte iluminada. Em certos momentos de silêncio, parecia até que a janela lhe respondia. De vez em quando, Becky aparecia pela área e fazia um comentário sarcástico, forçando Evie a revidar. Era uma rotina à qual estranhamente se acostumara.

Por fim, Evie se levantou e voltou ao escritório. Ao se aproximar da escrivaninha, pensou ter ouvido um leve clique vindo de algum lugar da sala.

Seu olhar se concentrou no grande relógio na parede, e o ponteiro dos segundos se movia enquanto um desconforto fazia sentir um embrulho no estômago.

Evie olhou ao redor para ver se mais alguém tinha percebido o som, mas o murmúrio de vozes e as cabeças baixas voltadas para as mesas lhe diziam que ela era a única.

Provavelmente não foi nada.

Mas aquela pitada de desconforto parecia estar crescendo e se transformando em uma onda de ansiedade que a impedia de se concentrar em qualquer outra coisa.

Ela sentiu vontade de ir buscar o chefe seja lá em qual buraco estivesse.. Logo após a reunião daquela manhã, ele saíra apressado, sem se dar ao trabalho de contar a ninguém para onde estava indo.

Em qualquer outro dia, aquilo não a incomodaria. Ele sempre tivera seus segredos, aquele ar de mistério que reforçava a sua fama de mau. Mas, ultimamente, Evie vinha se incomodando com o fato de ele ter confiado nela em tantas coisas, mas, ao mesmo tempo, tão pouco. Queria mais dele, e essa ideia por si só já era perigosa demais para ser explorada.

Clic. Clic. Clic.

Soltando um grunhido de frustração, Evie tentou se concentrar para identificar a origem do som ritmado. Estava ficando mais alto? Ela tentou localizá-lo, movendo-se para um lado da sala e depois para o outro, esperando que o barulho passasse de suave a ensurdecedor no ponto mais alto. Se suas suspeitas cada vez mais fortes estivessem corretas — e estavam —, o ruído a levaria diretamente à sua escrivaninha.

Bom, não exatamente à sua escrivaninha, mas bem perto.

Um coaxar baixinho se sobrepôs ao som de clique e, ao olhar para baixo, Evie encontrou Reinaldo ao lado da ponta do seu sapato. Os olhos arregalados a encaravam, tentando transmitir algo que ele não conseguia expressar.

— Olá, meu amiguinho. — Evie se agachou lentamente e estendeu a mão. O sapo deu um saltinho e pousou na palma dela. — Você precisa ter mais cuidado ao saltitar pelo escritório, Reinaldo. Se acabasse esmagado por alguma bota aleatória, como é que a gente ia viver depois disso? — Ela sorriu para ele, esquecendo-se do clique por um momento, até que o ouviu outra vez.

Reinaldo pareceu ouvi-lo também, porque saltou da sua mão e seguiu em direção ao lugar em que Evie esperava não ter que procurar — as portas atrás da sua escrivaninha, que levavam ao escritório do chefe.

Com um suspiro, Evie caminhou até a porta, agora entreaberta, e a empurrou totalmente.

Seus instintos gritavam para que ela não avançasse mais um passo. Mas era como se um fio tivesse sido amarrado entre ela e aquele ruído misterioso, um fio que só se romperia quando Evie descobrisse a fonte.

O amplo escritório parecia menor sem a presença do Vilão. A mesa não provocava nela a mesma palpitação que costumava sentir ao olhar para o móvel, provavelmente porque certa pessoa não estava sentada ali atrás. Evie tinha que ir embora. Estava *prestes* a ir embora.

Até que Reinaldo saltou sobre a mesa, mostrando mais uma das suas plaquinhas. Aquela exibia uma única palavra que a fez gelar: PERIGO.

Uma vozinha em sua cabeça lhe dizia para considerar o aviso do sapo. Ela não deveria estar naquele escritório sem permissão, de qualquer maneira, e com certeza não deveria revirar a mesa do chefe em busca do que provavelmente não passava de um relógio quebrado ou... talvez uma arma especialmente barulhenta?

Mas já era tarde demais para ouvir vozinhas quando a dela gritava para si mesma: *OLHE DENTRO DA MESA. NÃO É COMO SE O SAPO FOSSE TE DEDURAR.*

— Argh — murmurou, e a palavra ecoou pelo silêncio enquanto ela esfregava a cabeça. Quando se aproximou, seu nervosismo deu lugar à determinação, mesmo com a estranha satisfação de finalmente ter encontrado a origem do barulho.

Ela se agachou e as saias do vestido roçaram o piso. Estendendo a mão indecisa, Evie pegou um pequeno objeto frio e o levou cuidadosamente à luz para inspecioná-lo. Agora, o clique soava como um guincho em seus ouvidos, embora o objeto em si parecesse inofensivo.

Ao virá-lo, o momento de triunfo de Evie logo foi substituído por um medo avassalador.

— Claro — disse, com a voz surpreendentemente firme. Suspirando de forma exasperada e com uma pitada de irritação, ela disse a si mesma: — Claro que é uma bomba.

CAPÍTULO 8
Evie

Tudo pareceu se mover mais lentamente no início. O ar ficou rarefeito e Evie, paralisada, enquanto encarava com horror absoluto o pequeno dispositivo na palma da mão.

Então, seu coração começou a notar o momento de perigo iminente e ela sentiu ele bater tão forte que chegou a ficar sem fôlego. A mão livre voou até o peito, implorando para que se acalmasse. Ela não conseguia pensar. Não conseguia fazer *nada*.

O dispositivo era dourado e retangular, com um reloginho pendurado na parte de baixo. Com uma delicadeza trêmula, Evie virou o relógio. Quando seus olhos acharam o que estavam procurando, o sangue já frio congelou de vez, fazendo-a tensionar ainda mais seus membros enrijecidos.

Três minutos. Só *três minutos* antes que as flechinhas douradas apontassem para o doze no topo.

Um zumbido invadiu seus ouvidos, tão agudo que a fez querer tacar o dispositivo no chão e apertar as laterais da cabeça com ambas as mãos. Um suspiro irregular escapuliu dos lábios dela, acompanhado de um leve soluço.

Ela estava histérica e...

Estava perdendo tempo.

Livre-se disso!

Evie segurou firme o dispositivo, dando uma rápida olhada no reloginho novamente.

Restavam dois minutos e trinta segundos.

Ela pensou em jogá-lo pela janela, mas Blade e o dragão treinavam exatamente abaixo da janela do escritório do Vilão, então essa opção era inviável. Talvez, se ela conseguisse conter a explosão, poderia poupar algumas pessoas. Manter o castelo de pé, ao menos. Ao erguer os olhos, viu Reinaldo observando-a com uma nova palavra na plaquinha: CORRA.

Escancarando a porta com uma das mãos, Evie irrompeu no escritório principal e ignorou as pessoas que pararam tudo para encará-la. Algumas perceberam o dispositivo em seus dedos pálidos e arfaram, abrindo caminho enquanto ela procurava um lugar para se livrar da coisa.

Uma voz, que em outras circunstâncias a irritaria, a trouxe de volta ao presente com sua familiaridade.

— A varanda!

Evie virou-se para Becky, que tinha aberto a porta que levava ao lado de fora e acenava freneticamente para que Evie seguisse em frente.

E foi o que Evie fez.

Ela saiu correndo e chegou ao frescor do ar livre, murmurando um agradecimento para a mulher no caminho. Evie devia estar imersa em algum tipo de onda de adrenalina, pois pensou ter visto preocupação no rosto contraído de Becky.

O calor do sol de verão atingiu o topo da cabeça da assistente — a primeira vez que ele aparecia de trás das nuvens durante toda aquela manhã. Seu coração acelerado, as saias se levantando a cada passo enfurecido. O dispositivo permanecia frio nas mãos dela, apesar do corpo cada vez mais quente, e o tique-taque era um lembrete cruel.

Você quer ouvir o tique-taque!, lembrou Evie a si mesma. *Nenhum tique-taque significa que você vai morrer!*

Se conseguisse chegar ao final, poderia jogar o dispositivo por cima do pequeno elevado no fim da varanda. Poderia salvar a mansão, ou ao menos uma boa parte dela. E, o mais importante de tudo, poderia salvar as pessoas ali dentro.

A varanda sempre tinha sido tão comprida assim? Parecia que não estava nem perto do fim. Ela forçou as pernas ao limite e correu mais rápido, vendo seu destino se aproximar cada vez mais. Como ainda não corria rápido o suficiente, esforçou-se ainda mais, e estava quase no fim quando… *Não!*

O salto agulha da bota enganchou em um bloco de cimento solto, dobrando o seu tornozelo de um jeito anormal enquanto ela tropeçava.

Horrorizada, Evie observou a bomba escapar dos seus dedos e voar pelo ar. Viu-a subir, alto o suficiente para raspar o topo do elevado de pedra, mas não passou por cima dele. O dispositivo caiu, pousando perto demais para protegê-la da explosão.

— Meus deuses — sussurrou Evie, abaixando-se para remover o salto do buraco em que estava preso. Sua respiração estava tão curta que a visão começou a ficar embaçada, e as pontas dos dedos começaram a sangrar de tanto arranhar a superfície áspera do tijolo onde o salto da bota estava preso.

Mas o salto não queria sair do lugar. A compreensão recaiu sobre Evie como uma névoa fria. Ela virou-se para o lado oposto da varanda, em direção às portas do outro lado.

Então é isso. Evie jamais chegaria a tempo.

Ela havia se esquecido de abraçar Lyssa antes de mandá--la para a escola naquela manhã, evidentemente presumindo que teria outra chance. Tinha dito ao pai em voz alta que o amava, mas será que ele ouvira? Será que ele sabia?

Um rosto diferente surgiu na mente dela — seu chefe, o Vilão. Evie não podia acreditar que o estava deixando no momento em que ele mais precisava dela. Quem é que o faria sorrir contra a própria vontade agora?

Enquanto uma lágrima solitária escorria pelo rosto de Evie, ela pensou que aquele devia ser o detalhe mais triste de todos.

CAPÍTULO 9
Vilão

Um pouco mais cedo...

Trystan avançava pelo lado oeste da Floresta das Nogueiras. Naquela região do reino, as montanhas eram mais rochosas, então era fácil se perder.

Mais fácil ainda se esconder.

Ou, pelo menos, foi isso que Trystan pensara quando começou a construir seus refúgios secretos sob o chão coberto de musgo da floresta. Seus Guardas Malevolentes haviam escavado esconderijos em diversos pontos pelo solo irregular, guardando seus pertences mais preciosos em cada um deles.

A maioria continha remessas roubadas, enviadas ao rei pelos reinos vizinhos. Eram todos aliados dispostos a "ajudar" o rei em sua constante batalha contra a "figura sombria" que havia surgido quase dez anos antes para sabotar o governo do rei Benedict.

Os lábios de Trystan se curvaram em um sorriso. Ele amava seu trabalho.

Quando começara tudo isso, anos antes, jamais poderia ter imaginado o império que viria a construir. Todas as pessoas que trabalhariam para ele, ajudando-o a alcançar seu objetivo.

Para o povo de Rennedawn, aquilo significava interferir na economia do reino, lenta mas seguramente empobrecendo ele mesmo e o restante do continente. Para Trystan, significava garantir que o rei Benedict jamais obtivesse o que desejava, independentemente do preço a se pagar.

Seus Guardas Malevolentes foram ficando cada vez mais hábeis em interceptar remessas de armas, bebidas e mercadorias, mas ele ainda buscava algo maior, algo que desestruturasse tudo o que Benedict valorizava...

Ele afastou um galho e deixou o cavalo amarrado a uma árvore perto da base da colina. Sua magia fervilhava sob a pele, como se sentisse o perigo que se aproximava.

Trystan não queria, mas tinha saído às pressas naquela manhã. Uma mensagem chegara através de um dos seus espiões — ou corvos, como gostavam de se autodenominar — avisando-o com urgência que mais um dos refúgios secretos estava em risco.

A frustração o invadiu enquanto ele afastava o cabelo da testa. Trystan se aproximou da porta secreta lentamente e gelou ao ver o brilho prateado da armadura dos Guardas Valentes.

Eram eles. A raiva se agitava dentro dele.

Como é que tinham encontrado outro refúgio? Os únicos que sabiam das localizações eram seus guardas, que não podiam revelar os segredos dele nem se quisessem; Reinaldo, que por motivos óbvios não diria uma palavra; e Sage, que dissera que torturaria alguém por ele.

Mas não era o momento de pensar naquilo, especialmente depois de ver um dos seus guardas mais leais caído com uma adaga nas costas, no bosque de árvores que circundavam a entrada. Mais homens seus mantiveram-se firmes, combatendo os cavaleiros restantes, e ele percebeu que os havia chamado ali naquela manhã para carregar uma carga extra, a céu aberto, onde poderiam facilmente ser encontrados.

Tinha sido culpa dele.

Trystan não conseguiu mais conter a magia. Ela ganhou vida própria e emanou de seus dedos como água vazando de uma represa. Mais ninguém podia vê-la, mas ele podia. A névoa cinza envolvia os Guardas Valentes que ainda massacravam alegremente os homens e mulheres de Trystan, seus guardas, seu povo.

O primeiro Guarda Valente demorou a perceber o que estava acontecendo, mas, quando a névoa cinza o rodeou, Trystan viu exatamente como atacá-lo. Seu poder iluminou os melhores pontos para acertá-lo, em um contraste vibrante em meio ao cinza.

O vermelho brilhante no abdômen do cavaleiro era a brecha perfeita para o Vilão; era o ponto fraco do guarda. Sua magia o circundou e a névoa cinza se aguçou, direcionando-se para aquele ponto exato. O cavaleiro soltou um grito ensurdecedor e caiu de joelhos antes de desabar no chão.

Matar dava resistência ao Vilão, alimentava seu poder, deixava-o mais forte. Forte o suficiente para expandir a névoa cinza em direção aos cavaleiros restantes, identificando seus pontos mais vulneráveis e abatendo-os sem piedade. O Vilão sentiu uma satisfação perversa ao assistir à pilha de corpos cobertos por armaduras prateadas crescer até não restar mais um único cavaleiro de pé.

Keeley, a líder de sua guarda, ficou de lado, examinando um camarada que se contorcia de dor e segurava o próprio flanco.

Trystan se aproximou para avaliar o estrago.

— Eles levaram alguma coisa? — perguntou, mantendo o rosto neutro enquanto contava os mortos. Quatro.

Três homens e uma mulher mortos, tudo por causa dele.

Trystan cerrou a mandíbula, ignorando a culpa ardente que o invadia. Era uma emoção inútil. Não havia nada de minimamente produtivo em sentir o peso avassalador de pessoas morrendo por ele, sabendo que não valia o sacrifício.

— Não — respondeu Keeley distraidamente. — Mas vamos ter que mudar tudo de lugar, senhor. Um dos cavaleiros fugiu para dar o recado antes de sua chegada.

Ele assentiu, processando a informação lentamente. Os outros guardas olharam para ele, mas não havia tempo para lamentos. Eles precisavam das suas instruções; precisavam do Vilão.

— Transfiram tudo para um dos nossos locais mais seguros — ordenou. — Levem os mortos de volta à mansão e nós... — Sua humanidade o fez parar. — Nós os enterraremos.

Os guardas assentiram, olhando para Trystan com uma reverência que ele não desejava. Outro guarda interrompeu o silêncio:

— O que vai fazer a respeito disso, senhor?

Trystan cerrou o maxilar enquanto passava os olhos pelo grupo ainda de pé, pelos guardas mortos e os Guardas Valentes ao lado deles.

— O que precisar ser feito — falou de forma enigmática, dando-lhes suas últimas ordens antes de retornar ao cavalo.

Ao montar em seu cavalo e retornar à mansão, a pergunta ecoou em sua mente outra vez:

O que vai fazer a respeito disso?

Ele não parou para refletir sobre a pergunta, pois já sabia a resposta. Enquanto cavalgava em direção ao sul, acelerando um pouco ao sentir um estranho formigamento na nuca, fez um juramento.

Haverá vingança por todos aqueles que sofreram em meu nome.

Quando finalmente chegou à mansão e passou pela parede móvel até chegar ao escritório, soube que havia algo errado, dava para sentir. Algo... Antes que conseguisse avançar mais dois passos, Rebecka surgiu diante dele com um aspecto desgrenhado, totalmente diferente de seu ar comedido de sempre.

— Senhor! — disse ela, arfando.

Um calafrio percorreu o braço dele.

— Bomba. Tinha uma... bomba em seu escritório... a Evie...

A simples menção ao nome dela o trouxe de volta ao presente, e Trystan segurou a mulher baixinha pelos ombros.

— Cadê ela? — Ele sabia que sua voz estava tensa e ríspida, mas aquele não era o momento para suavizá-la.

— Na varanda. Ela levou a bomba lá pra fora!

Ele soltou Rebecka e começou a correr antes que ela terminasse de falar. Atravessou as portas e continuou sem hesitar. A capa preta esvoaçava ao seu redor enquanto Trystan subia a escada até a varanda. Lá, avistou a pequena silhueta de Evie ao longe, com um olhar infeliz e resignado.

A bomba... onde estava a bomba? Ele seguiu o olhar da assistente até o topo da torre, no fim da varanda. Seus olhos encontraram o pequeno dispositivo dourado, tão perto, perto demais.

— Corre! — Trystan apertou o passo, deixando o pânico impulsioná-lo em direção a ela.

Os olhos arregalados de Sage encontraram os dele, piscando como se não acreditasse que ele estava ali.

— Meu pé está preso! — gritou ela em resposta, tão desesperada quanto ele.

Trystan respondeu, incrédulo:

— Bom, então solta! — As palavras saíram em um rosnado, e ele observou, ansioso, Sage tentando puxar a perna sem sucesso.

O suor escorria pela testa, e sua camisa preta e larga começou a colar em diferentes partes do corpo enquanto o som das botas ecoava pela pedra e no cimento abaixo dos seus pés. Não era medo — ele só estava correndo muito rápido.

Sentiu uma vibração no ar quando estava perto de alcançá-la. Voltou os olhos para o dispositivo dourado. O reloginho pendurado na bomba começou a tremer e a torre ao lado deles ribombou. Trystan alcançou Sage, pegando-a pela cintura e jogando-a no chão para protegê-la com o próprio corpo, e os envolveu com o máximo de magia que foi capaz de reunir, mesmo sabendo que provavelmente não seria suficiente.

E então o mundo ficou vermelho.

CAPÍTULO 10

Evie

Evie estava sangrando.

Ela sentia o líquido quente escorrendo pelo couro cabeludo enquanto abria lentamente os olhos. Não conseguia ver muita coisa. A visão estava ofuscada por um tecido preto e um peito musculoso. O cheiro de fumaça dominou seus sentidos, mas havia algo mais. Algo quentinho e aconchegante.

Sua cabeça estava sendo amparada e, quando finalmente conseguiu enxergar, um par de olhos pretos a encarava. No entanto, Evie estava desorientada demais para interpretar o sentimento que havia por trás deles.

— Sage? — Seu nome foi pronunciado com o sotaque suave da voz do Vilão, causando arrepios em seus braços.

— Olá, senhor — murmurou fraquinho, tentando organizar os pensamentos frenéticos.

As rugas na testa do Vilão se suavizaram e ele soltou um suspiro trêmulo. Uma das mãos que a amparava foi até sua bochecha, e ele praguejou ao ver o sangue.

— Onde mais você se machucou? — perguntou com uma voz áspera, quase furiosa.

Ela tentou identificar de onde vinha a dor, mas, para ser sincera, sentia-se tão confortável nos braços dele que quase não notava mais nada. No entanto, ele pareceu ter interpretado aquele silêncio como angústia, pois logo fez os dois se sentarem.

O Vilão rasgou um pedaço da própria capa e a pressionou contra a cabeça de Evie para poder estancar o sangramento. Em seguida, olhou para o fim da passarela destruída. A pequena torre do lado fora reduzida a escombros.

— Por favor, fala alguma coisa. É perturbador te ver tão quieta. — A voz do chefe era firme, mas algo nele parecia abalado.

— Que bom que não explodi.

O olhar do Vilão se enterneceu e os lábios se curvaram para cima, revelando uma rara covinha.

— O sentimento é recíproco.

Ela grunhiu ao se lembrar de que quase o matara quando ele se jogou em cima dela.

— Por que você não correu? — Não havia acusação na voz dele, apenas curiosidade.

Evie olhou para o tornozelo. Seu corpo parecia lembrar que deveria estar sentindo muita dor, e ela arfou quando a ardência começou.

O Vilão se recostou, substituindo a mão dele pela de Evie onde ele pressionava o pedaço de pano contra o ferimento da cabeça. Em seguida, ergueu delicadamente o pé dela.

— Posso?

Evie ficou meio sem fôlego, mas assentiu.

Ele levantou a saia amarela, manchada de fuligem, até que ela ficasse um pouco acima do tornozelo. Pegando com cuidado sua bota de salto, o Vilão retirou-a lentamente. Evie soltou um chiado de dor e ele parou no mesmo instante.

— Desculpa. — Ele fez uma careta e retirou todo o sapato junto com a meia de lã, o que revelou um inchaço feio. Suas mãos quentes e ásperas seguraram a panturrilha de Evie acima do machucado, e Evie teve a sensação de que, se ele a soltasse, ela flutuaria.

— Consegue mexer? — Era como se fosse outro homem falando com ela. Ou melhor, era o mesmo homem, mas sem a habitual máscara de arrogância que usava como se sua vida dependesse disso.

Ele estava sendo sincero agora, e aquele ar imponente que costumava envolvê-lo sumiu, deixando Evie vergonhosamente esbaforida.

O Vilão a observava, à espera de uma resposta, enquanto ela tratava de tentar mover logo o pé antes que ele percebesse o que se passava por trás dos seus olhos.

— Consigo, mas dói.

— Que bom, não está quebrado. — Deve ter sido imaginação de Evie a forma como as mãos dele pareciam demorar-se no tornozelo dela. Mas não, o pobre homem estava só tentando inspecionar os ferimentos, e ela era incapaz de controlar os arrepios que aquele toque lhe causava.

Depois de lhe devolver o sapato, ele segurou a mão de Evie. Delicadamente, ajudou-a a se levantar, e ela apoiou-se no pé intacto. Por força do hábito, transferiu o peso para o pé ferido e arfou, caindo em cima do peito dele e agarrando seus ombros com ambas as mãos.

— Desculpa — murmurou ela com a voz fina.

Ele pigarreou uma, duas — *caramba* —, três vezes antes de botar a mão firme no quadril dela.

— Está... tudo bem.

Finalmente capaz de observar a destruição ao redor deles, Evie estremeceu de horror.

A fumaça e a poeira tinham se dissipado, revelando uma visão perfeita da torre destruída. A parte de cima simplesmente desaparecera; grandes escombros os cercavam, enquanto outros com certeza tinham caído no pátio lá embaixo. Para além da torre, uma parte enorme da parede oeste da mansão estava completamente derrubada. Daquela distância, Evie conseguia enxergar os restos do que parecia ser um escritório, ou talvez uma pequena biblioteca.

Os livros não. Tudo, menos os livros.

O parapeito tinha sumido. Ambos estavam a dois passos de despencar dali. Detritos cobriam as pontas do cabelo de Evie e provavelmente o topo também, e, ao olhar para o chefe, constatou que o cabelo dele parecia quase branco por conta das cinzas.

Lágrimas ardentes formavam-se nos olhos, e Evie sentiu o horror dos últimos momentos invadindo cada poro do seu corpo.

— Ah, não, a mansão.

Ela odiava chorar, ainda mais na frente dos outros. Ainda mais na frente do *chefe*.

Mas era tarde demais; as lágrimas já escorriam pelo rosto dela.

— Não acredito que isso aconteceu. Por que alguém faria... eu só queria que... não posso acreditar... eu sinto muito. — As mãos de Evie ainda seguravam os ombros dele, então o Vilão deve ter sentido seu tremor, mas ela não conseguia encará-lo.

A explosão tinha sido contida. As ruínas ao redor eram desoladoras, mas a mansão ainda estava de pé. Poderia ter sido bem pior. Ainda assim, parte da propriedade se fora, e era a casa dele, e Evie tinha morrido de medo.

Ela deixou escapar um soluço e pôs a mão na barriga, tentando se controlar, mas parecia ter o efeito contrário. Mais um soluço. O Vilão apoiou as mãos nos ombros dela e a afastou um pouco para examinar seu rosto. Evie não teve forças para impedi-lo.

— Você está... chorando? — Ele parecia horrorizado, era evidente pelo tom de sua voz. Evie queria sumir, mas, claro, o tornozelo machucado a manteve no lugar.

— Não. Eu tenho uma condição que faz os meus canais lacrimais produzirem um excesso de água quente e salgada quando estou cansada ou estressada.

Mas o comentário passou despercebido enquanto o Vilão tirava tranquilamente um lenço do bolso. Para a surpresa de Evie, não era preto como o restante da roupa, e sim de um azul-claro vibrante.

— Pronto. — Ele lhe entregou o lenço e, com um gesto, apontou para os restos da torre. — Nada ali tinha valor, não como... não era importante.

Havia algo que o chefe não estava dizendo, era óbvio. Mas Evie estava aliviada demais por ele ter escolhido ignorar a explosão de emoções para sair questionando-o. Ela deu uma fungada, sorriu discretamente em meio às lágrimas e, por um momento, imaginou ter visto uma sombra de tristeza nos olhos dele.

O que quer que houvesse naquela torre devia ter sido muito valioso para ele.

Pigarreando de novo, ele passou um braço por debaixo das pernas de Evie e o outro pelas costas.

— Se segura — foi o único aviso que ela recebeu antes de ser levantada nos braços, contra o peito dele.

— Eita! — Evie arfou, segurando firme em volta do pescoço do chefe, que, claro, era robusto e musculoso. E, como seu rosto estava a poucos centímetros de distância, dava para sentir o pulso dele batendo firmemente ali.

Evie balançou a cabeça e juntou as mãos na nuca do Vilão, tentando levar a situação com leveza.

— Não é à toa que você se acha tanto! Eu também me acharia, se pudesse ver o mundo desse ângulo!

Ele revirou os olhos e começou a caminhar em direção às portas abertas. Uma multidão de curiosos se formara, e Evie viu o olhar do Vilão endurecer antes que vários arquejos fossem ouvidos e todos voltassem correndo para dentro.

— Não sou muito mais alto do que a média — disse ele secamente.

— Parece que estou sendo carregada por uma árvore. — Uma árvore consideravelmente quente, cujos braços que tocavam suas pernas e costas faziam seu cérebro derreter.

Ele a ajustou nos braços e a levantou mais. Tanto que seus lábios roçaram o ombro dele sem querer. O choque deve tê-lo repelido, pois o Vilão tropeçou tão feio que quase a derrubou.

— Desculpa — murmurou Evie com o rosto em chamas.

— Para de pedir desculpa — rosnou. Era evidente que estava bravo; a situação devia ser intolerável para ele. — Você fala isso demais. É irritante.

Eles tinham quase chegado às portas, mas o comentário fez Evie olhar de novo para ele, surpresa. O Vilão permanecia sério, olhos fixos à frente.

— Não posso evitar. Pedir desculpas é natural demais para mim.

Isso pareceu irritá-lo ainda mais.

— Sem mais desculpas desnecessárias, ou vou descontar do seu salário.

Evie se engasgou de surpresa quando ele passou pelas portas, aliviada ao ver a área aberta do escritório que realmente chegou a achar que nunca mais veria.

Mantendo-a firme nos braços, o Vilão soltou a voz, que ecoou forte e autoritária por todo o ambiente:

— Parece que alguém perdeu um explosivo no meu escritório. — Todo mundo congelou enquanto ele prosseguia: — Ainda bem que a srta. Sage encontrou o dispositivo antes que ele causasse danos permanentes.

Evie o sentiu segurá-la mais firme pelas pernas, mas deve ter sido imaginação.

— Se alguém souber de alguma coisa a respeito disso, por favor, venha até mim. Senão... eu vou atrás de vocês.

Havia uma ameaça inconfundível nas palavras. Aquilo fez os funcionários correrem para suas mesas enquanto ele a carregava em direção aos aposentos de Tatianna.

O burburinho de papéis em movimento ecoava atrás deles enquanto o Vilão a levava. Evie se aconchegou nele mais uma vez, tentando aproveitar os últimos momentos nos seus braços.

— Alguém tentou te matar.

Ele contraiu os lábios.

— Sim.

— Você parece estar bem tranquilo em relação a isso — disse ela, incrédula.

— Não se deixe enganar pelas aparências, Sage.

— Então você está bravo?

Ele parou pouco antes das portas de Tatianna e olhou para ela tão de perto que Evie teve que se esforçar para não desviar o olhar. Os olhos dele se fixaram novamente no corte na testa de Evie, que ainda sangrava, mas num ritmo mais lento.

— Minha raiva não tem limites — admitiu. — Mas ao mesmo tempo... não fico surpreso.

— Você sabia que isso ia acontecer? — Ela arqueou as sobrancelhas.

Com um suspiro, ele abriu as portas dos aposentos da curandeira. Tatianna não estava no cômodo, então o Vilão dirigiu-se até a mesa de exames e pôs Evie delicadamente ali, fazendo com que ela ficasse novamente na altura do peito dele.

— Não, mas existia um motivo para eu ter sido levado para longe daqui, para lidar com mais um refúgio secreto comprometido, no mesmo dia em que alguém colocou um explosivo em meu escritório. Quem quer que tenha feito isso não queria que eu estivesse aqui no momento em que explodisse. — Frustrado, ele esfregou a mão pelo rosto. — O responsável queria atingir meu ponto fraco, onde doeria mais.

— Explodindo as bugigangas da sua mesa?

Ele deu uma risada contida, exibindo novamente a covinha na bochecha esquerda, e então balançou a cabeça.

— Entre outras coisas.

Evie queria saber mais, mas, antes que pudesse fazer outra pergunta, Tatianna entrou de supetão, acompanhada do robe cor-de-rosa que flutuava ao redor dos tornozelos.

— Eu saio por cinco segundinhos para ajudar a dar pontos no machucado de Blade e um dos estagiários me diz que você saiu correndo com uma bomba?

Tatianna passou pelo chefe como se ele nem estivesse ali, afastou os cabelos de Evie do rosto e a puxou para um abraço.

— Sua doidinha corajosa.

— Os estagiários exageram muito — disse Evie, com a voz meio abafada pelo ombro de Tatianna.

— Ela torceu o tornozelo, Tatianna. — A voz do Vilão soava mais distante. Evie virou-se e o viu se afastando em direção à porta. — Cuide disso o mais rápido possível e, depois, vou levar a srta. Sage para casa.

Diante do comentário, as duas mulheres levantaram a cabeça abruptamente e o encararam boquiabertas.

— Você vai me levar para o lugar onde moro, é isso? — perguntou Evie.

— Normalmente, é isso que as pessoas chamam de "casa", não é, Sage? — O Vilão não lhe deu tempo para responder; apenas deu meia-volta e falou em voz alta, por cima do ombro: — Vou esperar ali fora.

CAPÍTULO 11
Evie

O sacolejar da carruagem fazia com que Evie batesse o ombro ruim repetidamente, e, a cada vez, ela se encolhia de dor. Evie tivera sorte, muita sorte, de o brilho da cicatriz não estar visível por baixo do vestido. A dor no tornozelo e na cabeça, como toda dor, iluminara a cicatriz a ponto de deixar alguém inconsciente caso olhasse sob o tecido espesso. Mas Tatianna havia trabalhado com eficiência, tratando apenas das áreas onde sabia que Evie precisava de cura.

Era irresponsável deixar uma ferida causada por magia sem tratamento por tanto tempo, como ela fizera com aquela ferida de faca. Mas, quando se está tentando desesperadamente superar algo, era muito irritante ser arrastada para o passado por essas convenções inúteis. Se ela tratasse o ferimento, as pessoas fariam perguntas, e Evie ainda não estava pronta para encarar isso. Ela trataria, havia prometido a si mesma que trataria, mas só quando estivesse pronta.

O pequeno contratempo de Evie com o ex-patrão não tinha sido diferente do que muitas jovens enfrentam com chefes maliciosos que fazem propostas inadequadas. No geral, Evie se considerava sortuda por ter saído daquele confronto com apenas um arranhão mágico.

A mera noção de que ela deveria se sentir *sortuda* por ter sido só um machucadinho, isso sem falar na expectativa de que qualquer mulher devesse se sentir assim, era absurdamente ridícula e injusta. Era como ver alguém roubar algo precioso de você e agradecer por isso.

A raiva tomou conta de Evie tão depressa que ela teve que respirar fundo para não gritar. O frescor do ar da tarde a acalmou, beijando-lhe as bochechas enquanto ela inclinava a cabeça para trás. Ela contaria a Tatianna quando a ferida estivesse menos dolorida, assim como seus sentimentos. Era bobagem sentir vergonha por ter se colocado em uma posição vulnerável. Não era culpa dela. E talvez estivesse na hora de pedir ajuda.

Balançando a cabeça, ela deixou a ferida de lado e procurou outra coisa a qual dedicar sua atenção. A elegante carruagem preta e aberta em que trotavam pela estrada era simples em seu design, sem necessidade de ornamentos extras para marcar presença — assim como o chefe.

O canto dos pássaros e os sons de outras criaturas desconhecidas eram diferentes dos que ela ouvia nas suas caminhadas matinais até a mansão — a floresta estava totalmente desperta àquela hora..

Depois de Tatianna ter curado seu tornozelo e feito mil perguntas, o chefe a acompanhara até o portão da frente, onde a carruagem e os cavalos os aguardavam.

Desde então, estavam em silêncio.

Geralmente, Evie levava mais ou menos uma hora todas as manhãs e todas as noites para pegar os atalhos ocultos dos caminhos que usualmente conduziam ao véu que envolvia o castelo do Vilão. Mas eles estavam pegando o caminho mais longo, pela estrada de terra, e Evie queria desesperadamente preencher o silêncio desconfortável.

Ela odiava silêncio.

Na última vez que tinha visto o irmão, tudo estava silencioso. No dia em que a mãe tinha partido, tudo estava silencioso. Quando o pai ficara doente, tudo estava silencioso. O silêncio lhe trouxera muita dor. Uma parte instintiva de Evie recuou, à espera do próximo golpe.

A assistente se distraiu com o puxão das rédeas de couro nas mãos enluvadas do chefe, que conduzia a carruagem com uma determinação sombria, o rosto concentrado na estrada à frente e no sol que se punha rapidamente.

Ela desviou o olhar para Reinaldo, empoleirado em um pequeno suporte que com certeza tinha sido instalado ali apenas para o uso do sapo.

— Você costuma trazer o Reinaldo para passeios de carruagem? — perguntou.

O chefe não olhou para ela nem para o amigo anfíbio ao dizer:

— Nem eu sou tão mau a ponto de não permitir que ele tenha um pouco de… luz do sol. — Ele fez uma pausa, quase se engasgando com o final da frase. — Enfim, quanto mais liberdade eu dou a ele, menos essa praguinha tenta escapar. — Houve uma troca de olhares intensa entre o Vilão e o sapo. Reinaldo foi o primeiro a desviar, virando o corpinho de volta para a paisagem.

— Obrigada pela carona, mas meu tornozelo está bem agora; eu poderia ter ido a pé.

Sua trança estava quase desfeita, com mechas soltas de cabelo preto fazendo cócegas no pescoço.

— Não sabia que você não vinha a cavalo. — Ele não olhou para Evie, só segurou mais firme as rédeas.

— Eu já vim. Uma ou duas vezes, mas a minha família não tem a mínima condição de comprar um cavalo. Muito menos arrumar um lugar para abrigar a pobre criatura. Além disso, eu gosto de andar.

O Vilão assentiu, aparentemente para si mesmo.

— Claro. Quem não gosta de um passeio de duas horas todos os dias.

Evie não conseguiu pensar em uma resposta apropriada para aquilo, nem mesmo em uma resposta inapropriada, o que significava que a situação estava mesmo periclitante.

Mas o chefe pareceu achar o silêncio tão insuportável quanto ela achava, pois falou antes que Evie pudesse dizer algo constrangedor:

— Você ainda guarda aquela adaga na sua bota?

Ela levou um tempinho para processar o que ele estava perguntando e como era possível que soubesse a respeito da sua única arma, mas então se lembrou do que havia ocorrido tantos meses antes.

— Sim... ainda guardo, mas não é mais a mesma. Nunca recuperei aquela depois...

Ele já estava assentindo antes que ela terminasse.

— Ótimo. Você não deveria andar sozinha por essas florestas, desprotegida. — O Vilão finalmente virou a cabeça na direção dela, com um sorriso malicioso nos lábios. — Nunca se sabe que tipo de figuras ameaçadoras você vai encontrar.

— Ah, não sei, não. Deu certo para mim da última vez. — Ela pretendia fazer uma piada descontraída, mas as palavras saíram muito mais sérias do que pretendia.

Fora a coisa errada a dizer.

O sorriso sumiu dos lábios do Vilão, e qualquer descontração entre os dois foi de repente sobreposta pelos acontecimentos do dia.

— Eu não consideraria quase morrer "dar certo", Sage.

Em seguida, estalou levemente os lábios, fazendo os cavalos trotarem mais rápido. Estava ansioso para se ver livre dela.

— *Ah*, mas eu não morri, então acabou dando tão certo quanto qualquer um esperaria... bom, considerando as "exigências" do novo trabalho e tudo mais. Que bom que eu estava atrás de emprego, né? — *Cala a boca, Evie.*

Ele pareceu ponderar suas palavras seguintes com muito cuidado, inclinando a cabeça como se tentasse entendê-las.

— Se você quisesse pedir demissão... seria *extremamente* inconveniente para mim. No entanto, considerando seu desempenho e a dedicação que demonstrou à empresa, eu daria um jeito.

Um pânico avassalador começou a borbulhar no estômago de Evie e foi se espalhando pelo peito como uma erva venenosa.

— Não quero pedir demissão! — No ímpeto de se expressar, ela se levantou de repente, quase caindo quando a carruagem passou por um buraco na estrada. Reinaldo coaxou indignado enquanto Evie cambaleava.

No mesmo instante, o Vilão segurou as rédeas com uma das mãos e, com a outra, pegou-a pelo braço, puxando-a para baixo.

— Não queria causar um transtorno. Só estava te dando a opção.

— Bom, mas você causou um transtorno, sim! Eu *preciso* desse emprego, seu egoísta do caramba.

Ele arqueou as sobrancelhas diante daquelas palavras, mas Evie não estava nem aí; estava chateadíssima, o coração chegou a acelerar com a ideia de não poder sustentar a família ou de não ter dinheiro para comprar os remédios do pai.

— Eu te ofereceria uma boa indenização, claro. Suficiente para manter você e sua família em boas condições pelos próximos anos, enquanto você procura outro emprego. — As palavras foram ditas com muita casualidade, como se ele tivesse ensaiado.

Aquilo só a deixou ainda mais brava.

— Não preciso de esmola — disse secamente.

— O que te fez achar que eu sou de dar esmolas? — Ele parecia tão ofendido quanto ela. — Estava te dando uma opção porque você fez um bom trabalho e foi leal. Além disso, salvou meu escritório e minha equipe de uma bomba hoje. Não é nada pessoal, então não encare como se fosse.

As palavras não fizeram nada para aplacar sua raiva — não só dele, mas de si mesma por recusar a oferta obviamente generosa e que poderia salvar sua vida. Com o dinheiro extra, talvez pudesse contratar um tutor particular para Lyssa, ou até mesmo uma curandeira especializada para o pai, mas ela não sentia gratidão.

A ideia de nunca mais aproveitar o ar fresco da manhã enquanto passeava pela Floresta das Nogueiras, a irritante, mas familiar subida das escadas, os ruídos do escritório, Blade fazendo todo mundo se apaixonar por ele, Reinaldo e as suas plaquinhas. Até mesmo Becky que, bem... parecia odiar tudo nela.

Era... seu lar.

Evie precisava daquilo. Era dela. Tudo o mais tinha que ser compartilhado com o pai e a irmã. Mas trabalhar para o Vilão lhe dava a oportunidade de ter algo só para si.

Ela não abriria mão do emprego, e que se dane o egoísmo.

— Não. Agradeço a oferta, mas devo recusar. — Alguma força cósmica deve ter sentido pena dela, porque o Vilão não fez mais nenhum questionamento a respeito da decisão, apenas soltou um suspiro áspero e relaxou a mandíbula.

— Muito bem.

Os sons familiares da movimentada praça da aldeia foram ficando mais nítidos enquanto Evie apontava para a esquerda na pequena bifurcação na estrada.

— Pega aquele atalho ali... leva direto para a minha casa e ninguém vai ver a gente.

Ele seguiu as instruções sem questionar, conduzindo a carruagem pelo caminho familiar que levava à pequena cabana que ela dividia com a família. As tulipas amarelas que margeavam o caminho de entrada pareciam estranhas da posição em que estava naquele momento: dentro de uma carruagem... pertencente a um notório assassino.

A vida era estranha.

Assim que o Vilão parou na entrada, Evie se deu conta de que ele a havia levado em casa — o que era *ridículo*, porque ela sabia disso durante toda a viagem, mas, por alguma razão, sua mente não aceitava o absurdo da situação.

Ah, pelo amor dos deuses, seu chefe estava olhando para a *casa* dela. Pior ainda, ele viu as roupas penduradas do lado de fora, inclusive suas peças íntimas balançando ao vento.

Evie corou e se virou para ele, tentando desviar sua atenção.

— E se você for visto?

— Ninguém, a não ser meus funcionários, sabe como eu sou. — Ele inclinou a cabeça na direção dela e seu rosto pareceu mais jovem ao se suavizar num semblante de diversão genuína. — Se alguém me vir, vai achar que sou apenas mais um nobre erudito como qualquer um.

Qualquer um.

O termo estava tão longe de corresponder a ele que Evie quase começou a rir. Só que, antes que pudesse, um pensamento lhe ocorreu.

— E aqueles homens que estavam perseguindo você na floresta no dia em que a gente se conheceu?

Seu rosto não perdeu a serenidade enquanto ele abria um sorrisinho malicioso e dizia:

— Eles não estavam me perseguindo porque eu era o Vilão. Estavam atrás de mim porque queriam o Reinaldo. Lembre-se, animais mágicos valem um bom dinheiro. Mas eu subestimei o tipo de armas que eles tinham.

— Bom, obrigada pela…

— Evie! Você chegou mais cedo! — A voz da irmãzinha atravessou o ar e lhe deu um susto.

Ah, pelo amor dos…

Evie grunhiu quando Lyssa apareceu, cabelos pretos desgrenhados e cobertos de terra.

— A Emmaline disse que te viu em uma carruagem chique, e eu falei que não podia ser você, mas… — Sua irmã parou quando viu os dois lado a lado.

— Ah, olá. — Lyssa fez uma reverência e Evie começou a se perguntar se tinha morrido e aquilo era algum tipo de tormento pós-morte.

O Vilão se levantou, desceu da carruagem e se virou para Evie, oferecendo-lhe a mão.

Assim que seus pés tocaram firmemente o chão, Evie disse:

— Hm, Lyssa, esse é meu… quer dizer, ele é… Hm…

— Trystan Maverine. — A voz profunda do Vilão soou calma e firme, embora ouvir um nome saindo dos seus lábios fosse estranho. *Como foi que ele inventou aquilo tão rápido?*

Com uma reverência, ele prosseguiu:

— Sou o empregador da sua irmã mais velha. Ela teve um pequeno acidente no trabalho, então eu a trouxe para casa.

Lyssa arregalou os olhos castanhos, e então fez outra reverência.

— Ah! Sim, a Evie vive se acidentando mesmo.

Vejam só que curioso... sua irmã também estava prestes a se acidentar... quando Evie a estrangulasse.

Mas o chefe não parecia tão irritado com a presença da pentelha de dez anos quanto Evie estava, pois dava para ver um leve sorriso nos lábios dele.

— Lamento ouvir isso.

Lyssa não maneirou nos comentários:

— Ah, sim, ela cai o tempo todo. Uma vez caiu no poço! Dá pra acreditar? Num poço de verdade! Ela estava tentando salvar um pássaro e caiu com tudo lá dentro. Passou várias horas presa e, quando finalmente a resgatamos de lá, ela estava encharcada e enrugada feito uma uva-passa!

O chefe virou-se lentamente para Evie com uma estranha satisfação no rosto ao ouvir aquela notícia.

— Era um pássaro bem fofo — disse Evie na defensiva.

— Eu imagino. — Ele fez que sim, imperturbável.

— Você é um príncipe? — Francamente, sua irmã tinha encontrado um quilo de açúcar antes que eles chegassem ali?

— Não sou — respondeu o Vilão em tom monótono. De alguma forma, não parecia irritado com aquela interação... se bem que ele já devia estar acostumado a lidar com as divagações de Evie todos os dias.

Lyssa parecia não ter escutado, pois o encarava com um brilho de admiração no olhar.

Evie semicerrou os olhos ao reparar nas roupas desalinhadas da irmã.

— Você não deveria estar na escola?

— É feriado — respondeu Lyssa prontamente, com um ar culpado.

— Ah, é? — Evie deu tapinhas no queixo e se agachou para olhar a irmã nos olhos. — E qual feriado seria esse?

— Seu cabelo está uma bagunça, Evangelina — rebateu Lyssa, franzindo o nariz.

— Você está mudando de assunto.

— E daí? Você vive fazendo isso.

— Não de propósito! — Evie jogou as mãos para o ar e de repente lembrou que tinha um espectador ali. O Vilão, ou *Trystan*, as observava com um leve brilho nos olhos escuros, como se elas fossem uma atração de zoológico.

— Mais tarde falamos disso. Cadê o papai? — Ela massageou as têmporas, tentando frear o início de uma dor de cabeça.

— Ele foi à aldeia beber alguma coisa com uns amigos.

— Beber? — perguntou Evie, incrédula.

O humor e a saúde do pai tinham melhorado perceptivelmente nos últimos dias, mas fazia *anos* que ele não tinha energia ou disposição para se embrenhar pela aldeia, a não ser para ver a curandeira local.

Aquilo não duraria, e Evie não ia se permitir ter esperanças. Mas ela notou a alegria que Lyssa emanava por finalmente parecer ter um genitor saudável e se recusou a tirar isso dela só por causa de suas suspeitas.

— Que… maravilhoso.

Lyssa fez que sim, lançando um sorrisão para o Vilão como se fosse uma arma.

— Vai ficar para o jantar, sr. Maverine?

Os magníficos cavalos junto à carruagem bufaram impacientemente, atraindo a atenção do chefe.

— Infelizmente não posso. Tem muito trabalho a ser feito e o dia ainda não terminou. — O Vilão tirou uma das luvas pretas e estendeu a mão para Lyssa, que imediatamente a segurou. Então, ele fez uma reverência.

— Foi um prazer conhecer você, Lady Lyssa.

Ela deu uma risadinha, e Evie sentiu o peito prestes a explodir.

Um coaxar vindo da carruagem chamou a atenção de Lyssa, que se inclinou para espiar, passando por Evie e pelo Vilão. Ela franziu a testa, mas os olhos juvenis estavam encantados.

— Aquele sapo está usando uma coroa?

Evie e o chefe se viraram para a carruagem. Reinaldo estava segurando mais uma de suas plaquinhas, que dizia SOCORRO.

O Vilão alcançou a placa rapidamente e a arrancou do animal.

— Me dá isso aqui, seu traidorzinho. — Suas palavras saíram num rosnado, que logo se transformou em uma tosse quando ele viu as expressões entretidas de Evie e da irmã.

Após fazer uma breve reverência, Lyssa deu meia-volta e correu em direção à entrada da casa, onde outras duas garotinhas a esperavam. Todas elas saíram correndo, dando risadinhas.

— Ela vai ver só — resmungou Evie.

— Pega leve com ela, ainda é uma criança — disse o Vilão de forma diplomática.

Evie se virou para ele e pôs as mãos nos quadris, fingindo indignação.

— Não era pra você ser mau?

— Incentivar crianças a negligenciar os estudos se enquadra nisso, não? — Ele inclinou a cabeça, pensativo.

Evie arrancou uma erva daninha do caminho, e depois outra. Em seguida, perguntou:

— De onde foi que veio o nome Trystan, afinal?

— Da minha mãe, imagino.

Evie ficou reta feito uma tábua, largando as ervas lentamente e encarando-o com os olhos arregalados.

— Quer dizer... que o nome que você acabou de informar à minha irmã mais nova... é seu nome *verdadeiro*?

Seu espanto aumentou ainda mais quando ele semicerrou os olhos, confuso.

— Não precisa surtar, furacãozinho. É só um nome.

— Até parece! — disparou ela. Trystan. O nome dele era *Trystan Maverine*.

— Caso esteja passando mal, sugiro que se sente antes que desmaie e esmague as tulipas.

— Você não está levando isso nem um pouco a sério. Acabou de contar seu nome para uma menina de dez anos que mal consegue mentir sobre um feriado escolar fictício, que dirá mentir sobre a identidade do meu "empregador". — Ela começou a andar de um lado para o outro, tentando recuperar um pouco do equilíbrio, mas sua mente agitada impedia que pensamentos coerentes se formassem.

— Eu revelei um nome. Mais ninguém me conhece por ele. A minha identidade como "Vilão" e como Trystan Maverine nunca foram associadas. — Seu rosto era uma máscara de tranquilidade, e a voz se manteve firme. — Ninguém vai saber que trabalhar para mim é o mesmo que trabalhar para o Vilão. Não se preocupe.

— Eu não estava preocupada com isso — disse ela. — Estava preocupada com o perigo que isso poderia causar para você.

Ele virou a cabeça como se Evie tivesse lhe dado um tapa.

— Não se dê ao trabalho de se preocupar com a minha segurança, Sage. Seu trabalho é, literalmente, me "assistir" nas áreas que eu solicitar. Você vai ver que minha proteção não está incluída na lista.

— Então tá. Não vou me dar ao trabalho — resmungou ela, virando-se em direção à porta da frente, mas a raiva se dissipou ao se lembrar do nome dele. — Trystan? — Evie deu meia-volta.

Algo a respeito do nome dele nos lábios de Evie deve ter desencadeado um desconforto, pois ela viu a mão descoberta do Vilão se fechar com força e os nós dos dedos ficarem brancos.

— É realmente… *Trystan*? — Ela franziu a testa.

— Você não gosta do nome? — perguntou ele secamente.

— Não… só não é… o que eu esperava. — Ela se apoiou nos calcanhares e notou nuvens escuras se formando no horizonte.

— Eu vou me arrepender profundamente de perguntar isso, mas o que você *esperava*? — Ele afastou levemente a cabeça, como se ela estivesse prestes a atacá-lo.

Com um sorriso torto e dando um passo na direção dele, Evie deu o primeiro golpe.

— Fofucho.

A reação foi linda.

A boca do Vilão se escancarou em choque. Abriu e fechou, tentando encontrar as palavras certas. Mas, é claro, não havia nenhuma. Ela juntou as mãos atrás das costas e aguardou.

Após alguns instantes de silêncio com os quais, pela primeira vez, Evie não se importou, ele disse:

— Fofucho? Você olhou para mim e pensou: "Ele tem cara de *Fofucho*"?

O nome em sua voz rouca, que parecia estar atingindo tons mais altos de tanta indignação, fez com que ela desse uma risada contida.

— Fofucho é um nome lindo. Já tive um cachorro chamado Fofucho. — Ela assentiu por um breve instante e depois prosseguiu, impassível: — Ele rosnava até para um fiapo.

Os sons que saíam dele não pertenciam a nenhuma língua que ela já tivesse ouvido.

— Acho que Trystan é uma substituição aceitável — prosseguiu. — Mas estou um pouco ofendida por você ter confiado essa informação à minha irmã antes de me contar.

Ele pareceu voltar a si, balançando a cabeça com cara de quem estava meio tonto.

— Não achei que precisasse te contar. Meu nome verdadeiro está em uma plaquinha na minha mesa.

Evie franziu os lábios.

— Não está, não. Eu teria reparado.

Ele murmurou algo para si mesmo que ela não conseguiu ouvir, mas parecia algo como: "É o que se esperaria, não é?"

Mas então Evie repassou mentalmente o escritório do Vilão, lembrando-se da disposição da escrivaninha. Em sua defesa, era difícil reparar em *qualquer* outra coisa quando a presença dele exigia toda a sua atenção. Mas Evie se lembrou de um pequeno retângulo preto em um dos cantos e…

— Hm, talvez esteja *mesmo*.

— Não tem nada de talvez — disse ele, incrédulo. — É um fato.

— Tá, tá, com certeza. — Ela fez um gesto displicente com a mão.

— Eu... — O Vilão fez uma pausa e virou o corpo em direção à carruagem. — Acho que eu preciso ir antes que minha cabeça gire até sair do lugar.

Evie assentiu. Sua missão ali estava cumprida.

— Pois muito bem. Tenha uma boa viagem de volta. Obrigada de novo pela carona... Ah, e também pela parte em que você salvou minha vida.

— Eu até aceitaria o agradecimento, se não fosse trabalhar para mim que te colocasse em risco, para início de conversa. — Ele subiu na carruagem e Evie se surpreendeu com a onda de melancolia que a invadiu ao vê-lo partir.

— Vou estar lá no escritório amanhã bem cedinho, senhor, para compensar o dia.

— Não tem necessidade, Sage. Pode tirar uma folga amanhã. — Ele puxou a luva solta de volta para a mão, apertando a capa em volta do pescoço.

— Mas por quê? Estou bem — argumentou ela.

— Sei muito bem. Mas preciso da sua ajuda com um trabalho que não será no escritório, e sim no campo.

As palavras paralisaram Evie.

— No campo? Você vai me fazer incendiar uma cabana vazia? Roubar uma ninhada de filhotes? Ou algo... mais nojento?

Ele deu uma risadinha.

— Relaxa, Sage. Não é nada de macabro. Pode tirar da cabeça essas imagens sinistras de sangue e destruição.

— Eu não diria que meus pensamentos sobre sangue e destruição são sinistros— corrigiu ela, franzindo o nariz.

— Se você estiver de acordo, vou precisar da sua ajuda amanhã, na Taverna Redbloom, às oito da noite.

A Taverna Redbloom não era o estabelecimento mais decadente da região, mas também estava longe de ser um palácio. Evie já tinha ido lá uma vez, por impulso, com algumas garotas em seu aniversário de dezoito anos. A cerveja estava choca, o vinho tinha gosto de vinagre e as pessoas eram sujas e barulhentas. No geral, até que tinha se divertido.

— Muito bem. Mas posso perguntar do que é que você precisaria, em termos de trabalho, em uma taverna?

Ele coçou o maxilar antes de pegar as rédeas com ambas as mãos.

— A bomba que foi plantada no meu escritório.

A menção à bomba trouxe de volta a fumaça, o pânico e os batimentos acelerados, e Evie prendeu a respiração.

— Reconheci o reloginho. Só existe um homem que poderia fabricar e vender aquele tipo de dispositivo, o tipo que pode ser conectado e alinhado com explosivos.

— E ele trabalha na Taverna Redbloom?

Os lábios do Vilão se curvaram para baixo e as nuvens escuras lá no alto projetavam uma luz cinzenta sobre ele.

— Ele é o dono.

O Vilão olhou para Evie outra vez com aquela expectativa cautelosa. Como se estivesse esperando, imaginando se aquele seria o pedido que a faria virar as costas, que a faria fugir.

Mas sua teimosia e falta de autopreservação a haviam levado até ali.

— A gente se vê amanhã à noite, senhor. — Ela deu um passo à frente e assentiu.

Um lampejo de alívio surgiu no rosto do Vilão por um breve momento antes de desaparecer por trás de uma máscara de indiferença. Então, com um som repentino dos lábios, incitando os cavalos à ação, ele partiu.

Evie olhou para o lugar onde a carruagem estivera. Onde o Vilão estivera. Seu jardim da frente nunca mais seria o mesmo.

Então, começou a chover, e ela não pôde deixar de sentir que era um péssimo presságio do que estava por vir.

CAPÍTULO 12
Evie

Estava frio naquela noite.

Evie envolveu bem o corpo com a capa marrom. Não era a marfim que ela havia se dado de presente de aniversário, mas a que usava desde os dezesseis anos.

Surrada e remendada, essencialmente não tinha mais valor nenhum — o que era a única opção possível para entrar em um lugar como aquele. Ela abriu as portas e olhou para o relógio do outro lado do salão. Estava adiantada, mas só alguns minutos.

Os gritos animados vindos da mesa mais próxima indicavam que alguém tinha acabado de perder uma boa mão de cartas, e as risadas maliciosas sugeriam que alguém estava prestes a se dar bem de outra forma.

Puxando uma cadeira no canto mais afastado do salão, perto da janela, Evie acomodou-se e tirou a capa marrom dos ombros. Além da capa, ela havia escolhido seu vestido mais sem graça. A única armadilha era que o espartilho tinha que ser usado por cima, e não por baixo da roupa, realçando seu busto modesto.

Em qualquer outra situação, aquilo não a incomodaria. Era sempre divertido poder usar um espartilho que lhe dava alguma ilusão de seios fartos, já que não tinha sido muito agraciada nesse departamento. Mas ali, naquela espécie de pé-sujo, ela atraía olhares indiscretos de várias pessoas, quando só queria passar despercebida.

Afinal de contas, estava ali a trabalho.

Seu coração disparou ao ver uma figura de capa escura entrar no estabelecimento, mas Evie logo soltou o ar quando ele abaixou o capuz e ficou claro que não era o chefe. Ela via o Vilão todos os dias e não ficava tão nervosa assim, mas, por algum motivo, aquilo era diferente.

Já era ruim o suficiente tê-lo na porta da sua casa, mas agora estavam em um lugar cheio de risadas e álcool. Com casais tendo encontros em cada canto escuro e...

Por que ela estava corando?

— Está sozinha, meu bem? — A voz era dolorosamente familiar e, ao levantar os olhos, Evie confirmou suas suspeitas.

— Rick — disse ela com a voz esganiçada, sentindo o coração acelerar. Seu rosto ardeu de constrangimento enquanto arqueava as sobrancelhas. — O que você está fazendo aqui?

Ele riu de um jeito que fez Evie se encolher. O breve relacionamento entre eles tinha sido um erro juvenil nascido da solidão da qual Evie tinha dificuldade de escapar desde que perdera a mãe e o irmão. Ela aprendera, da maneira mais difícil, que às vezes era melhor ficar sozinha do que desperdiçar companheirismo e energia com alguém que não merecia.

— Eu poderia perguntar o mesmo. — Ele apoiou o braço na parte de trás da cadeira dela e Evie se afastou sem nem disfarçar. Rick não tinha uma aparência desagradável. Na verdade, objetivamente falando, ele era bem bonito.

No entanto, sua personalidade anulava toda a beleza exterior que poderia ter. Rick abriu um sorriso que Evie sabia que tinha a intenção de ser sedutor, mas a fez querer vomitar.

— Desde quando você frequenta lugares desse tipo, Evie?

Com um suspiro e quase sem paciência, ela mexeu os ombros:

— Estou esperando alguém. — Evie manteve o tom seco, na esperança de que ele notasse o desdém e se afastasse.

Mas, para seu desgosto, a rejeição só pareceu encorajá-lo.

— Ah, é? — Ele acariciou sua bochecha e riu quando Evie lhe deu um tapa na mão. — Você não era tão atrevida assim, era? — perguntou Rick. — Se fosse assim, eu teria prolongado nossa *amizade* mais um pouquinho.

Evie preferiu não comentar que foi ela quem terminara o relacionamento ao notar como ele era egoísta. O aspecto físico da relação tinha sido sem graça, nada comparado àquelas cenas românticas de alguns dos seus livros favoritos. Após a euforia inicial de ter chamado a atenção de um cara tão desejado ter passado, Evie sentira-se vazia. Terminara com ele logo depois e se sentira certa da própria decisão quando ele lhe dissera como ela tinha sido uma perda de tempo.

— Se a vida fosse feita de celebrar arrependimentos, teríamos monumentos gigantes em nossa homenagem.

A animação da multidão quase abafou as palavras dela quando outro cliente ganhou mais uma partida de cartas.

Rick riu e Evie fez uma careta de desdém que, claro, ele não percebeu.

— Você sempre diz as coisinhas mais encantadoras. — Ele a olhou como se ela fosse um espetáculo curioso, daqueles que você encara com um misto de admiração e estranheza enquanto devora um algodão-doce.

Evie precisava que ele desse o fora dali, de preferência antes que o chefe chegasse. Não havia a menor necessidade de o Vilão saber que seu discernimento já tinha sido *tão* ruim.

— Bom, foi legal te ver de novo, mas, como eu disse, estou esperando alguém. — A voz de Evie soou firme e confiante. Aquilo a fez se sentir uma mulher totalmente diferente da que falara com Rick da última vez. Era como se não apenas soubesse que merecia algo melhor, mas também acreditasse naquilo.

Ela era um poço de compostura.

Quer dizer, ela seria, se Rick tivesse parado de falar ali.

— Não é um... amante, é? — Seus olhos exibiram uma perplexidade que a irritou. — Eu devo dizer que estou surpreso.

— Por quê? — O tom de Evie era doce, até mesmo submisso. Mas quem a conhecesse melhor perceberia o perigo naquela pergunta, enxergaria a rápida irritação se acumulando no seu olhar.

— Quer dizer. — Rick inclinou a cabeça na direção dela, como se a resposta fosse óbvia. — É *você*. — Palavras tão simples e aparentemente inocentes, mas que a atingiram em cheio. Eram mordazes e com tantas interpretações diferentes que a sua mente começou a lembrar das várias coisas que a chamavam.

Irritante. Irracional. Fracassada.

Se aquele babaca arrogante tivesse guardado sua opinião para si, ela não teria erguido os olhos com tanta raiva. Teria ignorado o chefe entrando, com a capa por cima da cabeça escura. Teria feito um esforço maior para se livrar de Rick antes que o Vilão chegasse à sua mesa.

Mas nada disso aconteceu. De alguma forma, Rick sugerira que ela era um estorvo grande demais para ter um amante. E a única coisa que suas emoções à flor da pele queriam era provar que ele estava errado.

Quando o Vilão a viu, cumprimentou-a com um aceno de cabeça e abaixou o capuz bem lentamente. Ao notar Rick a encarando, franziu a testa. Então, começou a caminhar na direção dela com tanta determinação que Evie sentiu um frio na barriga. Ela respirou fundo, segurou a mesa com força e rapidamente se levantou.

Em dois passos, já estava ao lado do chefe e o abraçou pela cintura, aconchegando-se ao lado dele.

Ele ficou completamente rígido. Por um momento, Evie até pensou que o tinha congelado de alguma forma. Mas ela sentiu a cabeça do chefe se inclinando em sua direção e não teve nem coragem de olhá-lo. Nem mesmo quando ele perguntou devagarinho:

— Sage... Será que eu poderia saber por que você está agarrada a mim feito carrapato?

Ela não respondeu, só lançou um olhar para Rick, que estava completamente boquiaberto. Evie ergueu o braço e deu um tapinha desajeitado no peito do Vilão.

— Esse é, hm... meu aman... te. — Ela se atrapalhou com as últimas palavras enquanto o chefe parecia ter algo entalado na garganta.

Dessa vez, Evie olhou para o Vilão e viu uma expressão de puro assombro. Ele ainda estava de boca levemente aberta e sobrancelhas tão franzidas que chegavam a se tocar.

— Esse é o Rick — disse Evie com olhos suplicantes. — Um cara com quem eu saía.

O Vilão a examinou por um momento e ela forçou um sorriso, tentando esconder o pânico que estava sentindo. Mas, quando o chefe voltou a olhar para Rick, seu rosto era uma máscara de frieza.

— Olá. — Havia um alerta claro naquela simples saudação.

Rick olhou para o Vilão de cima a baixo e teve o bom senso de deixar de lado o sorrisinho presunçoso.

— Ah, olá.

O chefe parecia incapaz de decidir o que fazer com a mão que pairava sobre o ombro de Evie. Ela tentou disfarçar a diversão quando o braço rígido a envolveu e o Vilão contraiu os lábios ao ver que Rick observava o gesto.

— Então, Rick, foi bom te ver, mas acho melhor você ir — pressionou Evie. — A gente tem um montão de coisas pra fazer! — Aquele olhar inquisidor a fez se contorcer. — Se é que me entende! — Ela riu, mas sentiu o Vilão se retesar, como se Evie tivesse lhe dado um tapa.

Rick tossiu antes de balançar a cabeça e rir com sarcasmo. Então, foi passando por eles, mas parou para dar um tapinha no ombro do Vilão.

— Boa sorte.

Evie sentiu uma vergonha tão grande que precisava se sentar. Já estava voltando a passos lentos para a mesa, mas se virou depressa quando ouviu Rick gritar de dor.

O Vilão estava segurando o ombro de seu ex com força e o espremia tanto que dava para ver a expressão de dor e medo no rosto de Rick enquanto ele tentava se afastar.

— *Sorte* é o que você definitivamente vai precisar se perturbá-la de novo. — Aquele tom sombrio fez os pelos dos braços dela se arrepiarem.

Rick assentiu freneticamente antes de tropeçar e sair correndo na direção oposta.

Evie então se sentou devagarinho e a garçonete se aproximou para pegar o pedido.

— Vinho, uísque, rum, pode trazer o que tiver.

— Pra mim também, o mesmo que ela pediu. — O Vilão sentou-se ao lado dela com um suspiro pesado.

Ajeitando algumas mechas soltas de cabelo atrás da orelha, Evie inclinou-se para a frente, apoiando a cabeça nas mãos.

— Boa noite, senhor. Obrigada pela ajudinha ali.

Ele arregalou os olhos e limpou a garganta discretamente.

— Boa noite, Sage. Não... não tem de quê.

Evie franziu a testa, confusa, até notar que ele estava desviando o olhar para o teto, como se quisesse evitar encará-la.

— O que... — Mas, antes que ela pudesse completar o pensamento, lembrou-se de como o vestido era revelador e se recostou na cadeira com tanta força que quase caiu. Porém, o chefe rapidamente estendeu a mão, segurando a cadeira para impedir que virasse.

Ele soltou o assento assim que o estabilizou.

— Obrigado por me ajudar com isso. Tenho certeza de que você tem muitas outras coisas para fazer em uma noite de sexta.

— Claro. — Evie riu. — A Lyssa ia ler para mim um livro que ela está escrevendo, chamado *Trystan e a princesa perdida*.

— Parece uma história intrigante. — Ele fez uma careta enquanto pegava os drinques da bandeja e deslizava um na direção dela.

— Ah, sim, e depois eu ia tomar um chá e me aconchegar com um livro de verdade. — Evie sorriu, lembrando-se dos esboços que Lyssa tinha feito do chefe para a capa. Sorriu ainda mais ao se lembrar de ter convencido a irmã a desenhar um chapelão com penas nele.

— Que tipo de livro? — perguntou o Vilão, tomando um gole.

— Sei lá. Eu gosto de romances, normalmente os mais picantes. — E, de repente, o Vilão se engasgou, cuspindo parte da bebida sobre a mesa.

Ele pegou outro lenço vibrante, dessa vez amarelo, e o levou à boca.

— Peço desculpas… não estava preparado para uma resposta tão sincera.

— Mesmo estando plenamente ciente de que está conversando *comigo*. — Ela balançou a cabeça e o repreendeu com o olhar.

— Bem observado. — Ele fez que sim, resignado.

Evie tomou um gole desagradável do que quer que estivesse no copo de madeira e se pôs a olhar ao redor.

— E aí, cadê esse tal dono de taverna tão misterioso que durante o dia trabalha como relojoeiro… para bombas?

— Ele já vai chegar. — O Vilão contraiu os lábios. — Ele sempre chega alguns minutos depois das oito.

— Você já esteve aqui antes? — perguntou ela, surpresa.

— Não, mas meus funcionários, sim.

Ah, seus guardas.

— Não que eu esteja reclamando, mas qual é minha utilidade nessa situação? — Aquilo vinha incomodando-a o dia inteiro. Na verdade, nos últimos meses, Evie havia descoberto que tinha vários talentos ocultos. Jogar conversa fora em um ambiente social, como era de se esperar, não era um deles.

— *Você* já esteve aqui antes — disse o Vilão enfaticamente.

— Como você… Deixa pra lá. E daí? — questionou ela.

— E daí que se um rosto desconhecido chegasse aqui sozinho para ver o dono da taverna seria suspeito, e eu não quero deixar pontas soltas.

Ela achou que ele estava exagerando, mas, quando olhou para o restante do salão, notou vários olhares curiosos voltados para os dois, para *ele*. Ou talvez fosse possível que todo mundo ali estivesse tão obcecado pelo rosto dele quanto Evie normalmente era.

Não seja obcecada pelo rosto do seu chefe, Evie!

— Mas por que eu? — insistiu. — Com certeza outros funcionários seus já frequentaram esse estabelecimento.

Evie não sabia ao certo por que aquilo importava tanto, mas estava viciada em se sentir útil. Sem isso, qual era o seu valor?

— Porque existem muito poucos em quem posso confiar agora, e por acaso você é uma dessas pessoas. — Qualquer orgulho que ela pudesse ter sentido com aquela declaração acabou evaporando quando Evie viu os olhos dele se fixarem na tatuagem dourada ao redor do seu dedo.

O Vilão não queria confiar nela — ele precisava. Evie não sabia muito bem por que isso fazia uma diferença tão desagradável, mas fazia.

Forjando um sorriso de orelha a orelha, ela tomou mais um gole da sua bebida marcante.

— Então as pessoas veem você comigo, percebem o quanto sou comum e *puf!*, perdem o interesse.

Ela riu baixinho do comentário perspicaz, mas congelou ao erguer o olhar e ver que o dele tornara-se frio.

— Você é cronicamente subestimada pelas pessoas. — O Vilão finalmente retirou a capa, revelando uma camisa de linho engomada de cor bege. Em contraste com os cabelos e os olhos escuros, a camisa era uma clara tentativa de passar despercebido, mas estava mais para uma carriola descontrolada... caindo de um penhasco. — Vamos usar isso a nosso favor.

— Você fala isso como se não fosse uma dessas pessoas — comentou Evie, enrolando nervosamente uma mecha de cabelo no dedo.

— Eu nunca cometeria o erro de subestimar uma mulher como você. Seria um erro fatal. — Ele a olhava intensamente, com o queixo firme.

O coração de Evie batia forte no peito. Era o melhor elogio que já tinham feito a ela.

Mas ela foi arrancada dos próprios devaneios quando as costas do Vilão se retesaram e o corpo inteiro enrijeceu.

— Ele chegou.

Evie virou a cabeça na mesma hora, apesar de o Vilão ter sussurrado rispidamente para ela não fazer isso. O homem que viu era tão diferente do que tinha imaginado que ela mordeu o lábio para não demonstrar seu espanto. O dono da taverna era jovem, com um rosto amigável e um queixo com covinha. O sorriso era largo e sincero — ele parecia ser gentil.

— É ele? — perguntou Evie, incrédula.

— Chama ele aqui como se o conhecesse — solicitou o Vilão, sem tirar os olhos frios do homem do outro lado do salão, que agora cumprimentava e sorria para os clientes.

— Eu nem sei o nome dele — retrucou ela.

— Malcolm — respondeu o Vilão com absoluto desprezo em cada sílaba. — É só chamá-lo casualmente, talvez dizendo...

— Malcolm! Aqui! — gritou Evie, levantando-se de leve da cadeira e juntando as mãos em forma de concha na boca.

O Vilão pôs dois dedos nas têmporas.

— Estou com raiva de mim mesmo por ter tentado.

Evie ignorou as pessoas ao redor a olhando irritadas, já que ela havia perturbado a paz do lugar. Ela deu a língua para um sujeito e achou que o chefe fosse desmaiar.

Erguendo os olhos brilhantes ao notar que estava sendo chamado por ela, Malcolm pegou uma jarra de cerveja e atravessou o salão.

Ele chegou à mesa rapidamente e disse, com um sorriso alegre:

— Boa noite, senhorita! — Mas o sorriso sumiu ao dar de cara com o Vilão. — Ah, pelo amor dos deuses. — Malcolm arregalou os olhos. — Que merda você está fazendo aqui, irmão?

CAPÍTULO 13
Vilão

O irmão o encarou com uma expressão de desprezo, o que já era esperado, levando-se em conta que, da última vez que se viram, Trystan tentara esfaqueá-lo com uma lança.

Era assim que as interações entre os dois normalmente aconteciam, na maioria das vezes.

Naquele momento mesmo, aquela vontade dominava Trystan ao lembrar que o irmão tinha sido o responsável pelos explosivos em seu escritório que quase destruíram tudo pelo que ele havia trabalhado. Que quase tinha matado...

Não, Trystan não iria pensar naquilo.

Ela ainda estava ali, respirando diante dele, com olhos esbugalhados e confusos e um vestido para o qual ele se recusava a olhar por mais um segundo, ou a mesa à frente deles acabaria partida ao meio.

Trystan se levantou imponente, pairando levemente acima do irmão, e estreitou os olhos.

— Achei que estava na hora de termos uma conversinha — disse ele com desdém.

Malcolm arregalou os olhos castanhos e espiou por cima dos ombros de Trystan.

— O quê? Nenhuma lança dessa vez?

— Você sabe muito bem que eu não preciso dessas coisas para fazer estragos.

— Ah, pode acreditar, irmão, eu sei. — Malcolm fechou a cara.

A insinuação mordaz a respeito da natureza destrutiva da magia do Vilão já não o afetava como antes. Só sentia raiva agora. Sage olhava de um para o outro enquanto claramente fazia um esforço para entender o que estava acontecendo.

— Você sabe por que nós estamos aqui? — perguntou Trystan em um tom sombrio.

Ele percebeu o erro no momento em que a palavra saiu da boca: *Nós*.

A atenção de Malcolm se voltou rapidamente para Evie, que, em defesa dela, permaneceu calma diante do olhar inquisidor do homem.

— Não sei por que você está aqui, mas adoraria saber mais sobre essa linda criatura que veio com você. — Seu irmão ergueu a mão delicada de Evie e lhe deu um beijo no dorso.

Ela deu uma risada nervosa, e Trystan se perguntou como o irmão ia continuar servindo bebidas depois que ele arrancasse aquela mão do seu pulso e a jogasse do outro lado do salão.

— Sou Evie. — Os olhos dela se voltaram para Trystan como se fizessem uma pergunta, mas ele não conseguiu identificar. — Eu sou a... assistente do seu irmão — concluiu por fim, cautelosa, como se não tivesse certeza de que era a coisa certa a dizer.

Pelo crescente interesse no olhar de Malcolm, não era.

— Assistente dele? — Malcolm voltou a atenção para Trystan, que cerrava as mãos nas laterais do corpo em um esforço para não o agredir. — Os negócios andam tão bem assim, é?

O olhar de Trystan percorreu a taverna movimentada.

— Pelo visto, para você também.

— Não tenho do que reclamar... — Malcolm deu um passo para trás e abriu bem os braços. — Tenho toda a cerveja, todas as mulheres e todos os jogos que poderia desejar. É o melhor que posso esperar para alguém como eu.

Trystan conseguiu abrir um sorriso, embora estivesse certo de que Malcolm podia sentir a malevolência no movimento de seus lábios.

— Não se subestime; sua habilidade como relojoeiro é realmente admirável.

As narinas de Malcolm se dilataram e uma emoção indecifrável cruzou seu rosto — seria culpa ou a vergonha de ter sido descoberto?

Trystan estava doido para jogar o irmão contra a parede e ver a vida escorrer dos seus olhos, mas sabia que havia uma estratégia para traidores, especialmente quando se tratava da própria família. Ele queria que o irmão se debatesse como um roedor imundo preso em uma armadilha. Sentiria um prazer indescritível vendo isso.

Malcolm deve ter notado o desejo assassino nos seus olhos, pois deu um passo cauteloso para trás.

— Muita calma nessa hora, Trystan. Eu não sei o que você pensa que sabe, mas posso te garantir que está enganado.

Trystan sentia o poder sombrio pulsando nele e se concentrando em cada ponto fraco do corpo do irmão. A névoa cinza que só ele via envolveu Malcolm, deixando luzinhas coloridas em cima de todos os lugares onde poderia infligir dor. Após se dissipar, ele viu a luzinha azul ao redor do joelho de Malcolm. Uma lesão de infância que, se atingida da maneira certa, causaria uma dor imensa e permanente. Como sempre, a área ao redor da jugular do irmão brilhava em preto, o ponto fatal. Ele morreria em questão de segundos.

Trystan não deveria ter trazido Sage.

Queria matar Malcolm, mas era lamentável que sua assistente tivesse que testemunhar a cena, caso ele realmente fosse fazer isso. Ele não sabia ao certo por que a havia convidado para vir, para início de conversa; poderia muito bem ter encontrado uma maneira de se misturar ao ambiente daquela taverna repugnante por conta própria. Porém, Trystan parecia tomar decisões melhores quando ela estava por perto, menos impulsivas, mais estratégicas. Ela o estabilizava como uma âncora presa a um navio à deriva e ele não resistiu em trazê-la para perto, de modo que não perdesse as estribeiras de tanto ódio.

Arriscando um olhar de relance na direção de Sage, Trystan entendeu que tinha sido uma decisão lamentável no momento em que seus olhos encontraram o rosto dela, que não mostrava medo algum.

Nunca havia medo ali. Era desconcertante e confuso, suficiente para arrancar Trystan das sombras enfumaçadas de seu poder e libertar o domínio velado que exercia sobre o irmão, que arfou e caiu de joelhos. A taverna permaneceu indiferente. Aos olhos dos outros, Trystan mal havia se mexido.

— Você ia me matar! — disse Malcolm sem fôlego, boquiaberto ao se dar conta.

— É o mínimo que você merece depois daquela loucura que você fez. — Trystan quase cuspiu ao se inclinar sobre o irmão.

Malcolm se levantou rapidamente e empurrou os ombros de Trystan.

— Não sei do que raios você está falando!

Ele mal se moveu um centímetro com o empurrão que o irmão lhe dera.

— Isso foi um erro — rosnou Trystan, levantando o punho para desferir um golpe. Mas então ele sentiu a mão quente de alguém envolver a sua e a puxar para baixo. O Vilão foi desarmado pelo choque elétrico que sentiu subir pelo braço.

— Senhor, se for assassinar seu irmão, talvez seja melhor não fazer isso num salão cheio de testemunhas, certo? — Não havia censura na voz de Sage, apenas preocupação e talvez um toque de curiosidade.

Ele olhou para a assistente, esticando os músculos do pescoço por causa da diferença de altura entre os dois. Um sorrisinho tranquilizador estampava os lábios de Sage, enquanto a mão ainda envolvia seu punho. Seus joelhos quase cederam ao sentir o polegar dela acariciar, uma vez só, o dorso da sua mão.

Limpando a garganta, ele retirou a mão de debaixo da dela e esticou os dedos para aliviar a sensação.

— Onde podemos conversar em particular? — perguntou ao irmão.

— Uma forma criativa de falar sobre uma tentativa de assassinato, mas, já que somos família e você tem uma linda mulher para entreter, acho que vou ceder. — Malcolm esfregou a nuca, um gesto nervoso que Trystan já tinha visto o irmão fazer inúmeras vezes desde que eram garotos. Ele deixou de lado qualquer compaixão que pudesse estar sentindo.

— Por aqui. — Malcolm indicou as portas atrás do balcão. — Pela cozinha, lá no fundo.

Trystan virou-se para Sage, pretendendo lhe dizer que...

— Eu vou com você — avisou ela, assim que Trystan abriu a boca para falar. — Não me peça para ficar aqui. Não depois de ter me arrastado para cá numa sexta-feira e nem se dado ao trabalho de me contar que íamos encontrar seu irmão.

Ele se surpreendeu com aquele tom de voz áspero, estranho e nada familiar.

— Você está... brava? — Trystan não sabia ao certo se aquele sentimento fazia parte do repertório dela. Era uma novidade interessante e, pela forma como seu corpo reagiu quando ela franziu o nariz, bastante inconveniente também.

— Claro que estou brava! — Ela revirou os olhos, levando as mãos às têmporas enquanto as bochechas ficavam vermelhas. — Você mentiu para mim!

— Não menti, não — disse ele categoricamente. — Simplesmente omiti a verdade.

— Dá no mesmo.

— Não dá, não. — Trystan franziu a testa, confuso. — Teria sido mentira se eu dissesse que íamos a um baile de máscaras encontrar o rei das fadas.

Sage recuou um passo e estreitou os olhos.

— Isso foi estranhamente específico. — Enquanto inclinava a cabeça, seus olhos azul-claros pareciam ter matado uma charada. — Você tem algum tipo de fantasia com o rei das fadas?

Momentos antes, ele estava prestes a assassinar o único irmão; agora, era acusado de ter fantasias chocantes com criaturas que ele nunca tinha visto. O contraste fez com que uma gargalhada involuntária escapasse dos seus lábios.

Acontecia tão pouco que o som parecia estranho, até mesmo para seus próprios ouvidos. Rouco e profundo, como a porta de uma casa antiga que fora abandonada pelos donos.

Mas o deleite que ofuscava qualquer resquício de raiva nos olhos da sua assistente fez parecer que aquela porta estava sendo escancarada com tanta força que sacudia as paredes, e ele não conseguia imaginar como fechá-la.

— Você vem ou não? — perguntou Malcolm, parecendo quebrar um feitiço que havia sido lançado entre eles, e de repente eram apenas duas pessoas trocando farpas e sorrisos.

— *Nós* estamos indo — respondeu Evie, sorrindo satisfeita ao passar por ele. Trystan se virou depressa para pegar a capa dela e a colocou sobre o braço, seguindo-a de cara amarrada.

Malcolm indicou que Sage passasse pelas portas da cozinha. Enquanto observava aquela cabeça coberta de cachos desaparecer pela entrada, Trystan fez menção de segui-la, mas Malcolm pôs a mão no seu peito, parecendo excessivamente solidário.

— Você riu.

— Eu sei — disse o Vilão, balançando a cabeça, na esperança de afastar a dor crescente.

— Você está fodido.

Trystan empurrou o irmão contra o portal com toda a força antes de passar por ele e falar por cima do ombro:

— Cala a boca.

CAPÍTULO 14
Evie

Evie olhou fixamente para as tábuas de madeira que revestiam a parede dos fundos da taverna, esperando as duas *crianças* virem se juntar a ela no frio.

Avistou primeiro o chefe, que, à luz das tochas, parecia um deus da morte prestes a levar sua alma.

Pode levar minha alma e o que mais quiser.

Soluçando e cobrindo a boca com a mão, ela grunhiu por dentro.

— Cerveja demais.

O Vilão a olhou intrigado.

— Era vinho.

Os lábios dela se curvaram para baixo e Evie quase não percebeu quando Malcolm veio se juntar aos dois.

— Ah, caramba.

Malcolm bateu as mãos uma na outra e apontou para o espaço vazio e silencioso ao redor.

— Bom, se você for me matar, aqui seria um bom lugar, acho. Só peço que tenha certeza de que estou morto antes de me enterrar.

Evie abriu a boca para protestar, mas Trystan já tinha empurrado Malcolm contra uma parede, pressionando o braço no pescoço dele.

— Você se aliou à pessoa que está tentando me sabotar ou é o cérebro por trás de toda a operação?

Malcolm gaguejou e começou a ficar roxo.

— Não sei do que você está falando — disse com a voz esganiçada. — Se tem a ver com o relógio que vendi algumas semanas atrás, eu não fazia a menor ideia da finalidade.

— Por que é que eu deveria acreditar em uma palavra que sai da sua boca? — Uma veia começou a pulsar na testa do Vilão e seu lábio se curvou em um rosnado.

— Porque — disse Malcolm, arfando — eu sou seu irmão.

O Vilão segurou o pescoço dele com o braço por mais um instante. Evie estendeu a mão, sem saber ao certo o que fazer naquela situação além de assistir ao chefe assassinar um parente que ela nem sabia que existia até uma hora antes.

Mas, antes que a vida sumisse dos olhos de Malcolm, Trystan o soltou, afastando-se com uma raiva mal contida.

Tossindo e segurando o pescoço, Malcolm olhou para as costas de Trystan com os olhos arregalados.

— Você não... Eu realmente achei que dessa vez você fosse fazer isso, Tryst.

— Eu também achei, seu merdinha. — O Vilão se virou, caminhando em direção a Evie como se estivesse em transe. Então, pôs a capa sobre os ombros dela, abotoando-a até o queixo. — Está frio — murmurou, voltando-se para o irmão.

Evie quase não percebeu que estava frio, graças à mistura de álcool e ao fato de o chefe ter acabado de fazer algo tão fora do comum que ela quase desmaiara.

O chefe não reparou no olhar espantado de Malcolm, mas Evie, sim.

— Então você acredita que eu não fazia a mínima ideia do destino daquele relógio? — perguntou Malcolm.

— Você acha que ele está falando a verdade? — Trystan voltou-se para Evie

— Ele é *seu* irmão... como é que vou saber? — Ela arregalou os olhos para ele, notando a inquietação por trás daqueles olhos pretos. Ele precisava de algo dela. Evie voltou a atenção para Malcolm, observando-o com mais atenção.

Ele estava olhando para o irmão com o tipo de reverência que alguém dedicaria ao rei Benedict, mas tentava disfarçar por trás da postura altiva e do maxilar contraído.

Evie deu um passo em direção a Malcolm, percebendo agora várias semelhanças em seus traços. Traços que ela via todos os dias, do outro lado de uma mesa preta envernizada.

— Sabe aquele relógio que você sabia que estaria ligado a um explosivo? Quase me matou.

Os dois irmãos respiraram fundo. Mesmo assim, ela continuou:

— Eu ia deixar para trás uma irmãzinha e um pai doente sem nenhuma forma de sustento. Então, peço que você seja sincero, porque suas ações não só chegaram perto de causar a minha morte, mas você quase os condenou também.

Ela se aproximou ainda mais, sem tirar os olhos do irmão do chefe, e perguntou com voz firme e forte:

— Você. Sabia?

— Não. Eu não sabia. — Malcolm a encarou diretamente nos olhos.

Evie assentiu e abriu um sorriso discreto.

— Então, por favor, nos diga o que você *sabe*, para que a gente possa descobrir quem fez isso. Tenho algumas palavras escolhidas a dedo para essa pessoa.

Malcolm reagiu sorrindo para ela também; um sorriso genuíno, nada parecido com os sorrisos arrogantes que mostrara até então. Apontando levemente um dedo na direção de Evie, mas de olho em Trystan, ele disse:

— Gostei bastante dela.

— Essa parece ser a opinião geral. Agora, ouça a moça e *desembucha* — disse ele. Ela tentou não se ofender com o sarcasmo na voz do chefe.

Fazendo que sim com a cabeça, Malcolm começou a contar uma história, mas havia uma verdade óbvia por trás de cada palavra.

— Um homem me procurou na semana passada. Eu estava meio... alterado...

— Você estava completamente bêbado — interrompeu Trystan. — Prossiga.

Evie prendeu a risada enquanto ele prosseguia.

— Bom, pois é, eu não vi o rosto dele. Ele estava de capuz e, como falei, eu não estava sóbrio. Ele perguntou se eu ainda fazia meus "relógios especiais". Em meu estado vulnerável, falei que já tinha um pronto no meu escritório. Ele pagou em dinheiro e foi embora antes que eu pudesse fazer qualquer pergunta.

"Acordei na manhã seguinte com uma dor de cabeça feia e um imenso arrependimento por não ter feito mais perguntas e identificado o homem antes de lhe dar a chave para criar um dispositivo tão letal. Prometi a mim mesmo que não venderia mais nada depois da última vez, quando uns garotinhos terríveis resolveram usar o relógio para pregar uma peça na avó."

Evie ficou chocada com tamanha crueldade.

Porque assistir a alguém matar o próprio irmão não tem problema, mas senhoras idosas em apuros é ir longe demais? É nesse ponto em que estamos?

Malcolm seguiu em frente com sua história:

— Eu cheguei até a perguntar para os outros clientes e para os meus funcionários na noite seguinte, mas ninguém viu o rosto dele. Ele se movia feito um fantasma

Um arrepio percorreu todo o corpo de Evie. Nada de respostas, nada de nomes, nem uma simples descrição. O pior de tudo era que, em breve, quem quer que estivesse fazendo isso iria saber que sua tentativa havia falhado. O sujeito veria que o dano que buscava causar não tinha atingido o alvo e atacaria novamente.

Evie não podia permitir que isso acontecesse.

— Tem que ter mais alguma coisa — disse ela. — Você deve se lembrar de algo, até um detalhe minúsculo que possa ajudar. — Dava para ouvir o tom de súplica na própria voz e Evie odiou isso, mas estava desesperada.

Malcolm balançou a cabeça, olhando para ela e depois para o irmão atrás dela.

— Peço desculpas aos dois, de verdade. Tryst, eu sei que temos nossas *brigas*, mas você e eu já fomos unha e carne. Eu jamais tentaria te machucar de verdade. Existe um motivo pelo qual tentamos nos matar durante anos e nenhum de nós conseguiu.

— Porque você não leva jeito para matar? — retrucou o Vilão.

— Não. — Malcolm soltou uma risada, aproximando-se do irmão e colocando a mão no ombro dele. — Porque, lá no fundo, nenhum de nós realmente tinha vontade de fazer isso.

— Ah, eu tinha. Sonho com isso todas as noites, para dizer a verdade.

Malcolm abriu um sorriso.

— Então por que eu ainda não estou morto, irmão?

O Vilão revirou os olhos e olhou para Evie, que estava quase explodindo. Afinal, falando sério, toda aquela cena era fofa demais — tirando a parte das ameaças de morte, claro. Então, o chefe perguntou:

— Está pronta para ir embora?

— Se você já terminou de brincar com seu irmãozinho... — disse ela, incapaz de disfarçar um sorriso.

O vinho, ou a cerveja, ou seja lá o que ela havia bebido lhe dera um excesso de confiança.

Ele estreitou os olhos e começou a caminhar para o outro lado da parede dos fundos.

— Obrigado por nada, Malcolm.

— Volte pra tomar mais um drinque outra noite. Prometo que não vou vender mais nenhum explosivo para pessoas que querem te matar! — exclamou com um sorriso maroto. — Foi um prazer te conhecer, Evie. Espero que você volte em breve.

Evie fez uma pequena reverência.

— Só depois que suas bebidas pararem de ter gosto de vinagre estragado. — Ela franziu o nariz e ele riu enquanto Evie se virava para alcançar o chefe antes que ele desaparecesse pela noite.

— Evie!

Ela parou abruptamente quando Malcolm a chamou mais uma vez e se virou para encará-lo. Os olhos dele estavam arregalados, tão abertos que ela quase viu o pensamento se formando.

— Ele tinha uma tinta azul brilhante ao redor das unhas. Quando pegou o relógio de mim, estava brilhando por toda a mão dele.

O coração de Evie se encheu de esperança.

— Tinta azul brilhante? Bom, isso *é* alguma coisa.

Ele fez que sim, claramente satisfeito, e mais uma vez chamou o irmão por cima dela.

— Nós dois sabemos quem vende isso, Tryst. Não é coincidência.

Dando-lhe um último sorriso, Evie disparou atrás do chefe, revigorada pelo friozinho da noite. O Vilão estava se movendo que nem uma lesma, tanto que ela teve que frear bruscamente para ficar ao lado dele, e não à frente.

— Você ouviu?

— Ouvi.

— E? — pressionou ela.

— Manchas de tinta não querem dizer muito, mas tinta azul brilhante... Imagino que isso nos leve a algum lugar. — Ele acelerou o passo ao se aproximar de um grupo de árvores grandes e chegou ao seu cavalo preto, que o esperava fielmente. Então, passou a mão entre os olhos do animal, que soltou um som satisfeito.

— Só podia ser magia, né? Que tipo de tinta brilharia? — Evie parou e esfregou o queixo enquanto refletia. — A menos que seu irmão estivesse mais bêbado do que deu a entender.

O Vilão contraiu a mandíbula, mas não deixou de acariciar o cavalo.

— Ah, o Malcolm estava, mas não acho que ele esteja errado quanto a isso. Faz sentido, considerando tudo.

— Como assim? — Evie inclinou a cabeça.

Mas ele ignorou a pergunta, embrenhando-se entre as árvores com o cavalo.

— Você consegue voltar para casa em segurança?

Ela o observou, curiosa com a preocupação que se insinuava na voz dele, como palavras que vazam para a página seguinte.

— Sim, eu conheço o caminho. É bem iluminado com lampiões e perfeitamente seguro.

O Vilão assentiu antes de subir no cavalo e olhar para ela com uma expressão indecifrável.

— Obrigado por vir comigo hoje.

Ela assentiu enquanto um sorriso se formava nos lábios.

— Imagina, senhor. É meu trabalho.

Parecia que ele queria dizer mais alguma coisa, mas fechou a boca firmemente. Com um breve aceno de cabeça, deu meia-volta e cavalgou noite adentro, deixando-a na escuridão.

Mas, enquanto Evie caminhava para casa, não pôde deixar de sentir que ele ainda estava por perto, certificando-se de que ela chegasse em segurança. Ou talvez fosse apenas resultado de sua imaginação fértil, estimulada pelo excesso de vinho ruim. De qualquer forma, aquilo a fez caminhar mais leve e com um sorriso.

Até chegar em casa e se dar conta de que alguém não estava só tentando matar o Vilão. O sujeito queria usar o irmão, alguém próximo a ele, para destruí-lo.

Depois de trocar de roupa e ir para a cama, ela passou horas acordada, sentindo embrulho no estômago de tanto remoer um só pensamento:

Será que esse tal inimigo tentaria usá-la para chegar a ele?

CAPÍTULO 15
Evie

O Vilão nunca perdia um nascer do sol quando ela estava ali.

Naquela manhã, Evie tinha decidido chegar cedo ao escritório. Passara o fim de semana na minúscula biblioteca da aldeia. A poeira ia subindo pelo nariz conforme ela folheava página após página, buscando qualquer informação sobre tinta mágica e, mais ainda, sobre explosivos. Mas a limitada seleção da biblioteca contava com apenas um livro sobre magia.

A vila dela era pequena, por isso era difícil achar textos mágicos informativos, que ficavam cada vez mais raros a medida que cada vez menos pessoas desenvolviam magia. Menos ainda eram especialistas em magia, os educadores do mundo mágico, que eram encarregados de documentar e auxiliar quando a magia de alguém despertava, ajudando a pessoa em questão a compreendê-la. Evie não sabia de novos detentores de magia na própria vila, mas tinha noção de que ter um especialista era um privilégio que poucos fora da Cidade de Luz tinham.

O livro que ela tinha conseguido encontrar naquele projeto de biblioteca era inútil. Todas as informações eram genéricas, coisas que já sabia só de ouvir as pessoas à sua volta. O limite foi quando ela chegou aos últimos cinco capítulos que resumiam como controlar a magia antes que ela controlasse você.

Evie o fechara com força, devolvendo-o à prateleira e tentando ignorar aquela sensação persistente da presença indomável da sua mãe. A magia não apenas controlara Nura Sage; tinha também a destruído e, por consequência, destruído o senso de segurança de Evie. Sua infância se fora em um piscar de olhos.

É nisso que dá ler livros que não têm nenhuma palavra picante.

O canto dos pássaros a trouxe de volta ao presente, decidida a fazer daquele um bom dia.

Lyssa passara a noite anterior na casa de uma amiga e o pai de Evie andava tão disposto que ela imaginou que poderia tirar um tempinho extra para si mesma naquela manhã.

O plano original era vagar sem rumo. A neblina matinal ainda não tinha se dissipado, o que dava um toque geladinho ao ar à medida que caminhava. Mas, como uma mariposa atraída por uma chama intensa, o bate-perna sem destino de Evie a levara exatamente para onde mais queria estar: no trabalho.

Sua vida é muito, muito triste, Evie Sage.

Ela já tinha chegado cedo assim outras vezes, para ajudar com tarefas ocasionais ou receber remessas de armas para a mansão. Evie olhou para o relógio ao ver as cores vibrantes começando a surgir no horizonte. Era esperado que o escritório estivesse cheio e agitado antes das nove, mas ainda não eram nem cinco e meia. Balançando a cabeça, ela tocou a barreira cintilante que se formava lentamente sob seus dedos e esperou a palma ser reconhecida. Então, entrou rapidamente no lugar onde mais se sentia ela mesma.

Quando Evie por fim passou pela escadaria infernal, encontrou o chefe onde ele sempre estava àquela hora da manhã.

A grandiosa varanda ficava um andar abaixo dos escritórios principais e, que Evie soubesse, quase nunca era usada. Provavelmente porque o acesso era pelo enorme salão de treinamento dos guardas e demais funcionários. Ela imaginava que era difícil arrumar tempo para si mesmo entre uma luta e outra. Os janelões de vidro do salão eram transparentes, ao contrário dos vitrais do restante da mansão, iluminando todo o espaço quando o sol já estava alto no céu. As portas que davam para a varanda eram revestidas de madeira branca, tão altas quanto os tetos abobadados, e, ao contrário de quando ela normalmente as via, naquele dia estavam escancaradas.

Não tinha como Evie saber que era *assim* que o Vilão passava todas as manhãs. Mas, nas poucas vezes em que se viu ali naquele horário, quando os primeiros raios de sol começavam a tocar a balaustrada de pedra cinza, ele estava naquele lugar.

Como não queria incomodá-lo, Evie deu meia-volta e começou a se afastar de mansinho.

Tinha acabado de dar dois passos quando ouviu:

— Sage, se queria me surpreender, talvez devesse ter usado sapatos mais silenciosos.

Evie franziu as sobrancelhas ao se virar para encará-lo de frente, o que quase lhe tirou o fôlego. A camisa preta estava tão folgada que a gola em V revelava grande parte de seu peito, exibindo mais do que um simples gostinho daqueles músculos definidos. Mas foi o cabelo que fez seus olhos se arregalarem de surpresa.

Estava despenteado, como se tivesse acabado de acordar. Embora Evie já o tivesse visto de diversas formas, nunca o tinha visto assim, livre, meio selvagem. Não desde a primeira vez em que se viram, pelo menos. A barba por fazer no queixo estava um pouco mais longa, e Evie torceu em silêncio para que a covinha fizesse uma aparição.

— Pessoas que querem pegar outras de surpresa geralmente não se esgueiram na direção oposta, senhor — observou Evie, arqueando a sobrancelha para ele. Ela resistiu ao impulso de perguntar ao chefe o que ele tinha feito no restante do fim de semana, depois de terem encontrado o irmão dele.

Mas o Vilão se aproximou dela e Evie se retesou quando a luz dourada da manhã roçou a bochecha dele, revelando apenas metade do rosto.

— A menos que elas estejam querendo lhe dar uma falsa sensação de segurança, tentando manter você tranquilo, centrado, para então atacar — rebateu ele com um sorriso bem discreto. Sem covinha.

Droga.

Evie sorriu ainda mais.

— Está dizendo que eu faço você se sentir tranquilo e centrado, senhor? — Ela inclinou a cabeça e o encarou com uma condescendência brincalhona. — Que fofinho.

Ele balançou a cabeça e a olhou com uma seriedade que ela não entendeu.

— Eu nunca me senti tão inquieto quanto depois de te conhecer, Sage.

E então a covinha deu as caras.

As cores do amanhecer começaram a pintar todo o rosto dele, envolvendo-o por completo. Parecia que o iluminavam de dentro para fora.

O Vilão balançou a cabeça como se estivesse saindo de um devaneio e disse o que Evie estava certa de serem as cinco palavras favoritas do chefe:

— Elixir de caldeirão agora, Sage.

Após deixar o que sinceramente não passava de açúcar líquido na mesa do chefe, ainda faltava muito para a chegada dos demais funcionários ao escritório, então Evie decidiu fazer o que gostava: voltar à cozinha. Estava saboreando uma das novas criações de Edwin enquanto bebericava seu elixir matinal. Era um doce de massa frita em forma de anel. Ele tinha passado glacê, e Evie estava certa de que era a melhor coisa que já havia experimentado.

A mordida seguinte foi interrompida por uma série de estrondos e os gritos indignados de Blade.

O dragão está acordado.

Evie pegou um segundo copo de elixir para o amigo e foi até o pátio dos fundos para lhe dar um oi. Avistou Blade e o dragão quase imediatamente.

A criatura era gigante, com escamas cintilantes em tons de roxo e verde profundos que percorriam a extensão de seu corpo robusto. Os olhos do dragão estavam arregalados enquanto ele se contorcia contra a coleira. Blade, por sua vez, penava com uma das mãos na corrente e a outra estendida para acalmar a pobre criatura.

— Olá, Blade. Olá, *Dragãooooo.*

As últimas palavras saíram em um gritinho enquanto a criatura avançava na direção dela, parando apenas quando Blade se posicionou à sua frente e disse:

— Não! Nós não comemos amigos; já conversamos sobre isso!

O dragão baixou o rosto e ficou um pouco mais calmo com a censura de Blade, virando-se e jogando-se em uma grande pilha à sombra de uma das varandas mais altas, o que fez o chão tremer.

— Desculpa por isso. — Blade lhe deu um deslumbrante sorriso de orelha a orelha. Seu colete era extremamente rosa, e as calças de couro, de um vermelho vivo que fazia um contraste encantador.

O coração de Evie já tinha se acalmado o suficiente para que ela desse um sorriso trêmulo e lhe entregasse o cálice de cerâmica que havia trazido, considerando um milagre que nenhuma gota tenha sido derramada.

— Você é uma graça! — Blade retribuiu o sorriso, erguendo o copo para saudá-la.

— Por que ele está tão agitado essa manhã? — Evie arqueou a sobrancelha e olhou para o animal. Poderia jurar que ele a encarou diretamente e revirou os olhos.

Estou sendo julgada por um lagarto gigante, é isso?

— Ele viu um rato — disse Blade seriamente, e Evie foi dominada por uma gargalhada estrondosa.

— Ele está mais perto de voar? — perguntou Evie com leveza após se recompor.

O semblante de Blade rapidamente expressou um pânico que foi substituído na mesma hora por uma expressão altiva.

— Ah, não se preocupe, ele vai. Só está indo no tempo dele, nada de mais.

— E cuspir fogo?

O rosto de Blade permaneceu inalterado, mas Evie não deixou de notar a maneira como ele cerrou o punho.

— Ele espirrou forte o suficiente para acender algumas velas na semana passada.

— Bom, já é alguma coisa, né? — Evie arqueou a sobrancelha e abriu um sorriso encorajador.

— Na verdade, Evie, você se importaria de pegar meu livro sobre o assunto lá nos meus aposentos? Eu iria, mas não quero deixá-lo sozinho nesse estado — disse Blade, lançando um olhar acusador ao animal.

— Claro, mas onde ficam os seus aposentos? — perguntou Evie, olhando à sua volta.

Blade apontou um dedo longo para uma escada caracol no lado oeste do casarão.

— Aquela ali leva direto! Deve estar na minha mesinha de cabeceira. É vermelho e tem letras douradas na capa.

Evie fez que sim, e Blade lhe deu um beijo na bochecha.

— Você salva a minha vida, minha querida Evie!

— Tá bom. Já chega. — Evie deu uma risadinha, fazendo questão de mostrar que estava limpando o beijo da pele e dando meia-volta para subir a escada caracol.

Uma porta surgiu no topo, e Evie a empurrou suavemente, revelando um espaço pequeno, mas aconchegante.

Havia uma mesa de madeira encostada contra a janela, ao lado de uma cama estreita que, só de olhar, Evie sabia que rangia. Ela abriu um sorriso ao ver um dragãozinho de tricô na mesa de cabeceira, ao lado de uma vela quase toda usada.

Evie soltou um gritinho vitorioso quando avistou o livro cor de vinho com uma capa que dizia: *Treinamento de animais mágicos — Para iniciantes*. Balançando a cabeça e pegando o grande volume, Evie percebeu que Blade devia ter exagerado no currículo sobre as suas "experiências de elite" com criaturas mágicas de todos os tipos, se aquela era sua leitura noturna. Ela enfiou o livro debaixo do braço, ajeitou o dragão de tricô, que parecia ter sido muito amado por vários anos, e voltou-se para a porta.

Mas a luz que vinha da janela de repente se refletiu num peso de papel dourado que espreitava por baixo da mesa de Blade. Então, Evie se aproximou, inclinou-se para pegá-lo e colocá-lo de volta no lugar, quando viu um pedaço de pergaminho por baixo. Ao inclinar a cabeça e segurar o pergaminho contra a luz da janela, ela congelou.

Era uma carta solicitando serviço, e o nome assinado na parte inferior fez Evie sentir um arrepio na coluna.

Rei Benedict.

O coração de Evie começou a bater forte enquanto ela lia o certificado. Blade? Não podia ser o Blade; por que ele iria...

A mão de alguém se fechou sobre sua boca, e Evie congelou.

— Por favor, não grite.

CAPÍTULO 16
Evie

Evie não gritou.

O que ela fez, porém, foi puxar o braço para a frente e dar uma cotovelada no estômago de Blade.

— Argh! — grunhiu o treinador do dragão, dobrando-se ao soltá-la. Ela se virou depressa, segurando o certificado na mão.

— O quê. É. Isso? — disparou Evie.

— Não é o que você está pensando, tá? Eu posso explicar. — Blade olhava para todos os lados, em pânico. — Por favor, não conte nada para o chefe, Evie. Eu imploro. — O desespero era palpável, e ela amoleceu por um segundo antes de Blade tentar pegar o certificado de suas mãos. Evie desviou rapidamente, e a mão de Blade acabou acertando sua bochecha.

— Ai!

O treinador do dragão recuou com o semblante horrorizado.

— Você bateu na minha cara! — disse Evie, arfando.

— Eu sinto muito, foi um acidente! Você está bem? — Blade tentou se aproximar, mas Evie deu um passo para trás.

— Você bateu na minha cara — repetiu ela, segurando a bochecha.

— Eu sei, me desculpa! — disse Blade, enterrando a cabeça entre as mãos. — Tudo bem. — Ele respirou fundo e inclinou o rosto na direção dela. — Dê o troco, pode vir.

— Não vou bater em você. — Evie olhou para ele, exasperada.

Blade a encarou com olhos arregalados.

— Não! Pode bater! Eu mereço.

— Blade, eu não vou...

— Me bate! — pediu ele em tom choroso.

— Não! — gritou Evie, jogando as mãos para o ar. — Isso é ridículo. Por que você tem isso aqui? — Ela ergueu a carta e esperou.

E esperou.

E esperou.

Por fim, Blade suspirou e sentou-se na cama, que realmente rangeu, e olhou para ela com um sorriso envergonhado.

— Então, eu disse que tinha encontrado o ovo de dragão enquanto caminhava pelo leste, mas não foi bem assim.

Evie tentou juntar as peças do que ele estava dizendo, franzindo a testa.

— Não...?

Blade pegou o dragão de brinquedo na mesa de cabeceira e, nervoso, começou a mexer nas pontas surradas.

— Eu cresci na Cidade de Luz.

— Achei que você fosse da costa. — A mente de Evie estava a mil, e o pico de adrenalina a deixava tonta à medida que ia perdendo a força.

— Eu menti. Precisei mentir — admitiu Blade, e Evie jurou ter visto lágrimas brilhando no castanho caloroso dos seus olhos. — Eu precisava de um lugar para levar o dragão, um lugar grande o suficiente para escondê-lo e protegê-lo. O chefe nunca teria me contratado se soubesse a verdade.

— Que é... qual? Você trabalhava para o rei Benedict?

— Não! — insistiu Blade. — Não, não tem nada a ver com isso. Eu cresci na Cidade de Luz e meu pai trabalhava como conselheiro político do rei. Nunca cheguei a vê-lo direito, exceto algumas vezes quando eu era pequeno. Eu odiava aquilo lá.

Evie queria fazer mais perguntas, sentindo embrulho no estômago, mas esperou até Blade terminar.

— Meu pai era muito envolvido com a corte e queria que eu fosse também. Todo dia ele esperava que eu me interessasse pela trama política do reino, que me interessasse por algo além das criaturas que rondavam a nossa casa. Mas nunca entendi as pessoas, não da maneira que entendia os animais.

Evie cruzou os braços, recusando-se a sentir pena dele, caso ele tivesse planos de atingir o chefe.

— Eu também não entendo as pessoas, mas isso não me dá permissão para traí-las.

Blade bufou enquanto balançava a cabeça.

— Evie, você se dá muito bem com as pessoas. Todo mundo gosta de você...

— As pessoas gostam de você também! — interrompeu Evie, confusa.

— É claro, eu gosto delas, mas no fim das contas as pessoas não fazem sentido para mim — disse Blade, esfregando a ponta da bota no chão de madeira. — Mas os animais, eles sempre fizeram sentido. Eles têm regras, fazem exatamente o que os instintos mandam e nunca desviam disso. Eles são sinceros.

— Ah, que ironia. — Evie mostrou a carta de novo.

— Eu sei! — Blade grunhiu e passou a palma da mão pelos olhos. — Achei que meu pai tivesse desistido de criar uma carreira para mim na corte do rei, mas ele insistiu que eu fosse até lá alguns meses atrás e pelo menos *participasse* de uma reunião. Aí eu fui, e foi um tédio. Não prestei atenção, minha concentração ia e vinha, até que um dos tesoureiros de Rennedawn começou a falar sobre fazer um dinheirão para o reino com a venda de um ovo de dragão para um reino distante que eu nunca tinha ouvido falar.

Evie começou a entender para onde a história de Blade estava indo.

Ele prosseguiu:

— Nem acreditei que eles tinham um ovo de dragão de verdade e que simplesmente iam trocá-lo... por dinheiro? — Blade balançou a cabeça. — Eu só pensava: "Se eu tivesse um ovo de dragão, eu jamais o daria. Faria de tudo para garantir que o animal estivesse seguro e fosse amado." Mas aí eles trouxeram o ovo.

Evie se aproximou e se sentou ao lado dele, ignorando a ardência na bochecha.

— Eu nunca tinha me sentido tão interessado por algo em toda minha vida, com uma sensação de posse tão grande. Aquele ovo era meu; eu já sabia antes mesmo de o colocarem na mesa. Sabia que precisava pegá-lo... eu precisava pegá-lo e precisava desaparecer.

— Você roubou o dragão... do rei? — questionou Evie, enquanto o coração começava a bater furiosamente.

— Eu descobri o dia em que iam transportá-lo e me infiltrei, mentindo que estava por lá a negócios em nome do meu pai. Esperei até que ninguém estivesse olhando, aí simplesmente peguei a caixa com o ovo e a levei embora. Ninguém me impediu, ninguém disse nada, então sumi.

— E veio para cá — concluiu Evie.

— Eu sabia do Vilão graças ao meu pai, então sabia que ele era a única pessoa que não tinha medo do rei. Claro, pela maneira como aquele grupo de velhos falava dele, eu tinha um certo medo de procurá-lo. Mas isso era importante demais para não arriscar. Então o dragão nasceu, e encontrá-lo ficou ainda mais urgente. Quando eu ouvi falar de como fazia para arrumar um emprego, montei um currículo e o chefe me contratou no mesmo dia.

— Blade, você tem que contar a verdade a ele. Ele precisa saber disso. Quer dizer, pode ser por isso... — Evie fechou o bico antes de entregar informação demais e começou a andar de um lado para o outro no quarto.

— Pode ser por isso que tem alguém aqui tentando sabotá-lo? — completou Blade.

— Como é que você sabe disso? — Evie o encarou de boca aberta.

— Os estagiários descobriram... e não falam mais de outra coisa — disse Blade com uma risadinha, e Evie se endireitou, soltando um suspiro.

— Não tem graça! Eu achei que fosse você, seu idiota! — Evie pegou uma almofada que estava encostada na parede e a jogou na cabeça dele.

— Eu? — Blade se abaixou para desviar da almofada e riu. — Eu não conseguiria fazer isso nem se tentasse.

— Mas você *está* escondendo uma mentira gigantesca! — pressionou Evie.

— Não é gigantesca... é uma mentirinha de nada. Está mais para um embelezamento da verdade. Eu nunca cheguei a dizer ao chefe de onde eu tirei o ovo, e ele nunca perguntou, então acho que é melhor mantermos isso entre a gente, por favor, Evie.

Ela respirou fundo e considerou suas opções.

— Acredito em você — declarou. — Acredito mesmo. Mas não podemos esconder isso do chefe, Blade. Se ele descobrir por conta própria, a coisa vai ficar ainda pior para você. E ele *vai* descobrir.

Blade suspirou e abraçou o dragão de tricô um pouco mais apertado.

— Eu sei, eu sei. Pode me dar um tempinho para fazer isso? E talvez preparar o terreno antes?

Evie enfiou a carta no bolso do vestido verde-claro. Ela acreditava que Blade não era o traidor, mas não ia correr riscos deixando o papel com ele.

— Eu não tenho capacidade de amolecer o Vilão, Blade. Conte a ele e faça isso logo, ou eu mesma vou contar.

Evie seguiu em direção à porta e foi descendo a escada caracol mais uma vez, mas ouviu Blade murmurar algo antes de sair. Não deu para entender as palavras exatas, mas pareceu que ele disse:

— Você não faz ideia, né?

Ela sentiu um embrulho no estômago enquanto se perguntava se continuar confiando nos amigos seria a perdição de todos eles.

CAPÍTULO 17
Evie

— **Não.** — **O Vilão** suspirou e Evie sentiu uma leve pontada de compaixão ao ver o cansaço no rosto dele. — Tatianna, não vou pedir de novo. Deixe de lado essa sua rixa infantil e vá falar com a Clarissa.

Os três estavam em um campo de grama macia, cercados por flores de cores vivas, bem longe da mansão. O sol brilhava acima deles, trazendo um calor ao ar que fazia Evie querer se aninhar na grama e absorvê-la, como uma flor.

— Olha quem fala sobre rixas infantis, *Vilão*.

Tatianna enfatizou a palavra como se tivesse engasgado, enquanto as contas amarelas em suas tranças refletiam a luz. Evie observava, desnecessariamente entretida, os dois bonitos que estavam prestes a matar um ao outro.

— Será que algum de vocês poderia me falar quem viria a ser Clarissa, por gentileza? — interrompeu Evie, observando os dois se virarem rapidamente para ela, com olhares cortantes e cheios de faísca. Em seguida, recuou um passo.

Ela tentara de todas as formas tirar da cabeça o confronto com Blade. Mais cedo ou mais tarde, ele contaria tudo ao chefe e, quando o momento chegasse, ela se colocaria entre os dois para que o Vilão não assassinasse Blade na mesma hora. Mas aquilo era um problema para um outro momento.

Depois de Evie ter retornado à sua escrivaninha naquela manhã, tivera tempo o suficiente para vencer os documentos que as fadinhas reorganizavam a cada poucos dias. Até que seu chefe se aproximou com um convite para acompanhá-lo ao Campo dos Jacarandás, a parte da Floresta das Nogueiras onde cresciam as plantas mais mágicas e curativas. Segundo diziam por aí, um dos deuses, Ashier, derramara por acidente uma grande quantidade de pigmento mágico ali, quando ele e os demais deuses e deusas estavam colorindo as próprias terras. O Campo dos Jacarandás foi carregado com aquela magia e cores surpreendentemente vibrantes.

Apesar do que sabia sobre todo aquele esplendor, Evie quisera recusar o convite. Ficar no escritório era a única maneira de ouvir algo dos outros funcionários. Mas, ao olhar para o chefe, jurou ter visto um lampejo de vulnerabilidade no pedido. Então, ela aceitou, vergonhosamente depressa.

Evie se surpreendeu ao sair da mansão e dar de cara com Tatianna apoiada em uma árvore próxima, com cara de quem preferiria arrancar os próprios cílios um por um a ter que participar daquele passeiozinho.

Caminharam por mais de uma hora em completo silêncio, o que, para Evie, era o tipo de tortura máxima. Ela queria fazer várias perguntas, mas o ar estava impregnado de algo que não desejava provocar. Cada vez que uma palavra se formava, ela mordia a língua com força.

— A Clarissa é a única pessoa em todo o Reino de Rennedawn que vende o tipo de tinta que o Malcolm viu — respondeu o Vilão, dando um passo determinado em direção à curandeira com as mãos nos quadris.

Evie espiou por cima do ombro dele para olhar a pequena cabana mais adiante, que tinha um charme peculiar. O topo descascado do telhado estava todo dominado por videiras cobertas de cogumelos que, por sua vez, pendiam sobre uma porta de madeira clara com margaridas amarelas pintadas na frente. Era exatamente como Evie decoraria uma casa se morasse sozinha.

Ao recuar e olhar para o Vilão, a pergunta escapuliu dos seus lábios como gotas de uma fonte:

— A fabricante de tintas é uma duende da floresta? — Era uma brincadeira com um certo fundo de verdade; sabia-se que eles frequentavam aquela parte da mata.

— Poderia muito bem ser — murmurou Tatianna cheia de amargura, voltando a cabeça para o céu e cruzando os braços.

— Para com isso. Precisamos de respostas dela e eu preciso da sua ajuda para consegui-las. — Aquela veia na testa do Vilão voltou a aparecer e pulsou no ritmo da sua frustração.

— Você está usando o meu passado amoroso contra mim — protestou ela, levantando os braços, e parecia que a grama se levantava com o movimento. — E como um escudo contra a sua própria irmã.

Ao ouvir aquilo, Evie arfou e deu um tapa no braço do Vilão.

— Você tem uma irmã!

Ele esfregou o braço no ponto em que ela acertara, mas não comentou sobre o golpe.

— Isso mal é motivo para surpresa, Sage.

— Claro que é. Eu ainda estou tentando aceitar o fato de que você não é filho de chocadeira.

O Vilão mostrou os dentes, claramente sem saber como responder àquilo, antes de Evie se virar para Tatianna.

— E você! Sua miserável! Depois de todos os segredos que eu já compartilhei, você não me conta que já teve um caso com a irmã do chefe?

Evie sentiu o calor subindo pelo pescoço. Costumava acontecer quando ela era excluída de um assunto ou quando sentia que não era digna de uma informação, mas nunca a incomodara tanto quanto naquele momento. Aquele sentimento a consumiu, criando um nó na garganta que ela não conseguia desfazer.

— Clare não é um assunto digno de ser mencionado. Ela é uma criatura egoísta e horrível, capaz de pisar em sua alma e arrancar sua humanidade. — O habitual autocontrole de Tatianna estava se desfazendo, e ver aquilo fez Evie querer abraçá-la, só um pouquinho.

— Ela também comia terra quando era criança. — A expressão do Vilão era neutra, mas havia um inconfundível humor sarcástico nas suas palavras que fez Evie morder a língua antes que Tatianna a cortasse fora.

— Só fiz isso uma vez. — Uma voz tão suave quanto um floco de neve ecoou na direção deles, fazendo os três se virarem na direção dela. A irmã do Vilão era uma mulher alta e esbelta e, por um instante, Evie achou que tivesse sido enganada e que estava de fato olhando para uma duende da floresta.

Os cabelos escuros estavam cortados acima do ombro, presos com rosas que adornavam as laterais. O vestido era mínimo, uma chemise marrom que pendia sobre os ombros, e havia um corpete verde-claro mal amarrado na frente. Estava descalça ao se mover pela grama na direção deles, com um brilho curioso nos olhos escuros.

— Minha ex-noiva e meu irmão distante em uma única tarde? Vou ter que abrir uma garrafa de vinho — cantarolou ela, passando por eles e abrindo a porta da casinha. Estava carregando uma cesta cheia de plantas exóticas no braço esguio.

O Vilão avançou atrás dela enquanto a longa capa roçava os tornozelos de Evie, fazendo seus braços se arrepiarem. Ela respirou fundo antes de segurar o pulso de Tatianna e arrastar a mulher, que se mostrava resistente, atrás de si.

— Sintam-se em casa — disse Clare enquanto todos passavam pelo pequeno arco. Evie arregalou os olhos ao ter o primeiro vislumbre do interior. O encanto posto naquela casa fazia com que a estrutura parecesse bem menor por fora do que o grandioso esplendor que observava naquele momento.

O cômodo tinha aqueles janelões do chão ao teto que revelavam uma grande sala de estar, voltada para uma parede cheia de prateleiras. As tais prateleiras estavam repletas de diferentes frascos, semelhantes aos que ocupavam os aposentos de Tatianna.

— Quanta gentileza da sua parte dizer isso, considerando que essa costumava ser a *minha* casa. — Tatianna abriu um sorrisinho malicioso e observou o cômodo com desprezo. — Você redecorou? Odiei.

— Que bom — respondeu Clare com vivacidade e um semblante quase maníaco. — Era exatamente o que eu queria depois que você foi embora.

— Depois que você me expulsou — corrigiu Tatianna.

— Depois que você resolveu trabalhar para o meu irmão! — A voz de Clare, antes suave, agora soava mais alta, aguda e um tanto estridente.

— Só fiz isso porque *você* me expulsou e eu não tive escolha. — Uma cadeira cometeu o erro de ficar no caminho de Tatianna enquanto ela se aproximava de Clare. O móvel teve um violento fim quando Tatianna o derrubou com tanta força que bateu na parede, quebrando uma das pernas.

— Sua peste! Era minha cadeira favorita! — gritou Clare antes de avançar em direção a Tatianna, mas o Vilão surgiu atrás dela, agarrando os seus ombros e a impedindo, por mais que Clare se debatesse com força.

— Eu compro mais vinte cadeiras iguais se você se acalmar. — O tom autoritário da voz do Vilão estava mais suave do que o normal.

— Não aceito ordens suas, seu idiota, e certamente não quero seu dinheiro sujo de sangue. — Evie observou o chefe se encolher enquanto a irmã cravava as unhas nas mãos dele.

— Todo dinheiro é sujo de sangue — disse ele, soltando-a. Clare ainda se debatia quando o Vilão a soltou, então acabou caindo rapidamente de joelhos. Por instinto, Tatianna se moveu para ajudá-la, mas logo recuou.

O gesto discreto, porém, não passou despercebido por Evie, que abriu um sorriso de quem entendeu tudo.

Aparentemente as coisas entre elas estavam longe do fim.

— Olá, Clare. — Evie estendeu a mão para a mulher e a ajudou a se levantar. — Eu sou Evangelina, assistente do seu irmão.

Os olhos de Clare brilharam com malícia quando ela olhou para o irmão. O sorrisinho que ela abriu insinuou que sabia de alguma coisa.

— Claro. O Malcolm me falou de você.

As bochechas de Evie coraram. Pelo olhar malicioso da mulher, o que quer que Malcolm tivesse dito a ela não deveria ser bom.

— Fico lisonjeada — retrucou Evie, mas claramente não era o que sentia. — Ele chegou a mencionar também por que fomos lá encontrá-lo, para início de conversa?

Clare estreitou os olhos e, pelo que Evie poderia supor, mostrava-se relutante em perder qualquer vantagem que tivesse sobre eles.

— Alguma coisa sobre explosão? — Ela voltou o olhar para o irmão. — E alguém que está tentando te matar?

— Está fingindo que não sabe de nada? — A voz dele permaneceu calma, mas havia um tom perigoso nela.

— Não estou fingindo nada. Só sei o que sei, o que é bem pouco. — Clare deu tapinhas no ombro do Vilão com compaixão forçada e passou por ele para deixar suas plantas na grande mesa em frente à parede.

Com um olhar fulminante, Tatianna se aproximou a passos largos, apoiando as mãos em ambos os lados da bancada.

— Não foi só seu irmão que correu perigo, Clarissa.

Clare alternou o olhar entre Evie e Tatianna por um instante, antes que uma expressão de indiferença voltasse a dominá-la.

— E por que eu deveria me importar com isso?

— Porque você já vendeu para essa pessoa antes — rebateu Trystan. O pouco que restava da sua paciência estava claramente se reduzindo a pó, a julgar pela tensão na mandíbula. — Malcolm contou à minha assistente que quem quer que tenha comprado o maldito relógio tinha manchas de tinta nos dedos.

Clarissa riu, e o som ecoou pelos tetos abobadados.

— E daí? Tem muita gente no reino que vende tinta.

— Mas nem todo mundo vende tinta de cores estranhas, sejam elas *brilhantes* ou não — interveio Evie. — Tinta é uma coisa cara, e tinta preta por si só já é difícil de encontrar, quanto mais em cores tipo azul e… — Evie inclinou a cabeça em direção a um frasquinho que chamou sua atenção. — Aquela ali é dourada?

Tatianna deu um sorrisinho.

— Dourada, Clare? Estamos ficando ambiciosas agora, é?

Antes que Tatianna pudesse pegar o frasco, Clarissa o colocou no bolso do avental que tinha acabado de vestir.

— Tem algum pacto a fazer? Eu faria um bom preço por algumas gotas.

Evie cambaleou, notando o brilho sobrenatural do frasco, antes de abrir uma boa distância entre ela e o restante do grupo.

— Acho que vou recusar por agora. Como foi que você conseguiu essa tinta mágica, para início de conversa?

— Eu consigo incorporar magia a qualquer objeto da minha escolha... a tinta por acaso é a que eu tenho mais facilidade para trabalhar. — Faíscas reluziam sobre seus dedos delicados enquanto ela os movia pelo ar, como se fossem luz viva.

— Que bonito — falou Evie, admirada, estendendo a mão para sentir o calor da magia. De repente, a luz desapareceu e Clarissa estava segurando firme a mão esquerda de Evie.

— Ora, vejam só. Parece que a tinta que enviei para o seu aniversário não foi para o lixo, não é, Trystan?

Evie seguiu o olhar dela até a marca dourada que envolvia seu dedo mindinho — o pacto de trabalho.

— Isso foi feito com a sua tinta?

O guardião do pacto que o Vilão havia contratado era um velho inquieto que manipulava a tinta como se fosse um líquido que ele podia dobrar e controlar. Evie sabia que havia magia no pacto que fizera, mas não fazia ideia de que a magia residia na própria tinta.

Clare estreitou os olhos e um sorriso satisfeito se abriu nos seus lábios.

— É isso aí. Eu não imaginei que seria para esse propósito. — Ela virou a mão de Evie e inspecionou atentamente o outro lado.

Retirando-a do alcance da mulher, Evie recolheu a mão para a lateral do corpo, sentindo-se um tanto defensiva em relação ao chefe.

— Era uma necessidade, é claro, para alguém na posição dele.

O Vilão olhou para ela do canto da sala, parecendo quase agradecido pelo seu apoio.

As palavras de Evie não pareciam fazer sentido para a irmã do Vilão.

— Sim, tenho certeza de que ele te diz que tudo o que faz é necessário. Tudo tem um motivo, não importa o quanto seja nefasto.

— Nefasto está no nome do cargo. Agora, talvez você esteja disposta a parar de enrolar e me informar o nome de todas as pessoas que compraram tinta azul de você nos últimos três meses. — O Vilão cerrou os dentes, erguendo-se em toda a sua imponência e praticamente criando sombras ao seu redor de tanta raiva.

Pela primeira vez desde que eles chegaram, Clarissa olhou para o irmão como se ele fosse alguém a temer, alguém de quem fugir. Evie sabia que era exatamente isso que o Vilão queria.

— Só vendi dois frascos no último mês, Trystan. O primeiro foi para um viúvo desolado, o outro…

— O quê? O outro o quê? — insistiu Tatianna.

Clare fez uma careta antes de pegar um livro esfarrapado que estava debaixo das tábuas do chão.

— Só fui saber quem era depois que ele assinou o nome.

— Me fala. Agora. — O Vilão bateu a mão na mesa.

— O homem se apresentou como Lark Moray. — Clare mordeu o lábio e apontou para a assinatura abaixo do nome. — Só que ele assinou o registro com um dos símbolos dos Guardas Valentes.

O chefe examinou todo o livro, folheando página após página até todos os seus músculos parecerem travar de uma vez. Então, deu meia-volta e passou pelas duas, escancarando a porta e indo embora a passos largos.

Clare foi atrás dele, agarrando a camisa preta pela manga.

— Quando é que isso vai acabar, Tryst? — Ela falava mais alto a cada palavra. — Qual vai ser a gota d'água para que você finalmente pare?

Evie e Tatianna os seguiram até o lado de fora, assistindo à cena sem poder fazer nada.

O Vilão ficou ali em silêncio por um momento antes de se desvencilhar gentilmente dos dedos de Clarissa.

— O *rei* Benedict foi atrás de você, do Malcolm e de tudo que eu construí para me opor a ele. Eu sabia que, quando esse dia chegasse, só um de nós sairia vivo. Aprendi a viver com isso.

— Essa década odiosa de vingança pode acabar... você pode fazer isso acontecer! Ele mal te reconheceria hoje em dia. Você pode seguir em frente. — O tremor na voz de Clare fez algo se despedaçar no coração de Evie.

— Você conheceu o rei Benedict? — perguntou Evie baixinho.

O chefe franziu as sobrancelhas enquanto um olhar assombrado dominava seus olhos escuros.

— Eu trabalhei para ele... por um tempo. — Com isso, respirou fundo, como se estivesse se preparando para sentir dor.

Evie virou a cabeça rapidamente antes de encará-lo com olhos arregalados.

— Você *trabalhou* para o rei Benedict? Quando?

Trystan, o Vilão, olhou para Evie com uma seriedade que fez seu coração pesar.

— Antes.

— Antes do quê? — perguntou Evie, exasperada e com um pouco de medo da resposta.

— Antes de eu me tornar... o que sou hoje. — Um tom cortante pontuava a frase, como se a simples ideia fosse dolorosa.

— Um monstro — disparou Clarissa, com uma expressão amarga e ferida no rosto. Antes que Evie pudesse avaliar a reação do chefe, Clarissa deu meia-volta e entrou furiosa na casa. Depois, bateu a porta, e as margaridas pintadas na madeira pareceram saltar com o impacto.

— Senhor, isso não... Eu não acho que você seja... hm. — Evie não conseguia encontrar as palavras certas, então optou por perguntar: — O que aconteceu entre você e o rei Benedict?

Era impossível decifrar a expressão no rosto do Vilão quando ele disse:

— Não vejo qual seria a importância de *você* saber disso, Sage.

A intenção por trás daquelas palavras não era a de ser cruel — Evie notou que o Vilão as proferira como uma constatação lógica e seca. Mesmo assim, tocaram na ferida e machucaram. Seu rosto deve ter denunciado o golpe, pois a máscara por trás da qual o chefe se escondia deu indícios de rachaduras.

— Sage, eu não quis dizer...

— Acho que está na hora de voltar, não? — disse ela, e então começou a caminhar pela floresta sem esperar para ver se alguém a seguia. Manteve os ombros erguidos e tentou ignorar o formigamento nas laterais do pescoço e do rosto. A grama estalava sob as suas botas à medida que caminhava, o que ajudava a abafar o som dos gritos de Tatianna para que ela esperasse por eles. Evie só queria voltar para a mansão antes que mais alguma bobagem escapasse dos seus lábios.

A voz foi ficando cada vez mais distante, mas Evie ainda a ouviu dizer:

— Você sempre foi tão burro assim, Trystan? Ou é uma habilidade recente?

— Como sempre, obrigado pela ajuda, Tati — respondeu o Vilão, enquanto o som pesado das suas botas tentava alcançar as dela.

A luz do sol acariciou a bochecha de Evie, mas ela já não sentia o calor tão intensamente quanto antes. Os galhos roçavam seus braços enquanto ela era subitamente impactada por todas as coisas que não sabia.

E todas as formas pelas quais essa falta de conhecimento poderia resultar no assassinato de Trystan, caso ela não desse um jeito de impedir isso... e logo.

CAPÍTULO 18
Vilão

O silêncio da sua assistente era dolorosamente ensurdecedor.

Os dois caminhavam lentamente de volta à Morada do Massacre após mais um desastroso reencontro familiar. Qual deus rancoroso Trystan tinha irritado para ter que encarar não só um, mas dois membros da família em tão pouco tempo?

Trystan lançou um rápido olhar por cima do ombro para ver Tatianna, mas a curandeira, uma das poucas pessoas toleráveis que ele conhecia, estava encarando a porta da frente de sua irmã com uma expressão saudosa.

Ele deu de ombros e continuou o caminho até a assistente em fuga. Tatianna iria atrás deles quando estivesse pronta.

E, o mais importante de tudo, a jogada de Benedict estava começando a ficar clara: fazer o traidor passar pelos membros da família de Trystan. Para afetá-lo? Possível, mas improvável. O rei sabia muito bem que a natureza de Trystan não dava margem para ser afetado por jogos de poder mesquinhos.

Entretanto, se tinha algo que doía, era a raiva de Clarissa ao chamá-lo de "monstro". Não era a primeira vez que ouvia aquela palavra — na verdade, estava bem familiarizado com ela; Trystan tinha até aprendido a gostar da sonoridade. Mas ouvir aquilo vindo do rosto e com a voz de Clare, tão parecidos com os de sua mãe, foi como sentir o peito se partindo ao meio.

Nos pensamentos mais íntimos e profundos de Trystan, ele imaginava como seria entrar na taverna do irmão sendo um homem diferente. Clare e Tatianna estariam lá, de mãos dadas, chamando-o com uma taça de vinho estendida para ele. Trystan se juntaria a eles, aproveitaria a companhia de todos e se sentiria parte da família.

Mas aquilo jamais aconteceria.

Mais uma prova de que emoções eram uma inconveniência inútil que ele precisava deixar de lado sempre que possível. Por causa delas, as coisas não paravam de dar errado em todos os sentidos. Malcolm parecia achar que havia uma espécie de trégua entre eles, a irmã olhava para Trystan como se ele fosse um verme, os funcionários estavam cada vez mais inquietos com as ameaças iminentes e a assistente...

A assistente avançava a passos largos, balançando os braços com tanta força que parecia até um moinho de vento.

— Você está quieta... o que é incomum — disparou ele, e quase deu um tapa na testa.

Ela parou de repente e lhe lançou um olhar estupefato.

Sim, eu acabei de fazer papel de idiota. Obrigado por perceber.

O arrependimento que estava sentindo devia ser resultado direto de passar tempo demais com sua assistente, pois o Vilão nunca perdia tempo com essas trivialidades, se pudesse evitar.

Trystan deixou de lado os pensamentos e tentou prestar atenção nas palavras que saíam dos lábios de Sage. Mas o nariz dela estava franzido, o que, por alguma razão, parecia ser uma fonte confusa de distração.

— Está ouvindo? — insistiu ela, arrancando-o dos seus devaneios.

A ponta da minha espada parece ser um bom lugar para descansar.

Empiricamente falando, sua assistente era bonita. Seria imprecisão da parte dele tentar negar. Ele tinha pensado nisso desde o momento em que se encontraram na floresta, com a luz do sol se esparramando sobre os ombros dela e a intensidade de seus olhos suavizada por uma bondade inadequada. Mas beleza era algo irrelevante para ele. Bom, geralmente era.

As mulheres com quem Trystan se permitia ter intimidade, quando procurava esse tipo de coisa, tinham uma visão cínica de mundo que lhe era familiar. Ele via o sexo como cuidar de uma necessidade intrínseca, tipo comer ou dormir. Não via sentido em afeto ou admiração, embora sentisse uma pontada desesperadora de ambas as coisas ao olhar para o rosto da assistente.

Por mais que, no momento, ela o estivesse olhando como se Trystan a tivesse chutado.

E isso, por algum motivo, era… intolerável.

— Desculpa. — Ele limpou a garganta. — Tinha uma abelha aqui e eu me distraí.

Não havia a menor chance, nem ali nem na terra dos mortos — onde a maioria passava a vida após a morte —, de que ela acreditasse nele.

— Com certeza. — Evie semicerrou os olhos, e Trystan começou a se sentir meio exausto diante daquele olhar inquisidor.

Ele respirou fundo, passou a mão pelo cabelo… e cedeu.

— A história entre mim e o rei Benedict é longa. Só minha família sabe de tudo. Não é que eu não queira compartilhar com você. Simplesmente acho que não sei como. — Foi sincero, algo que ele se esforçava para ser, pelo menos.

O semblante dela tornou-se mais amigável, e parecia que estava conectado a uma corda no peito de Trystan, apertando-o.

— Também tenho coisas do tipo no meu passado. Eu entendo.

Aquilo lhe despertou uma centelha de curiosidade tão intensa que quase o derrubou, mas ele simplesmente fez que sim.

— Então, temos uma trégua entre nós, Sage? — Hesitante, ele estendeu a mão na direção dela, e Sage sorriu de um jeito que acionou alarmes na sua cabeça. No entanto, o calor da mão dela o distraiu.

Ela se inclinou levemente e um brilho surgiu no azul dos seus olhos.

— E qual seria a graça disso, senhor? — disse ela num falso sussurro antes de soltá-lo e se virar.

De repente, ele sentiu mais medo de como exatamente sua assistente se vingaria do que do traidor que vinha perseguindo. Se bem que ambos provavelmente seriam sua ruína em breve.

CAPÍTULO 19
Evie

Evie ia cair.

Ela ficou na pontinha dos pés e estendeu o braço para se equilibrar. Com a outra mão, tentava abrir o duto de ventilação que ficava acima da mesa do chefe. Grunhiu de frustração ao se dar conta de que estava a apenas alguns centímetros de alcançá-lo. O sistema de ventilação da mansão tinha como objetivo aquecer ou resfriar cada cômodo até atingir uma temperatura confortável, e todos os dutos levavam às partes mais profundas da construção de pedra.

Mas eles raramente eram usados ou abertos por conta da imprevisibilidade da varinha de fogo e gelo, um artefato mágico que eles contrabandearam dos tritões. O sistema supostamente deveria esquentar ou esfriar de acordo com a necessidade, mas o objeto parecia amaldiçoado, liberando a temperatura que bem entendesse — que raramente era a adequada.

Então, a varinha fora trancada e os dutos permaneceram selados. Exceto aquele; aquele que Evie precisava abrir. Ao analisar a planta da mansão, ela percebera que o duto sobre a mesa do chefe estava conectado diretamente ao local onde a maioria dos outros funcionários fazia a sua refeição do meio-dia. Caso ela conseguisse abrir aquela porcaria, havia uma chance de que as informações de que eles precisavam caíssem direto na mesa do chefe.

Literalmente, já que ela ainda estava em pé sobre a mesa.

O chefe não estava por ali quando a ideia surgiu e, como a maioria dos funcionários já estava no refeitório, parecia ser a sua única chance. Olhando em retrospecto, uma escada teria sido útil, algo de que Reinaldo a lembrara quando a viu subir na mesa lá do outro lado da sala, segurando uma plaquinha que dizia MÁ e outra que dizia IDEIA.

— Não gosto dessa negatividade — avisou Evie, e, com um salto determinado, seus pés envoltos em meias deixaram a superfície da mesa. Ela sentiu o duto ceder sob os dedos, e vozes começaram a vazar por ali à medida que seus pés aterrissavam na mesa.

— Uau. Não acredito que deu certo.

— Nem eu.

A voz seca interrompeu seu breve momento de vitória, e Evie se virou rapidamente para a porta aberta do escritório, onde o chefe se apoiava no batente com uma sobrancelha erguida.

— Eu abri o duto — anunciou ela, apontando para o local como se já não fosse óbvio.

— Estou vendo. — Os olhos do Vilão se voltaram para os sapatos descartados no chão e então para onde os pés com meias dela estavam em cima da mesa, retornando em seguida ao rosto de Evie.

— Não quis pisar com meus sapatos em sua mesa. Achei que seria uma falta de educação — explicou ela com sensatez.

— Sim, é importante respeitarmos a etiqueta adequada ao subirmos nos móveis alheios.

— Exatamente. — Evie assentiu e fingiu levar o sarcasmo dele a sério. — Quanto ao duto, agora podemos ouvir o que os funcionários falam sobre você quando não está por perto.

— Só coisas ruins, espero — disse o chefe, aproximando-se dela. Ele devia ter tomado um banho desde aquela manhã, já que a camisa preta e larga estava agora enfiada nas calças de couro funcionais, o que ressaltava sua cintura esbelta. Evie tossiu e virou a cabeça em direção ao duto, esticando-se na ponta dos pés para tentar discernir as vozes.

— Abafado demais. — Quando ela voltou a olhar de relance para o chefe, ele a observava com uma expressão indecifrável. — Você deveria subir aqui; acho que vai ouvir melhor, pois... — Mas Evie foi interrompida pelo próprio pé enroscado num pedaço aleatório de papel, e então se desequilibrou.

Ela soltou um gritinho, esperando se estabacar no chão, mas o chefe se lançou para a frente para tentar impedir a queda. É claro que, em vez disso, Evie acabou derrubando os dois. O Vilão foi parar no chão, absorvendo o pior do impacto, Evie em cima dele.

A vergonha era tão palpável que parecia ser possível tocá-la. As mãos dela pousaram em cada lado da cabeça do chefe e Evie se empurrou para cima.

— Opa.

— Realmente. Opa. — As palavras dele pareciam ter sido arrastadas no cascalho, mas o chefe não parecia machucado. Ele suspirou e repousou a cabeça no chão de pedra. — Você está bem?

— Sim, você amorteceu minha queda.

— Que sorte a minha — disse o chefe secamente, levantando a mão para jogar o cabelo para trás. Evie o via mexer no cabelo com muita frequência. Era quase como se fosse um tique nervoso, mas ele não parecia ser do tipo que tinha tais manias.

— Isso aí é uma entrada? — perguntou Evie inocentemente, inclinando a cabeça para o lado e esfregando o queixo enquanto se sentava.

— É o quê!? — exclamou o chefe, parecendo tão alarmado que Evie não teve coragem de seguir com a brincadeira.

— Estou brincando, Soberano do Mal. Seu cabelo perfeito está intacto.

— É só cabelo; não importa. — Mas o tom infantil de queixa na voz dele fez Evie sorrir, e um calor repentino que nada tinha a ver com o duto aberto preencheu o ambiente. Os dois ficaram parados por um momento antes de um sorriso torto se insinuar nos lábios do chefe, e Evie abriu um sorriso tão largo que as bochechas pareciam estar se partindo.

— Sage?

— O quê? — disse ela, meio envergonhada pelo tom de voz ofegante.

— Será que você poderia, hmm, sair de cima de mim?

— Ah, é claro! — exclamou ela, jogando-se para o lado na mesma hora e levantando-se para pegar os sapatos deixados de lado. Em seguida, riu de nervoso. — Quase me esqueci de que estava em cima de você.

O Vilão se levantou devagarinho, apoiando-se na própria mesa para se erguer. Estava de costas para ela quando disse:

— Que bom pra você.

— Eu deveria ter pedido antes de abrir o duto. — Evie se encolheu. O Vilão estava visivelmente incomodado com ela.

— Não — disse ele, surpreendendo-a. — Foi uma boa ideia. Eu só estou distraído pelo... passado, imagino.

Evie sentiu um aperto no peito e deu a volta na mesa para poder ver o rosto do chefe.

— Se quiser, pode falar disso. — Ela ergueu o dedo mindinho. — De qualquer maneira, jurei segredo, lembra?

Aquele olhar sombrio sustentou o dela, desceu até o sorriso e depois voltou aos olhos de Evie.

— Acho que eu poderia te contar...

E então Becky irrompeu pela porta.

Sinceramente, parecia que, sempre que alguém estava sentindo alegria, um alarme soava para que aquela mulher aparecesse.

— Ah! — disse Becky com olhos arregalados e inocentes ao ver os dois a centímetros de distância. — Desculpe. Eu bati. Estou interrompendo algo... importante?

— Para dizer a verdade... — começou Evie.

— Claro que não — disse o chefe por cima, parecendo acordar do transe que os envolvia. — Sage estava só sendo impertinente, como sempre, e eu estava fazendo o favor de ouvir.

Evie olhou feio para ele, ignorando o lampejo de arrependimento nos olhos do chefe.

Os olhos de Becky, por sua vez, arregalaram-se por um instante, mas aquela expressão logo deu lugar a uma de vitória justa.

— Sinto muito, senhor. Só achei que Evie fosse querer isso de volta. Eu vi cair do bolso dela mais cedo. — Becky ergueu o pedaço de papel e o estômago de Evie se revirou assim que o reconheceu.

Era a carta de oferta de emprego do rei Benedict que ela encontrara no quarto de Blade.

Horrorizada, Evie observou o chefe inclinar a cabeça e pegar a carta das mãos de Becky antes de começar a lê-la furiosamente.

— Sage, explique isso. — Qualquer tipo de humor ou leveza tinha desaparecido, e Evie suspirou.

Ela não queria ser a portadora das más notícias a respeito da mentira de Blade, mas não lhe restava outra opção.

— Senhor, isso é... Bom, é...

Mas o Vilão a interrompeu antes que ela encontrasse as palavras certas.

— É interessante você querer saber os segredos do meu passado quando, pelo visto, tem tantos segredos próprios. — Aquele olhar zombeteiro, bem incomum, despertou uma onda de raiva tão intensa em Evie que os outros sentimentos tiveram que se afastar.

— Se me permitir explicar, senhor. Eu até teria falado sobre a carta antes, mas não cabia a mim. Queria dar a... outra pessoa a chance de contar primeiro.

Evie não tivera a oportunidade de ler a carta inteira, mas sabia que não parecia nada bom. A saudação no topo não incluía o nome de Blade, e a listagem das qualificações para o emprego era incrivelmente vaga.

Com a acusação no olhar do chefe, Evie percebeu a conclusão que ele estava tirando e, embora soubesse que não deveria levar para o pessoal, era como se alguém tivesse agarrado suas entranhas e as torcido com tanta força que ela sentia vontade de se curvar de dor.

Antes que Evie pudesse se recompor, o Vilão prosseguiu:

— Eu deveria te agradecer. Por provar que até a confiança prometida pode ser quebrada.

Evie olhou para a tinta dourada que envolvia seu dedo e a mostrou para o Vilão.

— Como você pode dizer que não dá pra confiar em mim?

— A magia só impede as pessoas de me machucarem. — O Vilão sorriu com desdém. — Eu parei de me importar com quem mentia para mim há muito tempo.

Evie arfou enquanto o mundo parecia girar.

— Você não confia em *mim*?

Como um simples mal-entendido tinha se transformado naquilo — naquele momento em que Evie percebia que todos os outros momentos que compartilhara com o Vilão, todas as vezes em que sentira que havia um respeito mútuo, eram unilaterais? E, se o chefe não confiava nela, que outras coisas ele realmente pensava dela?

O pai de Evie sempre lhe dissera que ela tinha o dom de manter as pessoas unidas e a incentivara a usar aquele dom em todas as oportunidades. Ele dependera muito de Evie depois que a mãe teve Lyssa e sua magia surgiu. Quando Nura Sage caíra em desespero, coube a Evie tirá-la da cama, consertar tudo. Sem nenhuma ajuda do pai nem mesmo do irmão, Gideon.

Evie pensava que o Vilão a valorizasse. Que a achasse útil também. Que apreciasse a sua ajuda.

Mas vejam só como a família de Evie tinha se desfeito, como tinha se rachado, como ela tinha falhado. Talvez o Vilão simplesmente tenha sentido pena de Evie e a acolhido quando ninguém mais quis. Foi *ela* quem comentara que precisava de emprego quando se conheceram...

Evie cambaleou e cobriu a boca enquanto a raiva, a impotência e a vergonha faziam tudo começar a ficar embaçado à sua volta. O Vilão pareceu se retrair. Até Becky parou ao ver Evie respirando fundo várias vezes.

Mas o Vilão recuperou o equilíbrio e, com as sobrancelhas franzidas, exigiu de novo:

— E aí? O que tem a dizer em sua defesa?

O chefe segurava a carta com tanta força que começou a amassá-la, e Evie foi incapaz de continuar ali para ouvir mais uma palavra ríspida.

Ela sustentou o olhar dele enquanto sentia embrulho no estômago. Balançando a cabeça, abriu caminho rapidamente até a sua escrivaninha. Becky pelo menos tinha tido a decência de parecer meio arrependida quando Evie passou por ela cheia de raiva.

— Aonde raios você está indo, Sage? — gritou o chefe atrás dela.

— Vou pra casa! — retrucou Evie, sem se dar ao trabalho de diminuir o passo.

Um silêncio mortal tomou conta do escritório agitado enquanto ela saía da sala do chefe e ele a seguia de perto.

— No meio do expediente? — questionou o Vilão furiosamente.

— Não existe mais expediente pra mim — respondeu ela com dificuldade, sentindo uma amargura terrível na garganta.

— Ah, não? — perguntou ele, incrédulo.

— Não — Evie conseguiu dizer, enquanto as palavras e o coração se enchiam de veneno.

— E como você chegou a essa conclusão? Quando todos os outros funcionários só fazem o que eu *mando*? — Ele quase a alcançara, mas ela ergueu a mão, fazendo-o parar.

E então Evie disse as palavras que pareceram sugar todo o ar da sala:

— Pois é, que bom que eu não sou mais sua funcionária.

As lágrimas ardiam no cantinho dos olhos, mas Evie piscou várias vezes para afastá-las e manteve a expressão neutra.

— O que você disse? — A voz do chefe soou baixa e distante.

— Eu me demito.

Ela abriu a gaveta da escrivaninha de supetão e pegou a mochila, jogando-a por cima do ombro. Depois, caminhou a passos largos até o porta-capas e pegou a dela. Engolindo o choro, manteve a cabeça erguida ao chegar à porta — e então foi embora.

Evie voou escada abaixo e deixou apenas dor para trás enquanto rezava para ser engolida pela terra e, quem sabe, renascer como árvore. Assim, a única coisa que se esperaria dela seria crescer.

Ela amarrou a capa ao redor dos ombros e repassou cada momento na própria mente, do jeito que sempre fazia. Analisou cada gesto, cada palavra dita. Fez isso várias vezes, até sentir vontade de encontrar seu reflexo em algum lugar e quebrá-lo só para ver a si mesma se partir.

As lágrimas agora escorriam sem nenhum freio, e Evie usou o dorso da mão para enxugá-las. Ao passar pelo portão, seguiu andando até voltar a correr. Seus pulmões ardiam no peito e ela sentiu as lágrimas se misturando com o suor que escorria da testa, mas não estava nem aí, queria sentir o peso das próprias ações.

Ela ergueu a mão para ver o mindinho, sentindo a marca pulsar sob um pacto rompido, e o pavor corria em suas veias. Tinha pedido demissão. Quando prometera trabalhar para o Vilão e ser leal, ela sabia que as consequências seriam fatais. Segundo um dos integrantes da Guarda Malevolente, a tinta dos pactos poderia rapidamente se tornar veneno, que era liberado no corpo ao mínimo sinal de traição.

Ao pedir demissão, talvez Evie tenha assinado sua própria sentença de morte.

CAPÍTULO 20
Vilão

Na manhã seguinte, a voz de Blade Gushiken estava repleta de divertimento sincero:

— Acho que você vai acabar fazendo um buraco no chão, chefe.

Trystan quase arrancou a cabeça do homem.

Mas parou de andar de um lado para o outro no escritório, sem se importar com os olhares nervosos que os funcionários lhe lançavam do outro lado da porta. Ou será que se importava?

Ele passou a mão pelo cabelo. Não conseguia pensar direito naquelas condições.

Sem Sage, ele tivera que voltar a tomar seu elixir de caldeirão puro, como Edwin achava que Trystan sempre fazia. O ogro tinha sido o padeiro da sua aldeia quando ele era apenas um menino, e era um dos poucos seres nesse mundo que Trystan realmente acreditava ser feito de bondade pura. Era por isso que Sage tinha que acrescentar secretamente um toque de doce à bebida todas as manhãs. Se Edwin descobrisse que Trystan não gostava da bebida que ele se esforçara tanto para aperfeiçoar, poderia ficar magoado.

Importar-se com os outros é muito irritante.

Ele pensou em sua assistente e começou a andar de um lado para o outro de novo. Trystan esperava que Sage voasse pela porta do escritório naquela manhã, com um pedido de desculpas modesto nos lábios e talvez um doce na mão para ele. A seguir, ela daria uma explicação razoável para ter aquela carta e tudo voltaria a ser como era antes.

Trystan passara a noite tentando clarear as ideias e estava pronto para atender às súplicas de Sage com um julgamento lógico e justo. Afinal de contas, estivera a segundos de lhe contar um segredo que raramente tinha dito em voz alta para *qualquer pessoa*.

O pior de tudo era *querer* confiar em alguém. Se ele permanecesse indiferente, as falhas dos outros jamais poderiam decepcioná-lo, e ele se manteria a salvo. Trystan *queria* confiar nela, e isso não era culpa de Sage, mas de si mesmo.

Além desse problema, o escritório parecia estar em ruínas.

Rebecka relatara que três estagiários quase brigaram até a morte naquela manhã, porque foram colocados na mesma equipe de limpeza dos calabouços. Ele não sabia que Sage conhecia os estagiários a ponto de evitar conflitos entre eles. Sagaz, mas não o suficiente para fazer com que Trystan repensasse as óbvias transgressões da assistente.

Depois, ficara sabendo de uma história triste sobre a noiva de um dos homens que o estava traindo com um primo, e Trystan resolvera ignorar seu Gerente de Recursos Humanos e Criaturas Mágicas antes que o melodrama apodrecesse seu cérebro.

Mas aquele tinha sido apenas o primeiro problema do dia. Parecia que, nos poucos meses em que Sage estivera ali, ela havia se inserido em quase todas as engrenagens da organização, como videiras que se entrelaçavam nos alicerces de uma casa muito antiga e tornavam-se parte dela. O Vilão tinha uma empresa totalmente funcional antes dela, não tinha? Ninguém saberia dizer, já que o céu parecia estar desabando em quase todos os momentos da manhã até então.

Uma remessa de armas chegou, mas apenas Sage, que sempre anotava tudo em seu diário dourado, fazia ideia de qual remessa estavam esperando. Vinte funcionários tiveram que deixar suas tarefas para abrir cada caixa e catalogar o que havia dentro.

O arquivo mágico, invejado por todos pela habilidade de pôr em ordem alfabética todo e qualquer documento que entrasse nas gavetas encantadas, tinha quebrado. As pastas de letra A estavam no lugar do X, e as pastas L, M, N, O e P simplesmente tinham sido... devoradas pela madeira.

Quando Trystan finalmente decidira perguntar se alguém sabia consertá-lo, responderam como se tivessem ensaiado a frase só para torturá-lo:

— Geralmente a srta. Sage sabe.

Ele evitava Tatianna sempre que podia, e por um bom motivo, já que a mulher negociava fofocas do escritório. Mas, uma hora antes, Trystan notara que estava desesperado para provar que tinha razão em desconfiar da assistente, então fora até os aposentos da curandeira para lhe perguntar se ela tinha ouvido alguém no escritório compartilhando algum segredo incriminador sobre Sage. A curandeira olhara para ele com um desprezo tão tóxico que Trystan pensou que ela devia tê-lo envenenado com os olhos.

Ele sentiu o corpo inteiro em chamas.

— Não — respondera Tatianna categoricamente. — Não ouvi.

O Vilão assentira, limpara a garganta e depois saíra do quarto da curandeira sentindo-se quase... envergonhado?

Que pesadelo.

E, como se tudo já não estivesse desmoronando, no momento Gushiken estava ocupando a atenção de Trystan com algo que ele sabia que estragaria totalmente seu humor já azedo.

— Você não tem uma fera para domar? — esbravejou Trystan, pedindo aos deuses para que o treinador de dragões o deixasse ficar emburrado no canto dele.

— É exatamente disso que eu queria falar... — Gushiken virou-se quando Rebecka se aproximou da mesa do Vilão para lhe entregar mais um cálice do elixir desagradável e sem açúcar. — Bom dia, Rebecka.

— O dia está bom mesmo, né? — Ela assentiu alegremente enquanto um sorriso de orelha a orelha se abria abaixo dos óculos de armação grossa.

Gushiken fechou a cara quando ela deu meia-volta para retornar à sua nova escrivaninha, ao lado do escritório de Trystan. O treinador de dragões caminhou até a porta e a fechou atrás dela antes de se voltar para Trystan outra vez.

— Não me importa o quanto você tenha que implorar... só resolva isso, por favor. Aquilo foi aterrorizante. — Em seguida, ele estremeceu, como se a felicidade da srta. Erring fosse um sinal do fim apocalíptico.

— Eu não imploro. Por nada — insistiu o Vilão, cruzando os braços e reparando que sua camisa não parecia tão macia como quando Sage se responsabilizava pela lavanderia. Naquele dia, as camisas dele estavam ásperas e irritantes.— Foi

Sage quem fez aquela declaração dramática e pediu demissão. É ela que deve pedir desculpas, se eu ainda permitir que a srta. Sage trabalhe aqui depois da óbvia traição com aquela carta.

O treinador de dragões se retesou e não parava de remexer as mãos enquanto os olhos se voltavam para a barba mais comprida que o normal no queixo de Trystan.

— Noite difícil? — perguntou o treinador.

— Vou cortar sua língua — ameaçou Trystan.

— Tudo bem. — Gushiken fez que sim. — Justo. Antes de fazer isso, poderia resolver uma questão para mim?

Trystan beliscou o dorso do nariz, lutando contra uma dor de cabeça persistente.

— O quê?

— Eu gostaria da sua permissão para nomear o dragão.

— Você já não deu um nome para ele? — O Vilão estreitou os olhos, confuso.

— Todos os livros dizem que não se deve nomeá-los até que tenham completado todo o treinamento — insistiu o homem.

— E esse livro cujos conselhos você tem seguido tão à risca é respeitável?

— Bom... — Gushiken riu de nervoso e coçou a nuca. — Não tenho certeza. Principalmente porque tudo que ele me aconselhou até agora parece só irritar ou assustar o dragão. Mas acho que eu também ficaria meio rabugento se não tivesse um nome para ser chamado.

— Eu gostaria de te chamar de alguns nomes. — Trystan tentou acrescentar um toque de ameaça na voz, mas todos os seus sentidos pareciam mais fracos naquela manhã, como se ele tivesse passado tempo demais no escuro.

— Será que poderia sugerir alguns para o dragão primeiro? — A esperança nos olhos do treinador fez Trystan se lembrar demais de uma certa pessoa em quem precisava parar de pensar antes que jogasse uma cadeira pela janela.

— Não sei. — Trystan fez uma pausa e um estranho pensamento lhe ocorreu. — Fofucho. Pode chamá-lo de Fofucho.

Gushiken inclinou a cabeça para trás, ligeiramente boquiaberto.

— Fofucho... senhor?

— É um nome adequado, pelo que me disseram — murmurou na defensiva. Trystan não gostou da reação do treinador de dragões, que o avaliava com os olhos. — Agora sai da minha frente, Gushiken. Estou muito ocupado.

O treinador assentiu e deu um passo para trás.

— É pra já, senhor. — Então, virou-se em direção à porta, mas logo parou com a mão na maçaneta. O homem musculoso engoliu em seco e voltou a encarar Trystan, como se estivesse prestes a botar o almoço para fora.

— O que...?

Mas Trystan não chegou a terminar a frase, pois as palavras de Gushiken saíram tão depressa que várias veias começaram a surgir na testa do homem:

— Fui eu, senhor! A oferta de emprego do rei Benedict... era minha.

Trystan congelou, perguntando-se em vão como seu coração podia estar batendo tão forte no peito se seu sangue parecia ter virado gelo.

— Explique — disparou, e a palavra saiu tão curta e fria que ele viu o outro homem estremecer.

Gushiken deu um passo à frente e jogou os ombros para trás, claramente tentando reunir coragem. A história foi contada em ondas, e Trystan não falou nada até entender que o treinador de dragões tinha terminado.

Contou sobre a infância na capital do reino, a carreira política do pai no conselho de Rennedawn, sua afinidade por animais e criaturas mágicas. Falou que só tinha guardado a carta para lembrar a si mesmo de que tinha feito a escolha certa vindo para a mansão.

O corpo de Trystan ficou tenso quando a história do treinador de dragões envolveu Evie. Enquanto ele falava, Trystan manteve o rosto impassível, mas a mente estava acelerada, a adrenalina corria pelas veias dele.

— A srta. Sage guardou a carta para garantir que eu confessasse. Ela me deu a chance de contar a você porque é gentil e uma boa amiga. Mas não se engane, senhor; ela é completamente leal a você. Toda essa situação é cem por cento culpa minha. Se quiser me demitir ou, sabe... me matar? Vou entender perfeitamente.

Queria dar a... outra pessoa a chance de contar primeiro.

A voz de Sage atravessou a escuridão que consumia a mente do Vilão, feito um arco-íris rompendo o final de uma tempestade violenta.

Eu deveria te agradecer. Por provar que até a confiança prometida pode ser quebrada.

Sage havia cambaleado como se ele a tivesse atacado — *porque era o que tinha feito.* Mas o Vilão tinha sido teimoso demais, afetado demais pelas traições passadas para enxergar qualquer coisa além da sua própria dor.

Ele a havia chamado de hipócrita quando estava ficando visivelmente óbvio que o único hipócrita era Trystan.

Evie queria que ele tivesse fé nela, que confiasse nela, e, em vez disso, ele a punira. Trystan sustentou o olhar do outro homem.

— Você não deveria ter escondido isso de mim, Gushiken.

Gushiken fez que sim e baixou a cabeça.

— Se eu soubesse da confusão que ia causar, pode acreditar, eu não teria escondido.

— Acreditar em você? — Algo sombrio ia se infiltrando na voz de Trystan enquanto ele, a contragosto, se dava conta de como era a sensação de estar errado. Era *horrível*. — Não sei no que acreditar agora. Mas pode acreditar nisso: se você voltar a mentir para mim ou envolver outro funcionário por causa do seu descuido, sua cabeça vai virar decoração das minhas vigas.

Gushiken parecia enjoado, e Trystan resistiu ao impulso de arremessar o homem pela janela. O treinador então balançou as duas mãos na frente do rosto.

— Não, não! Prometo nunca mais esconder um segredo de você, senhor! Na verdade, eu vou na curandeira agora mesmo para gravar um juramento mágico na minha pele. — Com isso, Gushiken deu meia-volta para seguir em direção aos aposentos de Tatianna. Ao abrir a porta, lançou um olhar constrangido para o Vilão, e havia certa vulnerabilidade no semblante do homem.

— Hm, senhor... isso significa que posso continuar no meu emprego? Que o dragão e eu podemos ficar?

O que Trystan disse a seguir não foi piedade, mas estava perigosamente perto disso:

— Sim. Contra todo o meu bom senso, você pode ficar.

— Obrigado, senhor! — disse o treinador com a voz distante, pois Trystan já havia se dirigido a uma janela de vitral, destrancando o vidro e abrindo-o para deixar o ar do verão envolvê-lo.

A luz do sol atingiu seu rosto, mas ele não sentiu calor. Era como se Sage tivesse levado até o poder do sol com ela.

Ele não notou que o treinador de dragões ainda estava no escritório até ouvi-lo fazer uma pergunta tão breve e silenciosa que quase não a ouvira:

— Senhor… e a Evie?

Como Trystan permaneceu em silêncio, os passos de Blade foram ficando cada vez mais baixos, até desaparecerem por completo.

Mas a pergunta do treinador ecoou na mente dele tantas vezes que Trystan queria arrancá-la com as próprias mãos.

E a Evie?

CAPÍTULO 21
Evie

Ela sempre soube que morreria graças à própria tolice. Já havia se metido em situações perigosas demais sem querer para que a sorte não se voltasse contra ela em algum momento.

Evie havia montado em cima do chefe e depois pedido demissão, tudo no mesmo dia.

Resmungando e enterrando o rosto entre as mãos, ela se virou na cama, ignorando quando a irmã abriu a porta cautelosamente.

— Tenho que ir para a escola. — Delicadamente, Lyssa pôs algo na mesinha ao lado da cama de Evie. — Fiz um chá para você, o mesmo que sempre ajuda o papai... quando ele está passando mal.

Virando-se no mesmo instante para encarar a irmã, Evie apressou-se em garantir que não estava mal, desesperada para afastar a tristeza no semblante de Lyssa.

— Está tudo bem, prometo que não estou doente do jeito que o papai está.

A irmã relaxou os ombros.

— Que tipo de doença é, então? Você nunca falta ao trabalho.

Evie deu um tapinha no peito, sentindo o nó na garganta se deslocar até o local onde encostou.

— É uma sensação ruim aqui. No meu coração. — Já era difícil decifrar seus sentimentos por conta própria, que dirá tentar explicá-los para uma criança de dez anos.

— Ah, você está triste — comentou a irmã, assentindo enfaticamente.

— Bom... — Evie parou e ponderou as palavras. — Na verdade, sim, acho que resume bem o que estou sentindo.

— Você usa palavras demais para dizer coisas simples, Evie. — A irmã deu tapinhas na cabeça dela antes de pegar um livro que deixara no chão. — Você deveria usar só algumas. As pessoas entendem melhor desse jeito.

Sorrindo e sentindo-se um pouco mais leve, Evie saiu da cama e se despediu da irmã com um aceno. Em seguida, ficou olhando da janela Lyssa correr em direção à escola. Depois, andou pela cozinha descalça e abriu a torneira para pegar um copo d'água.

Ela olhou para o pacto gravado no dedo mindinho e franziu a testa. Esperava algum tipo de consequência por ter quebrado a promessa. Afinal, tinha *pedido demissão*. Cadê o acerto de contas? Ou seria uma morte lenta? Será que estaria lá, vivendo normalmente, e então, sem mais nem menos, seu coração ia parar de bater? Evie precisava resolver isso, ou Lyssa ficaria totalmente sozinha e...

Uma tosse áspera vinda de trás lhe deu um susto e a fez derrubar a água no chão.

— Desculpa — disse o pai com a voz rouca, desabando na cadeira com o rosto pálido e exausto. — Não queria te assustar.

— Papai. — Ela se aproximou e se agachou diante dele. — Você tem tomado o remédio que minha amiga fez especialmente para você?

Ele abriu um sorriso culpado e levou a mão trêmula à testa para enxugar o suor.

— Não achei que fosse precisar. Eu tenho me sentido bem melhor.

Evie balançou a cabeça e tentou não o repreender. O pai nem sempre tomava os cuidados que deveria. Depois que Gideon morrera e a mãe fora embora logo em seguida, o pai de Evie caíra num desespero tão profundo que não conseguia nem pegar Lyssa no colo. Eles decidiram como família que Evie continuaria os estudos em casa, longe da escola e dos amigos, para ajudar na criação da irmãzinha.

Uma infância sacrificada foi uma pequena penitência diante de como Evie tinha falhado com a família, com a mãe, com Gideon. Ela ficou imaginando se era por isso que podia ser tão impulsiva, tão teimosa. Todas as suas partes infantis deveriam ter tido a chance de mudar e de crescer. Mas, em vez disso, tinham sido reprimidas, como uma flor podada justo quando estava prestes a desabrochar.

De repente, o pai arregalou os olhos e tentou se levantar com pernas trêmulas.

— A Lyssa ainda está aqui? Não quero assustá-la. Ela está tão feliz de me ver bem.

— Ela já foi para a escola — Evie o tranquilizou. Em seguida, pôs o braço dele em volta de seu ombro e o conduziu de volta para o quarto. — Papai, você precisa se cuidar melhor. Se não for por você, que seja pela Lyssa.

Evie o ajudou a se deitar delicadamente na cama, puxando as cobertas até o queixo dele, e então abriu a gaveta da mesinha de cabeceira. Não demorou a encontrar o frasquinho com o remédio, e logo em seguida mediu algumas gotas.

— Abra a boca — ordenou ela.

Após alguns minutos, o tempo necessário para que o remédio começasse a agir, os olhos do pai foram se fechando.

— Por que você não foi trabalhar hoje, meu bem?

Evie pegou o cobertor de tricô da poltrona ao lado da cama do pai e o envolveu na cintura enquanto se sentava.

— Briguei com meu chefe — respondeu ela, contente em poder compartilhar pelo menos um pouco de honestidade com o pai.

Ele contraiu os lábios.

— Seja lá o que for, tenho certeza de que não foi tão grave assim. — Em seguida, sorriu para ela e continuou: — Talvez você possa ir lá e pedir desculpas.

Evie tentou ignorar o desconforto de saber que o pai presumia que ela estivesse errada.

— Infelizmente, acho que isso não ajudaria muito na situação.

Ele lhe lançou um olhar desconfiado e os olhos começaram a pesar novamente.

— Se precisar do conselho de um velho, eu diria para ser sincera. — O pai limpou a garganta e apoiou a mão no peito, adquirindo um olhar distante. — Muitas coisas poderiam ser resolvidas com a sinceridade, se você tiver coragem o bastante de usá-la. É algo que eu gostaria de ter feito mais com a sua mãe.

A menção a Nura surpreendeu Evie.

— Eu... Você nunca fala da mamãe.

O pai abriu um sorriso triste, o que fez o peito de Evie doer.

— Ainda dói pensar no que sua mãe fez com seu irmão. No que ela poderia ter feito com você e com a Lyssa.

— Não acho que ela quisesse nos machucar naquele dia, pai. — Depois que a mãe deu à luz a Lyssa, a magia dela despertara em um clarão de luz divina. Nura Sage fora abençoada pelos deuses com o poder da luz estelar. Era uma magia tão pura e tão rara que, quando o especialista em magia viera para avaliá-la, transmitira-lhe a satisfação do próprio rei Benedict. Mas o que deveria ter sido uma bênção divina acabou se tornando a ruína da família.

Nos meses seguintes ao nascimento de Lyssa, uma tristeza infinita tomou conta deles. A magia da sua mãe parecia drenar cada gota de vida dela; até a cor das bochechas de Nura Sage tinha desaparecido. O pai de Evie pedira a ela que distraísse a mãe, que aliviasse o fardo dela. Gideon precisava focar nos estudos — algo que Evie também gostaria de ter feito, mas Gideon não sabia disso. Ele era o tipo de irmão que lhe daria o próprio brinquedo caso visse que você queria brincar com ele. Evie sabia que ele abriria mão de muita coisa por ela se ela pedisse, então não fez isso.

E aí tudo piorou.

— Eu odeio até mesmo *pensar* naquele dia. — O pai de Evie fez uma careta de amargura antes de relaxar. — Estava trabalhando quando sua mãe levou vocês três aos campos de dente-de-leão, e me arrependo todos os dias por ter ido trabalhar mais cedo naquela manhã.

No dia em que a mãe de Evie finalmente saíra da cama, Lyssa estava presa por uma faixa em volta do tronco dela. Seu olhar não expressava muita sanidade, mas ela estava viva. Foi por isso que Evie e Gideon concordaram em passear com a mãe naquela manhã, no que havia sido o lugar favorito deles antes de Lyssa nascer. A mãe estava linda. A pele marrom--clara brilhava contra o sol nascente, os olhos estavam delineados com kohl e os lábios, coloridos de vermelho.

— Ela queria brincar com a própria magia. Só isso — disse Evie, tão baixinho que quase chegava a ser um sussurro.

A mãe deles fizera os dentes-de-leão brilharem, fizera a luz se mover como se as plantas a acompanhassem. Então, segurara uma bola de luz estelar na mão e implorara para que Gideon a pegasse.

Evie observara o irmão correr pelo campo, percebendo tarde demais que a bolinha de luz não parava de crescer. Ninguém soubera dizer o que estava acontecendo até os gritos de Gideon ecoarem pelo campo e um chão queimado surgir no lugar dele.

— Ela assassinou seu irmão, Evie — disse o pai com uma ferocidade que a fez querer se encolher.

Era verdade. Não tinha sido intencional, Evie estava certa disso, mas aconteceu. Gideon morrera bem ali, e Evie desabara no chão em meio a um acesso de gritos chocados. Ela agarrara a terra com as duas mãos e só erguera o olhar ao ouvir o choro de Lyssa. Sua irmãzinha tinha sido colocada ao lado dela, ainda na faixa que envolvia o corpo da mãe.

E então a mãe se fora.

Fechando os olhos com força, Evie soltou um suspiro profundo e tentou libertar o coração do aperto que estava sentindo.

— Você a odeia, papai?

Uma lágrima solitária escorreu pela bochecha áspera do pai.

— Em alguns dias, eu queria odiar. — Então, tirou o medalhão de dentro da camisa e o esfregou entre os dedos. — Ela me deu isso quando nos conhecemos. Guardo sempre por perto porque, apesar de tudo, sinto falta dela.

— Também sinto, às vezes. — Evie sentia falta da risada da mãe e de como a casa sempre parecia mais quentinha quando ela estava ali. Mas, acima de tudo, sentia falta do antes.

Antes de a vida ficar mais difícil, antes de as circunstâncias se tornarem desesperadoras, antes de Evie mudar irreversivelmente. Quem ela era antes dessa última década?

Seu pai parecia estar refletindo sobre a mesma questão.

— Mas também é um lembrete, Evie, para proteger seu coração, pois ele pode se quebrar com muita facilidade.

A imagem de Trystan, *o Vilão*, turvou a mente dela. Evie se perguntou por quanto tempo teria mantido o segredo se não tivesse pedido demissão, perguntou-se quantas vezes seria capaz de olhar para as pessoas que mais amava no mundo e enganá-las.

Isso fez Evie se lembrar de um vaso que Lyssa derrubara do parapeito da janela uns anos antes e de como as duas irmãs Sage se sentaram lado a lado para colar os pedaços.

Mas, no fim das contas, o esforço havia sido em vão.

Um ou dois meses mais tarde, Evie esbarrara no vaso, quebrando-o pela segunda vez.

— A gente consegue consertar? — perguntara Lyssa. — Com a cola?

— Não, meu amor. — Evie suspirara. — Já é difícil remendar algo uma vez. Infelizmente uma segunda vez é pedir demais.

Elas jogaram os cacos fora.

Sua mente e seu coração se fixaram naquele momento até a respiração ficar superficial e o suor grudar na testa. Mentiras demais. Uma coisa era viver uma vida dupla, mas outra coisa completamente diferente era não ser alguém confiável, como se suas opiniões e seu ouvido amigo não valessem de nada.

Lutar o tempo inteiro por um lugar, um lugar que parecesse importante, era a tarefa mais exaustiva a que Evie já havia se submetido.

E ela *estava* exausta; sentia a exaustão na dor de seus membros e no peso das pálpebras enquanto se reclinava na poltrona confortável e fechava os olhos.

Algum tempo depois, o grunhido do pai a despertou no susto. Ela pulou da poltrona e se inclinou sobre ele. Os olhos estavam fechados e a pele estava pálida e sem vida.

— Papai?

— Não se preocupe. A doença ainda não me levou. — Seu pai sorriu de leve, abrindo os olhos azul-claros.

— Não tem graça, pai. — Eles riram mesmo assim, e Evie pegou a mão dele, levando-a aos lábios para beijar o dorso.

Seu pai era forte. Depois que o irmão de Evie morreu e a mãe foi embora, ele fez de tudo para se manter ocupado no açougue, garantindo que suas duas filhas restantes nunca passassem necessidade. Elas o viam menos pela casa, mas não era um problema. Ele havia contratado um tutor particular para Evie, de modo que ela ficasse longe da escola e evitasse conversar com as outras garotas da aldeia que a lembravam do passado, garotas com as quais Evie parecia não ter mais nada em comum.

Era isso que as tragédias faziam com uma família: elas a isolavam. Seu pai parecia ser o único que ainda se sentia à vontade em meio aos vivos, com os vários amigos da aldeia ao lado dele, confortando-o nos meses e anos que se seguiram. Quanto a Evie, ela se contentara a viver com os fantasmas.

Lyssa crescera e se tornara uma pessoa extremamente sociável, encantando a todos que cruzavam seu caminho, intocada pela tragédia que havia presenciado quando bebê. E Evie, por sua vez, permanecera a mesma. Estranha.

Ela sempre dizia a coisa errada, sua mente e seus pensamentos não se acostumavam a ser uma companhia polida. Com isso, Evie ficava tão preocupada a cada interação que, após um tempo, resolvera parar de tentar, parar de viver.

As coisas só pioraram depois que o pai adoecera. Mais uma desculpa para se enterrar no trabalho a ter que se permitir ser uma pessoa. Até que ela começara a trabalhar para o Vilão.

Era irônico que um homem que lidava com tanta morte parecesse tê-la trazido de volta à vida, mas, àquela altura, tudo já estava acabado. Evie regrediria pouco a pouco até cada parte de si mesma se transformar em cinzas, como dentes-de-leão carbonizados.

As lágrimas ardiam nos olhos, mas Evie as conteve e abriu um sorrisão para o pai.

— Está tudo bem — comentou, ecoando as palavras que dissera a Lyssa naquele campo de desejos queimados, tantos anos antes.

Estava tudo bem.

CAPÍTULO 22
Vilão

— Que raios é isso?

O homenzinho tremia enquanto se afastava cautelosamente da mesa de Trystan.

— É... é elixir de caldeirão, senhor.

Ele segurava firme o cálice de prata que continha o líquido preto e repugnante.

Sem creme, sem açúcar, sem as tentativas ridículas de Sage de fazer carinhas com o leite. Estava tudo errado.

— Eu não pedi elixir de caldeirão — disse ele em tom sombrio.

— Claro, senhor, mas, hm... você chegou a me dizer dez minutos atrás: "Traga um elixir para mim imediatamente, Stuart, ou eu arranco sua pele."

Ah, sim, Trystan dissera aquilo, não era? Tinha pensado em se abster da bebida até conseguir colocar um pouco de leite nela, mas lá pelo meio-dia estava com uma dor de cabeça tão grande que ficara desesperado.

— Não quero essa porcaria… tira isso da minha frente *agora mesmo*! — Ele se levantou e empurrou o copo em direção ao homem apavorado, que mal conseguiu pegá-lo antes de sair correndo da sala.

Trystan olhou de relance para Reinaldo. O sapo coaxou enquanto erguia uma plaquinha que dizia simplesmente: CABEÇA-DURA.

Pela primeira vez, o sapo resumiu tudo perfeitamente.

Ignorando o anfíbio, Trystan voltou a se acomodar atrás da mesa para se concentrar em seus planos malignos. Certamente pensar em caos e destruição acalmaria seu mau humor.

De tarde, Trystan ficou surpreso que o escritório ainda estivesse de pé.

Um incêndio havia eclodido no corredor sul e quase havia queimado uma sala inteira de mapas. Começara quando duas fadinhas de fogo tiveram um desentendimento que resultara em chamas que se espalharam depressa, e só Sage sabia onde encontrar os dispositivos de irrigação que ela insistira em instalar no seu primeiro mês de trabalho.

— Você nunca vai vê-los! — comentara Sage. Os cachos balançavam com a empolgação pela instalação dos aspersores.

Ela recolhera a mangueira feita de um certo material no qual insistira que Trystan investisse, chamado "borracha", e a empurrara para dentro da parede. O mecanismo se encaixava no lugar, a tubulação de borracha se encolhia e desaparecia atrás dos tijolos brancos.

— Estão escondidas por toda a mansão! Quando se tem uma estrutura desse tamanho, é importante estar preparado para incêndios, ainda mais com tantas vidas sob seus cuidados. — Ela sorrira e puxara o caderninho da bolsa. — Eu listei os trinta lugares onde elas estão e vou te levar a cada uma delas para que você saiba exatamente como encontrá-las.

Trinta?

— Sage, por mais encantadora que uma turnê por todas as mangueiras possa parecer, eu tenho trabalho de verdade a fazer.

Ela fechara a cara, o que lhe causara uma sensação desconhecida e desconfortável bem no peito.

— Mas o que você vai fazer se tiver um incêndio?

— Vou perguntar a você onde está a mangueira — respondera Trystan, sem rodeios.

Sage franzira o nariz, como costumava fazer, e olhara para ele com uma curiosidade que era quase… encantadora? Ele estremeceu.

— Mas o que você vai fazer se eu não estiver aqui? — perguntara ela.

— Você sempre vai estar aqui, Sage.

Trystan piscou e sentiu uma ardência sob os olhos. Atravessou seu escritório e abriu as portas de madeira que davam para a varanda danificada. As portas bateram atrás dele, e Trystan semicerrou os olhos para afastar o calor úmido do ar. A estrutura do outro lado estava coberta e sustentada por vigas de madeira que auxiliavam na reconstrução.

Ele parou logo antes do fim destruído e o calor do ar voltou a queimar seus olhos. Trystan resolvera não se importar com a partida dela. Ele não ousaria ir atrás de Sage, e ela não ousaria voltar ali depois da maneira cruel como falara com ela.

Àquela altura, o calor já estava implacável, e a umidade era tão forte que uma gota d'água escorreu por sua bochecha. Ele a enxugou furiosamente e olhou para a mão molhada com nojo.

— Senhor?

A voz da srta. Erring cortou o silêncio, fazendo a umidade que molhava seus olhos secar em segundos. Franzindo o nariz como se tivesse sentido um cheiro desagradável, Trystan virou de leve a cabeça na direção dela.

— O que foi agora? — perguntou rispidamente.

A mulher sempre parecia meio tensa, mas naquele momento o rosto estava tão contorcido que parecia que ela estava prestes a engolir a própria língua. A srta. Erring balançou a cabeça e os óculos largos escorregaram pelo nariz.

— Um dos homens responsáveis pelas finanças da mansão está furioso pois não consegue decifrar a caligrafia do perito em uma avaliação.

Trystan franziu a testa, confuso.

— E o que exatamente o perito estava avaliando?

— Várias caixas de joias que estavam a caminho do rei Benedict, ajuda enviada de um dos reinos do norte, Roselia... Foram interceptadas pelos Guardas Malevolentes essa manhã.

Que plano brilhante... uma pena que ele não se lembrasse de tê-lo bolado.

— Quem foi que organizou isso? Os reinos do norte normalmente enviam suas remessas com um exército inteiro de guardas.

A boca da srta. Erring se curvou para baixo, mas ela o encarou diretamente ao dizer:

— Foi Evangelina que elaborou os planos um mês atrás e você os aprovou, senhor.

Não, era impossível... Mas ele tinha aprovado, não tinha? Sage sugerira que alguns dos Guardas Malevolentes usassem uniformes de Roselia, infiltrando-se aos poucos e eliminando os verdadeiros cavaleiros do reino um a um.

Era um plano suicida, mas ela parecia ter certeza absoluta de que daria certo. Então, ele aprovara, exigindo que alguns dos seus melhores guardas o executassem; não havia necessidade alguma de levar os novatos a um fim prematuro. Pelo menos os guardas mais experientes teriam uma chance de saírem ilesos.

Mas eles não apenas saíram ilesos: eles tiveram sucesso.

— Bom, isso é excelente. Mas eu ainda não estou entendendo o conflito. Por que o nosso consultor financeiro não consegue ler a letra do perito?

Nos dois anos em que ele a conhecia, Rebecka Erring nunca havia retirado a sua máscara de compostura. Mesmo no momento em que Trystan a conhecera, sob circunstâncias desagradáveis, ela permanecera impassível. Mas Rebecka surpreendeu Trystan ao revirar os olhos.

— A caligrafia é um horror, senhor. Seria necessário um tradutor para decifrar uma letra que seja daquele garrancho.

O pavio de Trystan estava tão curto que parecia prestes a explodir.

— Bom, como é que conseguíamos ler antes?

Mas ele já sabia a resposta antes que o olhar desconfortável cruzasse o semblante dela.

— A Evie sempre conseguia ler sem problemas — disse ela. — Edwin costumava lhe dar doces enquanto ela lia. — A julgar pelo tom de voz, a rigorosa mulher não aprovava aquela atitude.

Porém, Trystan mal conseguia se importar. Estava chegando à dolorosa conclusão de que seu escritório não existia sem Sage. Ou melhor, até existia. Mas, francamente, era um desastre disfuncional.

As emoções honradas daquela manhã se transformaram naquilo que sempre tinham sido: uma maneira de seu cérebro racionalizar o arrependimento. Ele realmente odiava estar errado, mas, se tinha alguém para quem admitiria estar errado, seria Sage. Que provavelmente jamais voltaria a pisar naquele lugar... o que significava que Trystan teria que ir até *ela*.

Trystan tentou não deixar a agitação transparecer em suas palavras enquanto olhava para a srta. Erring e dizia:

— Peça à equipe de finanças que deixe isso de lado, eu mesmo vou tentar decifrar essa caligrafia.

Ela fez que sim e virou-se para sair, mas, antes de ir embora, olhou para as ruínas ao fim da varanda.

— Não é interessante como somos mais rápidos para consertar certas coisas do que outras?

Havia uma acusação naquelas palavras que fez Trystan semicerrar os olhos para ela.

— O que você está insinuando, srta. Erring? — Ele percebeu a grosseria no tom de voz, mas, para o mérito de Rebecka, ela se manteve firme, sem vacilar.

— Que talvez você precise deixar o orgulho de lado para ver com clareza o que realmente precisa ser consertado.

Era a coragem com que ela falava que fazia Trystan respeitá-la. Rebecka Erring não tinha medo quando acreditava estar certa. Foi esse respeito que a salvou.

— Cuide dos seus problemas antes de se meter nos meus, srta. Erring. Você pode aconselhar os meus funcionários, mas não a mim.

Rebecka assentiu obedientemente, e a chama da disputa se esvaiu dela em um instante. Aquilo o confundiu. Rebecka Erring estava insinuando que a saída de Sage era algo que precisava ser consertado? Trystan tinha certeza de que a rixa entre as duas era mútua.

— Srta. Erring, você quer que a srta. Sage volte? — perguntou ele, curioso.

Ela não olhou para o chefe, apenas deu-lhe as costas ao se virar para abrir a porta pesada.

— Não, não quero — disse baixinho. — Mas acho que ela merece voltar.

As palavras foram tão diretas e sinceras que Trystan se recostou contra a parede de pedra, e o estrondo da porta ao se fechar soou distante nos seus ouvidos. Ele passou a mão pela boca, descendo até pousá-la abaixo do queixo.

Em seguida, olhou para os escombros mais uma vez antes de voltar ao escritório.

Conserte isso.

Infelizmente, Trystan não tinha as habilidades necessárias para consertar nada. Era muito melhor em destruir tudo em que tocava.

Por isso, ao fim daquele terrível dia, Trystan duvidou que até mesmo a mansão se manteria de pé.

CAPÍTULO 23
Vilão

Uma batida suave na porta do escritório de Trystan foi a gota d'água.

Faltava quase uma hora para o fim do dia, e ele mal podia esperar pelo pôr do sol e pela chegada da noite. Trystan queria se afundar nela.

Ele se afastou da cadeira e foi até a janela. Quase explodiu ao ouvir a porta se abrir bem devagar mesmo assim.

— A menos que seja outro incêndio, não quero ser incomodado — disse rispidamente.

A magia mais sombria dentro dele pulsou, almejando encontrar um ponto fraco e destruir quem quer que se atrevesse a entrar em seu domínio sem ser convidado.

— Explodi metade da varanda semana passada. — Cada parte do seu corpo se enrijeceu como uma tábua, mas, lá no fundo, ele relaxou ao ouvir a voz continuar. — Isso conta?

Ele deu meia-volta, sentindo a necessidade de vê-la, mas congelou quando uma sensação desconfortável se agitou no peito. Em seguida, enfiou as mãos nos bolsos frontais da calça e a encarou.

A ex-assistente parecia a mesma: ainda baixinha, ainda de cabelos escuros. E ainda com olhos que pareciam saber demais e lábios que viviam se curvando para cima. Trystan passava mais tempo sem vê-la nos fins de semana, então a reação que seu corpo estava tendo era ridícula.

Mas ele estava *feliz* de vê-la. Era uma emoção verdadeiramente absurda e desnecessária, mas ali estava. Ele estava feliz... Como aquilo era detestável.

E a leveza em seu peito só fez aumentar quando Evie começou a falar:

— Eu não gosto de sentir que não sou capaz de fazer alguma coisa. — As palavras apenas saíram da boca de Sage, sinceras e não ensaiadas.

— Tá... — disse ele, neutro.

— Isso me faz agir de forma irracional. É como se despertasse algo em mim que...

— Espera. — Trystan levantou a mão para interrompê-la e olhou por cima do ombro de Sage em direção à porta aberta. — Só um segundo. — Em seguida, moveu-se rapidamente até ali e notou o grupo de curiosos tentando espiar, que se dispersou diante de seu olhar ameaçador.

Exceto Gushiken, que passou pela área com mais um curativo na cabeça, percebeu a presença de Sage e se virou para Trystan, dando um soquinho no ar em comemoração.

O Vilão lhe mostrou o dedo do meio antes de fechar a porta e virar-se para Reinaldo, que se encontrava imóvel em sua mesa. Pelo menos não estava segurando a plaquinha de mais cedo.

— Será que você poderia ir... para qualquer outro lugar? — perguntou Trystan. Quando a criatura pulou da mesa e aterrissou no parapeito da janela, ele suspirou e olhou para Sage. — Prossiga.

— Eu sei que existem coisas que você não quer confiar a mim. Sei até que existem coisas que simplesmente não consigo fazer.

Ele duvidava muito disso, mas não disse nada.

Sage dirigiu-se à sua cadeira de sempre; Trystan optou por continuar de pé, apoiado na própria mesa.

— Mas não conseguir cuidar do que eu preciso, das pessoas que eu preciso... me deixa morta de medo.

Aquilo atiçou sua curiosidade, e suas sobrancelhas se ergueram em surpresa.

Certamente aquela mulher não se via incapaz de *nada*. Além disso, ela sabia que a reação exagerada de Trystan e o tratamento que dispensara a ela estavam errados, que ele estava errado a respeito da carta. Sendo assim, por que estava se justificando?

— Sei que não posso saber de tudo e respeito isso. Você é um homem de muitos segredos, ao contrário de mim. — Ela riu um pouquinho no final, aquele riso autodepreciativo... Trystan o conhecia muito bem.

Sage continuou, e seus olhos claros encontraram os escuros dele. Diante daquilo, Trystan flexionou nervosamente as mãos nas laterais do corpo para aliviar a tensão que se espalhava por seus membros e quase parecia fazer cócegas.

— Mas quando você me acusou de ser desonesta...

Trystan contraiu os ombros.

— Me magoou. Você nem me deu a chance de explicar.

Me magoou.

Trystan se perguntou se Sage ficaria traumatizada pelo resto da vida caso ele pulasse da janela.

— Porém… — Ela fez uma pausa. — Eu não deveria ter pedido demissão daquele jeito tão abrupto. Meus sentimentos falaram mais alto naquele momento, e eu não teria tomado aquela decisão se eu tivesse me dado um tempo para processar adequadamente o que estava sentindo.

Sage respirou fundo, mantendo o olhar fixo nele.

— Por isso, peço desculpas sinceras e gostaria de pedir meu emprego de volta.

Um silêncio se estendeu pelo ambiente enquanto eles se encaravam. Trystan se deu conta de que entreabrira os lábios enquanto Sage falava e, naquele momento, olhava para ela totalmente atônito, como um peixe ensandecido. Engolindo em seco, ele moveu a mandíbula de um lado para o outro, numa tentativa de aliviar a rigidez.

— Você quer voltar? — Havia um entusiasmo em seu tom de voz que ele gostaria de esmagar como se fosse um verme.

Sage assentiu, e seus olhos brilhavam com os últimos raios de sol que entravam pela janela.

— Eu realmente amo trabalhar aqui.

Trystan deveria deixar as coisas como estavam: ambos reconhecendo que ele estava certo e que ela havia agido exageradamente — e tudo voltaria ao normal sem problema nenhum.

Me magoou.

Culpa. Ele sentia uma culpa intensa e insuportável. Vê-la sentada ali, tão sincera, razoável e cheia de esperança, o incomodava profundamente, fazendo sua cabeça latejar.

Trystan caminhou lentamente até sua cadeira e se sentou, sem deixar o silêncio continuar tomando conta.

— Sage, eu... — Tatianna devia ter colocado algo no elixir dele, só podia ser isso... Era a única explicação para o que sentia ao olhar para ela; tinha que ser.

Seu desconforto só aumentou ainda mais quando olhou para Reinaldo, que segurava uma plaquinha do outro lado da sala com a palavra FALE.

Trystan se levantou abruptamente e deu um susto nos dois, o que levou Sage a se levantar na mesma hora também. Ele rodeou a mesa devagar, os olhos fixos nela. Ficou imaginando se existia uma palavra para quando a falha é clara, uma palavra que definisse aquele sentimento de que, por mais que tentasse resistir seguir aquele caminho, ele o encontraria.

Como Evangelina Sage o encontrara.

— Sinto muito. — O pedido de desculpas saiu rápido, e Trystan teve quase certeza de que sua voz ficou uma oitava mais fina, o que não só era constrangedor, bem como o fazia reconsiderar a ideia de pular pela janela.

— Você... sente muito? — O queixo de Sage caiu tanto que Trystan se perguntou se não chegaria a tocar o chão.

— Deixa de drama. Não é como se eu tivesse contado que durmo com uma luzinha acesa de noite.

Sage arregalou os olhos ao ouvir aquelas palavras, e Trystan murmurou um palavrão em voz baixa.

O brilho travesso nos olhos dela a entregava enquanto ela coçava o queixo, imitando um dos antigos especialistas em magia.

— Senhor, você dorme *mesmo* com uma luzinha acesa durante a noite?

Trystan balançou a cabeça e esfregou os olhos com o dorso da mão, murmurando:

— Eu não... *não* durmo.

A risadinha que ela soltou foi tão alta e estridente que deveria atrair os pássaros à janela, à procura dos seus semelhantes, mas era tão adorável que ele esperava ouvi-la de novo.

Merda.

— Você dorme com uma luzinha! Pra quê? Ela queima insetos? É uma tentativa de atrair alguma coisa para a morte? — Sage falava tão rápido que parecia que sua boca mal conseguia acompanhar.

Trystan suspirou e balançou a cabeça, aceitando aquilo como seu castigo.

— Eu uso a luzinha para o propósito dela: tornar a noite... menos escura. — Ao dizer isso, fez uma careta.

Meus deuses, que ridículo.

— Esse é o melhor dia da minha vida. — Sage franziu o nariz e riu enquanto começava a dar seus pulinhos de animação, como se a risada fosse lançá-la ao sol. — Por que você precisa "deixar a noite menos escura"? — questionou ela, imitando a voz dele.

Com uma das mãos no quadril e a outra na testa, Trystan sentia-se exausto.

— Eu às vezes temo a escuridão, principalmente quando estou sozinho ou no meu quarto...

O queixo de Sage pareceu tocar o chão mais uma vez, chocada e sem palavras. Era algo preocupante.

Trystan se irritou.

— Isso é um problema?

— Não. Claro que não — disse ela, e sua diversão foi dando lugar a uma expressão mais suave. — Há quanto tempo você tem medo do escuro?

— Eu *não* tenho medo do escuro, Sage. Sou o Vilão... é o escuro que tem medo de mim. — Ele estufou o peito para reforçar seu argumento, o que só fez com que ela risse de novo.

— Peço perdão, senhor — disse Sage, arrependida. — Há quanto tempo você teme a escuridão... *especialmente no seu quarto*? — Ao falar a última parte, ela fez sua voz ficar mais grave, imitando-o.

— Desde criança — admitiu, mas não chegou a mencionar como tinha piorado ao longo dos anos nem por quê. Sage pareceu ter percebido, pois estendeu a mão e a colocou sobre a dele. Trystan se retesou com o toque, como sempre fazia ao ter contato com outro humano, e olhou rapidamente para a mãozinha sobre a dele.

— Eu tenho medo de joaninha — comentou ela, assentindo com seriedade.

Trystan ficou boquiaberto e olhou para o teto, perguntando-se como tinha chegado àquele ponto. Pedindo desculpas a uma funcionária — mal e porcamente, diga-se de passagem, porque de alguma forma a conversa tinha desviado para insetos.

Como ele não disse nada, ela acrescentou:

— As pintinhas me assustam.

— Claro que sim — respondeu Trystan, resignado. — Sage, eu estava tentando pedir desculpas.

— Ah, claro! Desculpa, pode continuar! — Ela parecia constrangida enquanto dava um passo para trás e fazia um gesto para que ele prosseguisse.

Com um suspiro, Trystan continuou:

— Você não fez nada que me indicasse que é incapaz ou indigna da minha confiança. A minha reação à carta foi um exagero, e foi muito injusto da minha parte...

Ela o interrompeu rapidamente.

— A carta não era...

— Eu sei — disse Trystan, erguendo a mão para interrompê-la. — Gushiken me contou.

A boca de Sage se contraiu numa careta.

— Senhor... Você não... Quer dizer, o Blade está...?

— Ainda está respirando.

— Veja bem, pelo jeito como já vi você torturar os homens que arrasta para cá, isso de alguma forma não me tranquiliza — disse ela delicadamente.

— Ele está vivo, ileso e ainda trabalha aqui. — Trystan não queria continuar falando do seu gesto de misericórdia, pois o fazia se sentir mal. Assim, acrescentou rapidamente: — E você também. Se quiser começar de novo.

Os cantinhos dos lábios de Sage, que já estavam curvados para cima, subiram ainda mais, iluminando todo o seu rosto. Aquilo amoleceu o corpo tenso de Trystan, como se ela estivesse dissolvendo seus ossos. Ao se aproximar dele, Sage estendeu a mão.

Hesitando por apenas um instante, o Vilão a apertou.

— Me chamo Evangelina Sage. Prazer em conhecê-lo. Devo chamá-lo de "senhor"? Ou "Soberano do Mal"?

Trystan balançou a cabeça e esboçou um sorriso, o que fez Sage olhar no mesmo instante para sua bochecha, parecendo satisfeita. Ela tinha uma obsessão estranha pela covinha dele.

— Eu aceito qualquer um dos dois, contanto que você me traga uma daquelas frituras da cozinha. E um cálice de elixir de caldeirão açucarado.

— Fechado! — exclamou ela, quase tropeçando nos próprios pés ao correr para a porta.

— Sage? — chamou Trystan, arrependendo-se no mesmo instante quando ela se virou e olhou para ele cheia de expectativa. — Eu só queria entender... por que você quer tanto minha confiança?

Ela apoiou a mão na bochecha e ergueu uma sobrancelha, pensativa.

— Eu quero te conhecer melhor, só isso.

Só isso? Como se aquela frase por si só já não fosse o suficiente para tirá-lo dos eixos. Sage desapareceu porta afora e Trystan se encostou na parede, deslizando até se sentar no chão, com os braços apoiados nos joelhos.

Eu quero te conhecer melhor.

Sentado ali, Trystan sentiu um medo genuíno, porque, pela primeira vez em uma década, a ideia não lhe parecia tão ruim.

Mesmo assim, de alguma forma ele sabia que, mais cedo ou mais tarde, Sage seria a sua ruína.

CAPÍTULO 24
Evie

As coisas andavam calmas demais.

A última semana e meia de trabalho voltara ao ritmo normal e constante. O chefe seguia arrastando homens enlameados pelas orelhas por ali, ainda por motivos desconhecidos para Evie. Duas importações de armas e outros produtos roubados foram desviados de Roselia e chegaram à mansão sem nenhum problema.

O infiltrado no escritório deles estava perdendo o jeito.

Evie estava saboreando um doce de baunilha na cozinha, de frente para a janela que tanto amava e que não tinha tido muitas oportunidades de visitar ultimamente. Para melhorar, Edwin acabara de preparar uma nova fornada de bolinhos de fada, todos com uma cobertura perfeita. Ela estava aproveitando para botar o papo em dia até Becky estragar tudo.

— Deve ser ótimo ter um comportamento completamente antiprofissional e ser aceita de volta como se nada tivesse acontecido.

Evie revirou os olhos. Em seguida, encarou Becky, que estava parada na porta de braços cruzados.

— Deve ser ótimo ser uma megera que só sabe julgar os outros e usar isso como parte da sua personalidade. — Evie abriu um sorriso atrevido.

Com um sorrisinho malicioso, Becky foi até o caldeirão fumegante e estendeu seu cálice para que Edwin o enchesse. O ogro tinha o dobro do seu tamanho, mas não fazia contato visual com ela.

— Melhor ser uma megera que só sabe julgar os outros do que ser uma tola ingênua que sempre se mete em confusão.

O olho de Evie começou a tremer.

— Você não tem nada melhor para fazer? Tipo roubar doces de crianças, talvez?

Becky semicerrou os olhos, pegou sua bebida quente e saiu da cozinha. À medida que ia se afastando, as saias balançavam.

Blade saiu da frente dela como se sua vida dependesse daquilo ao entrar na cozinha e se aproximar de Evie, mantendo a cabeça virada o tempo todo e os olhos fixos na direção em que Becky se movia às pressas.

Ele abriu um sorriso de orelha a orelha.

— Ela estava extremamente desagradável durante a sua ausência. É ótimo vê-la voltar à velha forma.

Até parece.

— Ah, sim, porque ela tem sido um verdadeiro amor durante toda a semana.

Evie voltou para sua escrivaninha com o elixir na mão e Blade a seguiu de perto.

— Esqueça a doce Rebecka. Tenho uma coisa incrível para te mostrar. — Blade sorriu, e o branco em contraste com a pele bronzeada de sol lhe deu um brilho de saúde e vigor. — Será que o chefe poderia te liberar por vinte minutos?

— Com certeza ele não vai ligar, considerando que não está na mansão hoje. — Com um suspiro, ela ignorou a pontada de preocupação. — O que é?

— Só vem — insistiu Blade, pegando a mão dela e a puxando. Tatianna apareceu ao lado deles com uma expressão entediada no rosto.

— Aonde estamos indo? As coisas andam calmas.

— Nenhum estagiário para cuidar? — indagou Evie quando os três começaram a descer as escadas. — Nem a irmã do chefe para tratar? — Ela abriu um sorrisão assim que Tatianna lhe deu um leve empurrãozinho.

— A *o que* do chefe? — quis saber Blade, erguendo as sobrancelhas. Em seguida, ele se aproximou, envolvendo um braço musculoso ao redor dos ombros de Tatianna. — Compartilhe com a turma, eu amo fofoca.

— Eu não vim nessa excursãozinha para ser interrogada, apenas entretida.

Evie ergueu a mão.

— Eu estou bem entretida. — Então, tratou de baixar a mão quando percebeu o olhar que Tatianna estava lhe lançando.

Ao entrarem no pátio interno, a empolgação pulsava em Blade como se fossem ondas.

— Esperem só até vocês verem o progresso que eu e o Fofucho fizemos. Foi um avanço significativo em relação a tudo que tentamos nos últimos meses.

As duas mulheres pararam abruptamente na entrada e trocaram olhares confusos.

— Você disse… Fofucho? — perguntou Evie.

Blade riu sozinho.

— Pois é, mas acreditem em mim quando eu digo… Chefe!

O coração de Evie disparou e ela ficou dolorosamente consciente da formidável presença pairando atrás dela. As suspeitas foram confirmadas ao ouvir uma voz baixinha, perto demais do ouvido dela:

— Vocês estão fugindo no meio do expediente, seus ingratos? — Não havia raiva em seu tom, só uma exaustão cautelosa.

Evie se virou e o viu parado bem atrás dela, com a expressão sombria e olheiras marcando os olhos.

— O Blade queria mostrar uma coisa pra gente. — Então, ela fez uma pausa, levantou a mão e esfregou levemente um dedo sobre uma das manchas escuras. Evie e o Vilão deviam ter ficado igualmente chocados com a ousadia dela, pois nenhum dos dois se moveu. — Você tem dormido direito?

Tatianna arqueou a sobrancelha com um meio sorriso e Blade pareceu achar algo muito interessante nos próprios sapatos.

— O sono não é exatamente uma preocupação — disse o Vilão e, por fim, pegou a mão dela e a afastou. Evie sentiu os dedos do chefe se demorando nos dela por um segundo a mais do que o necessário, mas devia estar imaginando coisa.

Ela apoiou a mão no quadril.

— Você não é uma máquina, senhor. Ainda dá pra continuar exercendo seu lado maligno e sombrio com uma boa noite de sono.

— Sei lá. Acho que a aparência cansada dá a ele uma aura ameaçadora. — Blade balançou a cabeça e deu um tapinha no ombro do Vilão, mas parou na mesma hora quando viu o olhar dilacerante que recebeu como resposta.

— Eu acho que só o faz parecer sonolento — disse Tatianna sem rodeios, e então inclinou a cabeça para ver melhor.

— Será que podemos parar de discutir meus hábitos noturnos para que vocês três possam começar a explicar por que meus funcionários supostamente respeitáveis estão longe dos seus postos? — Ele arqueou a sobrancelha e cruzou os braços enquanto esperava uma explicação.

Blade abriu a boca, mas congelou quando o vento soprou contra o portão dos fundos. Ao virar a cabeça, um sorrisão se abriu nos seus lábios.

— Ouviram isso?

— O tempo? — perguntou o Vilão sarcasticamente.

O vento soprou contra a porta, mais forte dessa vez. O barulho fez Tatianna e Evie darem um pulo de susto — e o Vilão, por sua vez, pegou Evie e a puxou para trás dele.

— Que raios foi isso? — rosnou ele.

Blade desfilou até o portão dos fundos e estendeu o braço como se estivesse apresentando o próprio rei Benedict.

— Isso, meus amigos, foi o Fofucho.

CAPÍTULO 25
Vilão

A pulsação do Vilão martelou nos ouvidos ao sentir os olhos perspicazes de Sage sobre ele. Limpando a garganta, virou-se lentamente na direção dela, mas a assistente já estava passando por ele, de braço dado com Tatianna.

Com a surpresa estampada no rosto, a curandeira exclamou:

— Por que chamar o pobre animal assim?!

Gushiken olhou na mesma hora para ele, e Trystan semicerrou os olhos na direção do homem. Era bom ele não compartilhar...

— Ah, foi só a coisa mais boba que eu poderia pensar! Meio que uma vingança por todo o transtorno que ele me causou.

E... o exemplo perfeito da coisa mais errada a se dizer. Excelente. O Vilão quase desejou que o homem tivesse admitido que ele havia sugerido o nome, dada a maneira como os ombros de Sage ficaram tensos.

Ela soltou o braço de Tatianna e marchou até o pátio, seguida de perto pela curandeira.

— Como você ousa nomear essa pobre criatura por vingança, Blade Gushiken?

O treinador de dragões pareceu se sentir culpado com o puxão de orelha.

Trystan seguiu atrás deles, sentindo-se o cocô do unicórnio do bandido.

O pátio dos fundos era uma de suas partes preferidas de toda a mansão. O amplo espaço era coberto de pedra, com tufos de grama e plantas surgindo pelas frestas. As arcadas de pedra sofreram desde que a criatura começara a crescer e ter chiliques diários, batendo com o pescoço acorrentado em tudo à sua volta.

Diferente de agora, quando Trystan percebeu que a criatura parecia estranhamente calma.

Calma demais.

— Cadê a corrente do dragão? — perguntou o Vilão, tentando se manter no mesmo nível da fera cuspidora de fogo... que estava olhando diretamente nos olhos de Sage com as narinas dilatadas. Trystan sentiu seu poder se mover sobre ele como uma nuvem escura, alterando sua visão para que tudo o que pudesse enxergar fossem pontos vulneráveis fatais na pele escamosa do dragão.

Do lado esquerdo de uma pata cheia de garras havia um ponto fraco. Se Trystan acertasse bem ali, o dragão cairia no chão, paralisado para sempre. Mas aí ele viu as marcas das correntes em volta do pescoço da criatura, que brilhava com cicatrizes. Aquilo o fez hesitar.

Seu poder recuou para dentro de si — exatamente no momento em que Sage estendeu a mão trêmula em direção à criatura.

— Sage — sussurrou ele, em meio ao silêncio fantasmagórico. — Eu não faria isso.

Mas ela não tirava os olhos admirados do dragão, e então sussurrou:

— Ei, dragão. — Em seguida, estremeceu bem de leve quando a criatura bufou.

— Está tudo bem — garantiu Gushiken. — Assim que comecei a chamá-lo por um nome, ele ficou mais calmo. Está tão inofensivo quanto um gato de estimação.

— Um gato de estimação que tem asas… e cospe fogo — corrigiu Tatianna, e então deu um passo cuidadoso para longe do *Fofucho*.

— Provavelmente tirar a corrente ajudou mais. — O Vilão chegou mais perto da criatura, posicionando-se sutilmente entre o dragão e Sage. — Tenho certeza de que isso o acalmou. Eu não sabia… — Ele sentiu um aperto de culpa no peito. — Que as correntes eram tão dolorosas para ele.

Gushiken franziu a testa e estalou a língua enquanto chamava a criatura para perto. Fofucho virou-se todo sem jeito nas patas traseiras e encostou o focinho na mão do treinador.

— Eu também não sabia, mas, mesmo que não fosse fisicamente doloroso, ninguém gosta de ser acorrentado. Eu deveria ter percebido antes.

Trystan entendia aquilo melhor do que a maioria, mas reprimiu a memória antes que ela pudesse se formar completamente e romper a fortaleza que ele havia construído para mantê-la afastada.

— Fico satisfeito… que ele pareça estar melhor. — A criatura virou-se para ele com uma sabedoria profunda naquele olhar semicerrado. O Vilão quase se curvou para fazer reverência, concedendo ao dragão o respeito que lhe era devido.

Mas Trystan manteve as pernas firmes, tentando esconder a admiração por trás de uma fachada de indiferença. Em seguida, virou-se para o portão da mansão, incapaz de olhar para a criatura por mais um segundo, sabendo que lhe causara mal.

— Espera, chefe, você não ouviu a melhor parte! — gritou Gushiken. O Vilão não se virou; só parou onde estava, de costas para os três. — Quando eu tirei as correntes, reparei numa coisa interessante gravada por dentro.

O ruído do metal o fez virar o pescoço. E então ele viu o treinador de dragões arrastando um grande anel prateado, tão grande que Blade precisava esticar os braços ao máximo para que pudesse carregá-lo. Ao deixá-lo cair aos pés do Vilão, ele apontou para a parte de dentro, onde havia letrinhas entalhadas:

O VILÃO VAI CAIR.

Trystan passou o dedo pelas palavras e cerrou a outra mão em um punho rígido enquanto as unhas afundavam na palma. As duas mulheres espiaram a frase e arfaram.

Sage se abaixou ao lado dele, apoiando a mão suave em seu braço e acalmando na mesma hora sua magia crescente.

— Nós já tínhamos as correntes aqui antes mesmo da chegada de Blade. Alguém autorizou uma remessa de armas e equipamentos a ser entregue, e isso aí estava junto. Vieram em um carregamento que interceptamos no comércio entre o rei Benedict e Groena. O reino ao leste. Foi na minha primeira semana aqui.

Havia algo o incomodando, algum detalhe que ele estava deixando de notar, mas os nós daquele mistério tortuoso se recusavam a se desfazer. Parecia que eles não paravam de chegar a becos sem saída, sem respostas de verdade, e um agente do seu pior inimigo ainda estava em algum lugar daquele castelo, um lobo em pele de cordeiro.

Ele sabia que o rei Benedict estava por trás dos ataques. Afinal, fora o rei quem começara aquela guerrinha entre eles. Mas, embora Benedict possa ter lançado os navios, foi Trystan que havia disparado o primeiro canhão, e o faria de novo. Era o trabalho do Vilão, afinal de contas.

— Benedict sabia que isso chegaria a mim. Sabia que o Blade pegaria o dragão, mandou fazer isso aqui e trouxe por meio do traidor. — Ele chutou as correntes e uma explosão de fúria impulsionou seu poder até os limites do pátio, enquanto a magia buscava fraquezas que pudesse explorar, que pudesse matar. — Ele está brincando comigo.

Sua voz saiu dura e fria ao acrescentar:

— Mas eu vou ganhar esse jogo, vou pôr a cabeça dele numa lança.

E, com isso, Trystan caminhou até o portão do castelo mais uma vez, com um propósito sombrio em cada passo. Ele esperava que Benedict estivesse confortável com as vantagens insignificantes que havia conseguido até então, pois sua série de vitórias estava prestes a ser interrompida abruptamente.

Esfregando o pescoço e sentindo suas próprias correntes apertarem ali, o Vilão abriu um sorriso. Ele acabaria com todas as esperanças que Benedict e qualquer um dos seus apoiadores tinham. Observaria todos eles tentando salvar suas vidas miseráveis enquanto lançava a morte sobre cada um.

Benedict tinha sido o primeiro a olhar para o rosto de Trystan e chamá-lo de monstro, e seria o maior prazer da sua vida lembrar ao rei exatamente o que isso significava.

CAPÍTULO 26
Evie

— **É ele! É o Vilão!** — gritou Jayne Fairmond, chamando a atenção de vários aldeões na praça.

Era um dia bem movimentado de vendas, com carrinhos e vendedores ocupando as ruas. Havia tecidos coloridos pendurados no alto, e o brilho do material trazido dos Mares de Lavanda e dos tritões que lá viviam refletia a luz do sol. Aromas frescos de pão — provavelmente não tão bons quanto os de Edwin, mas ela os consideraria um segundo lugar próximo — dançavam pelo nariz de Evie.

Mas a tranquilidade foi arruinada por alguém esbravejando a respeito do seu chefe justo em seu dia de folga. Agora, ela teria que atuar.

— Uma imagem do *Vilão*? — Evie precisava soar amedrontada se não quisesse levantar suspeitas. Não era segredo para ninguém do reino que o Vilão tinha simpatizantes, e eles eram considerados escória vilanesca também. Evie achou que deveria gritar ao ver o cartaz… e quase gritou de verdade quando viu o triste retrato do que quer que aquele artista estivesse tentando transmitir.

Quem quer que devesse estar representado no cartaz de procurado não era apenas velho; era um ancião. O nariz não chegava nem perto, e o cabelo estava errado por várias razões, uma delas era que estava pegando fogo. A língua dele estava exposta e era bifurcada como a de uma serpente, e Evie deu um gritinho ao ver uma barba tão comprida que cobria boa parte do pé da página.

— Você teria outro desses? — Ela reprimiu o sorriso com tanta força que fez seus olhos lacrimejarem. Após tossir, acrescentou: — Gostaria de garantir que nunca vou esquecer o rosto do traidor.

Jayne fez que sim, e seus olhos brilhavam de aprovação enquanto ela vasculhava a bolsa e entregava a Evie outro cartaz terrível. Cartaz que ela planejava emoldurar e pôr bem na mesa do chefe.

— Obrigada. — Ela fungou e enxugou uma lágrima imaginária do olho. — Ele é *tão* vil.

— Não se preocupe, Evie. Um dia os Guardas Valentes vão pegar o traidor e acabar com toda a destruição que ele provocou — insistiu Jayne, segurando o cartaz com tanta vontade que chegou a amassar o papel.

— Que destruição, exatamente? — perguntou Evie inocentemente.

Jayne recuou com uma expressão de espanto no rosto.

— Como você pode me perguntar uma coisa dessas, Evangelina? — Ela levou a mão ao peito dramaticamente, dando todos os indícios de que estava prestes a desmaiar. — Os crimes que ele cometeu são tão horríveis que não dá nem pra falar.

Ah, agora Evie entendia.

— Você não consegue citar um exemplo, consegue?

Jayne cruzou os braços sobre o busto farto.

— Claro que consigo! Só tenho o bom senso de não falar disso. — Jayne olhou feio para ela, parecendo querer arrancar o cartaz das mãos de Evie. — Você só tem a chance de trabalhar graças à benevolência do rei Benedict. Se dependesse do Vilão, provavelmente você nem teria um emprego.

— É verdade, Jayne. É verdade mesmo. — Evie assentiu sabiamente, depois virou-se na mesma hora, antes que a mulher pudesse ver o sorriso que Evie era incapaz de conter por mais um minuto. Em seguida, dirigiu-se ao centro da cidade, onde o tumulto seria, bom, menos tumultuoso.

Alguns minutos depois, Evie sentou-se na beirada da grande fonte que marcava o centro exato da vila. Mais uma semana estava prestes a passar e ela ainda se sentia como se estivesse se afogando, como se todas as suas preocupações fossem pesos em seus pés, arrastando-a para baixo até que ela não conseguisse respirar.

Evie notou que o pai estava melhor, pelo menos, pois estava sentado com vários amigos no pátio. Sua pele estava com um brilho saudável enquanto conversava alegremente e Lyssa o abraçava pela perna, com a cabeça virada para cima, como se prestasse atenção máxima a cada palavra dele. Juntos, eles tinham toda a aparência de uma família feliz e saudável, que não tinha segredos sombrios à espreita como um abutre à espera da carnificina.

Evie contraiu os lábios e se levantou. Ainda restavam algumas horas naquele dia. Talvez pudesse revisar suas anotações mais uma vez, à procura de algo a mais que pudesse ter deixado passar.

Naquele momento, Jayne estava acompanhada de um grupo de outras garotas com quem Evie tinha crescido e estudado. Eram todas garotas que olharam para ela entre risos e cochichos sobre a mãe dela após o incidente. Que fingiam simpatia quando lhes era conveniente.

Evie suspirou, balançou a cabeça e deu meia-volta para voltar para casa. Não tinha mais paciência para fingir ser amigável.

Ao se aproximar do pai, deu-lhe um tapinha no ombro enquanto passava a outra mão em uma das tranças de Lyssa.

— Estou indo para casa, papai. Você vai ficar bem com a Lyssa?

Os homens com quem o pai conversava a cumprimentaram amigavelmente enquanto ele fazia que sim e dava um tapinha na bochecha dela.

— Claro, meu bem. Será que você poderia deixar o porta-moedas comigo? Quero pagar algumas bebidas para os meus amigos.

— Ah, hm... Pode ser. — Ela ouviu o tilintar das moedas enquanto depositava a bolsinha na mão estendida do pai. — Só, por favor, não...

Mas Evie foi imediatamente esquecida assim que o pai mergulhou em mais uma das suas histórias, fazendo Lyssa e o grupo de homens caírem na gargalhada.

Enquanto arrastava os pés no chão e chutava terra e pedras, Evie começou a cantarolar baixinho, imaginando ser uma feiticeira com poderes que os outros não podiam sequer começar a entender.

E ela também fingiria que aquele cenário não era um pedido desesperado de ajuda.

Afastando um cacho do rosto, Evie bufou de irritação. Deixara o cabelo solto aquele dia, caindo pesadamente nas costas, e se arrependera cada vez que uma mecha roçava seu rosto. As feiticeiras provavelmente não precisavam se dar ao trabalho de administrar a própria aparência; provavelmente ficavam perfeitas com um estalar de dedos.

Será que elas estalavam os dedos?

Evie nunca quisera ter magia. Mas, às vezes, quando via a facilidade com que as pessoas a usavam, como se fosse uma companhia constante, não podia deixar de imaginar se tinha essa habilidade adormecida. Como a mãe tinha. Ou se um dia a magia a consumiria também.

Ela não sabia se uma magia poderosa demais sempre se voltava contra o dono ou se era apenas falta de controle de quem a usava. E a magia do Vilão?

Evie saiu da praça principal e então passou por um corredor de árvores altas antes de virar à direita num campo gigante cheio de margaridas. Seguiu em frente até ficar de frente para uma árvore imensa no meio da clareira, uma que escalava quando criança. Depois, recostou-se no tronco áspero, jogando todo o seu peso sobre ele, e suspirou.

Evie sabia que o Vilão tinha uma magia sombria, mais sombria do que a da sua mãe, por mais que não entendesse completamente como funcionava. Mas ela entendia que aquela magia fazia dele alguém letal. Será que ele também lutava para que sua magia não o dominasse? Será que tinha sido isso que o levara a escolher uma carreira tão mortífera?

Dobrando os joelhos até se sentar, Evie encostou a cabeça na árvore e fechou os olhos.

Como era seu chefe antes de se tornar o Vilão? O que acontecera para que ele seguisse o caminho que havia escolhido? Que trauma despertara a magia nele?

Evie suspirou mais uma vez e balançou a cabeça. Qualquer que fosse a história triste que estivesse construindo na sua mente, não passava de uma distração para impedi-la de pensar nos verdadeiros problemas.

Problema número um: ela estava se apegando emocionalmente ao chefe.

Problema número dois: seu chefe era também o homem mais odiado de seu reino.

Problema número três: alguém queria ver seu chefe morto — o que afetaria severamente o problema número um.

— Você é uma trouxa com problemas de apego — murmurou ela.

— Está falando com a árvore ou sozinha? — uma voz familiar a questionou.

— Senhor?! — exclamou Evie, levantando-se no mesmo instante com o coração a mil. — Você não pode vir aqui! — sibilou, empurrando-o para trás da árvore e, então, surpreendendo-se ao conseguir mover o corpo avantajado.

— Sage, o que você está fazendo? — Ele arqueou a sobrancelha, mas continuou recuando até que ambos estivessem escondidos.

— Você finalmente perdeu o pouco de juízo que ainda restava nessa sua cabecinha maligna? — Ela o empurrou de novo e ele pegou as mãos dela, detendo-a suavemente. Não havia luvas que separassem as peles, e o calor da palma do Vilão contra o dorso da mão de Evie fez um arrepio percorrer seu corpo. Para piorar, no ângulo em que ele a segurava, ela estava na mesma altura dos lábios dele.

Lábios que pareciam se inclinar e se aproximar um pouco mais.

No entanto, bem rapidamente, o Vilão a soltou e deu uns bons dois passos para trás, flexionando as mãos como se o toque de Evie fosse ofensivo.

— Não perdi nada. Já estive na sua vila antes. Por que essa reação exagerada?

Ele ajustou a gola da camisa, uma peça claramente bem--cortada. Nada ostensivo, mas o couro preto das calças e o brilho limpo e impecável de sua camisa indicavam que o Vilão tinha dinheiro, o suficiente para viver bem.

— Você não acha que o rei Benedict já percebeu que Trystan Maverine e o Vilão são a mesma pessoa? Ele sabe que é você, não sabe? Ele vai saber onde e quem procurar, e eu tenho certeza de que não hesitaria em deixar que toda a Guarda Valente disponível fizesse picadinho de você. — Como ele podia ser tão incrivelmente descuidado e tão calmo?

O Vilão simplesmente ficou ali, olhando para ela, sem revelar nada de útil naqueles olhos escuros.

— Se Benedict quisesse que os homens dele me procurassem, não permitiria que cartazes circulassem com nomes falsos e representações inexatas da minha aparência. — O chefe pegou o cartaz que ela havia ganhado mais cedo, tirando-o de alguma forma da sua bolsa sem que ela notasse.

Evie mordeu o lábio para não sorrir.

— Sei lá, parece um retrato bem preciso. Pensei até em enquadrá-lo.

O rosto do Vilão ficou sério, como se não visse graça nenhuma naquilo.

— Muito engraçado, Sage. — Então, amassou o cartaz e o descartou. — Benedict quer manter qualquer que seja o jogo que esteja jogando entre nós. Sendo assim, vou seguir as pistas e me fingir de besta por tempo o suficiente para que ele ache que ganhou. — O sorriso do Vilão era sinistro. — E aí vou derrubá-lo de uma vez por todas.

Em algum lugar acima dela, um pássaro cantarolou, totalmente alheio ao melodrama que se desenrolava ali embaixo.

— Você faz parecer assustadoramente fácil derrubar um monarca tão querido, senhor.

— Bom, existe uma diferença bem clara entre mim e o rei Benedict.

— E qual seria? — perguntou Evie cautelosamente.

— Eu não me importo em ser amado, e não me importo em fazer as coisas do jeito certo. Eu obscureço qualquer parte da minha alma, se necessário for, para manter meus negócios em funcionamento e derrotar meus inimigos. — Havia mesmo nuvens carregadas surgindo por trás dele de forma ameaçadora ou era só imaginação de Evie?

Ela apoiou-se novamente na árvore, deslizou até o chão e, com a cabeça entre os joelhos dobrados, suspirou e disse:

— Eu não entendo. Você vem fazendo papel de vilão há uma década. Sabota o reino, age como inimigo dele por quase dez anos. Por que só agora ele resolveu enviar alguém de dentro para te derrubar?

— Talvez eu finalmente tenha me tornado incômodo o bastante, ou talvez, já que todo o continente me conhece como um monstro horrendo e cruel, o estimado rei ache que, ao servir minha cabeça numa bandeja ao público quando finalmente lhe convir, ele será visto como um herói. — Trystan se sentou de uma vez ao lado dela, arrancando um tufo de grama com o punho.

— Ou então ele levou dez anos para encontrar alguém disposto a se infiltrar contra você — palpitou Evie. — Alguém disposto a correr o risco de ser descoberto, mais cedo ou mais tarde.

O Vilão fez que sim.

— Seja quem for, o indivíduo tem um método extremamente cuidadoso de compartilhar informações com o rei. Pedi que alguns dos meus guardas ficassem de olho em suspeitos, mas até agora ninguém saiu da linha.

A menos que a pessoa tenha arrumado um jeito codificado de compartilhar informações.

— O que foi que ele fez para causar essa guerra entre vocês? — perguntou ela quase para si mesma. — Não tenho lealdade à coroa, óbvio. Olha só para quem estou trabalhando. — Evie apontou para ele antes de prosseguir. — Mas o rei Benedict é bem-quisto, é até mesmo amado por alguns. Pelo que li nos periódicos, ele passa os dias discutindo com o conselho para fazer com que a educação mágica seja mais acessível para o restante do reino. É graças a ele que as mulheres têm *permissão* para trabalhar. Ouvi dizer que agora está correndo atrás dos direitos empresariais das mulheres junto ao conselho. Não estou dizendo que você está errado em atacá-lo, já que ele claramente está atacando você, mas qual foi o pontapé inicial disso tudo? O que ele fez para merecer tamanha ira?

— Ele pisou no meu pé uma vez. Nunca superei isso — disse Trystan, inexpressivo.

Evie gargalhou e balançou a cabeça.

Trystan se levantou novamente e estendeu a mão para ela. Após levantá-la delicadamente e virar-se para o caminho que levava de volta à vila, ele disse:

— Agora, eu gostaria de ir me encontrar com o ferreiro da sua aldeia, e gostaria que você me apresentasse como seu empregador que está interessado em um tipo raro de espada.

O sangue em suas veias congelou e travou suas pernas.

— O ferreiro? — As mãos tremiam tanto que ela as enfiou nos bolsos da saia. — Por que você quer se encontrar com ele?

— Otto Warsen? — perguntou o Vilão, tirando um pedacinho de papel do bolso da frente. — Blade encontrou o nome gravado no canto inferior da coleira do dragão. Muitos artesãos fazem isso como um modo de marcar seu trabalho. Uma espécie de propaganda, para que quem o admire saiba de onde veio e talvez queira um igual.

Evie engoliu em seco à medida que as pernas finalmente voltavam a funcionar e o seguiu pelo caminho, sentindo um frio nauseante percorrer seu corpo.

— E seja lá quem tenha solicitado a criação da coleira pessoalmente teve que dar a ordem para incluir a gravação — concluiu ela. — Ou, no mínimo, o ferreiro aceitou um suborno para gravá-la em nome de outra pessoa. Pode ser o nosso traidor.

Ele concordou com a cabeça.

— Vamos ter que ser criativos com nossas perguntas. Não quero que ele suspeite de nada desfavorável a respeito de seu emprego e complique sua vida pessoal.

Aquilo parecia ter pouca importância quando um momento que Evie queria esquecer com todas as forças estava prestes a ser jogado na cara dela como um soco.

— É muita consideração de sua parte, senhor.

— Imagino que conheça o sr. Warsen, não?

Evie viu rostos familiares ao retornar à praça, mas ninguém os parou para conversar, pois as apresentações de rua tinham acabado de começar.

— Eu trabalhava para ele, na verdade — admitiu em voz baixa. — Logo antes de começar a trabalhar para você.

Ele deve ter percebido algo estranho na sua voz, pois olhou para ela com uma expressão preocupada e as sobrancelhas franzidas.

— Por que você parou de trabalhar para ele?

— Foi só uma divergência de opinião — explicou Evie, abrindo um sorriso discreto. Sem tirar as mãos dos bolsos profundos da saia, ela avançou cheia de confiança, ansiosa para deixar todos aqueles sentimentos no passado e rezar para que os deuses que criaram esse mundo não a levassem a fazer o que ela desejara ter feito meses antes: dar uma martelada na cabeça do ex-chefe.

Ainda mais na frente do novo chefe. Mas sua raiva ainda estava nítida, sua dor ainda se contorcia dentro dela.

Evie estava perdida.

CAPÍTULO 27
Evie

Aquele passeio era, no mínimo, imprudente. Quanto mais se aproximava da forja, mais apertada ficava a corda invisível em volta do pescoço de Evie. Ela deveria ter dito não àquilo — qualquer desculpa teria servido. Em geral, ela era boa em tecer comentários evasivos para dissuadir até os mais curiosos. Os últimos meses de trabalho tinham sido uma excelente prática.

Mas alguma espécie de choque tomou conta dela, e agora Evie estava prestes a entrar no último lugar que gostaria de estar, enfrentando o último homem que desejava rever. Qualquer sentimento consciente que gritasse para Evie correr tinha sido abafado por trás de uma espessa barreira. Ela não daria ouvidos.

Ela faria aquilo. Por Trystan.

Evie respirou fundo para se acalmar e retirou as mãos úmidas dos bolsos, limpando-as nas laterais da saia. Mas uma onda de náusea a dominou assim que ela avistou a figura robusta de Otto Warsen.

O rosto do homem estava manchado da fuligem preta da forja. Ele segurava um pano em uma das mãos, de pé no pavilhão externo de sua casa, enquanto polia uma espada de aparência majestosa. Evie sentiu, mais do que viu, o olhar do sr. Warsen sobre ela ao vê-la se aproximar, ela e o chefe.

O Vilão.

Ela não estava sozinha nem em perigo, então por que se sentia um sacrifício humano?

O olhar do ferreiro era pegajoso, cobria cada pedacinho exposto da pele de Evie enquanto ele a observava de cima a baixo, e ela precisou reunir cada grama de força de vontade para não voltar para casa e se jogar em um banho escaldante.

Não era a primeira vez que Evie via o sr. Warsen desde que pedira demissão. Desde a noite em que ele a convidara para ser sua acompanhante, com o hálito carregado de rum. Evie tinha visto a raiva distorcer o rosto dele após ter dito que não estava interessada, e tinha ficado claro que precisava fugir. Ela mal sentira a lâmina cortar seu ombro enquanto corria, mas não parou — continuou correndo, correndo e correndo.

Ela não contara a ninguém e nunca mais voltara. Sempre que via o sr. Warsen pela vila, ele sorria e acenava amigavelmente. Já Evie, por sua vez, engolia a bile e seguia em frente.

Mas sempre havia aquele leve lampejo, como se os dois compartilhassem um segredo, e ela sabia que o sr. Warsen adorava aquilo. Ela queria estrangulá-lo.

Mais do que isso, Evie imaginou como se sentiria se o Vilão pendurasse a cabeça dele na entrada da mansão.

De repente, o sorriso no rosto dela se tornou bem sincero à medida que se aproximavam.

— Bom dia, sr. Warsen — disse o Vilão, e sua voz parecia estar ficando mais suave. Ele estendeu a mão para cumprimentar o ferreiro, que rapidamente retirou a luva de couro.

Evie não se mexeu.

— É um prazer, senhor...? — perguntou Otto, com uma careca que refletia a luz do sol.

— Arthur — disse o Vilão naturalmente. — Acredito que você conheça uma das minhas funcionárias, a srta. Sage.

Otto estreitou os olhos com cautela e virou-se para Evie.

— Não importa o que ela...

Antes que ele pudesse continuar, Evie disparou:

— Eu estava comentando com meu chefe sobre seu incrível trabalho artesanal enquanto limpava a coleção de espadas raras dele.

Ainda havia desconfiança no semblante do ferreiro, mas uma pontada de interesse surgiu diante da possibilidade de uma venda.

— Ah, é claro! — Ele abriu um sorriso de orelha a orelha. — A Evangelina testemunhou em primeira mão meu talento com lâminas enquanto trabalhava para mim.

Evie cravou as unhas nas palmas.

— Com certeza testemunhei. — Um pingo de desdém invadiu sua falsa sinceridade, mas os dois homens estavam ocupados demais avaliando um ao outro para perceber.

— O que gostaria de encomendar, sr. Arthur? — Otto apontou para algumas peças ainda em produção. — Se quiser algo urgente, vai custar caro, infelizmente. Eu tenho muitos pedidos para atender.

— Ah, estou disposto a pagar o que for necessário. — As palavras saíram baixas, quase raivosas, antes de retomarem o tom suave. — Especialmente porque se trata de um projeto bem grande para você, sr. Warsen. Espero que esteja à altura do desafio.

Quase dava para ver moedas de ouro dançando nos olhos de Otto. Seu olhar penetrante se voltou para Evie ao responder:

— Eu adoro um desafio. — Em seguida, virou-se e abriu a porta da oficina, e uma rajada de ar quente saiu de dentro da forja. — Por favor, entrem.

O Vilão o seguiu porta adentro, e Evie tentou ficar logo atrás dele, mas congelou quando sentiu o braço de Otto envolver o dela. Então, ele se inclinou e sussurrou baixinho:

— Que bom que você não deixou o que aconteceu entre a gente se transformar em algo pessoal, srta. Sage. Afinal de contas, foi apenas um mal-entendido.

O pulso dela acelerou.

— Um mal-entendido, sim. Eu disse para você se afastar de mim... — Seu chefe estava distraído com uma fileira de correntes penduradas no outro lado da sala. — E aí você entendeu que era para me atacar.

Ela se desvencilhou do braço dele e lhe deu um sorriso gentil.

— Entendo a confusão.

O ferreiro teve a decência de parecer assustado com sua declaração. Que bom — tomara que ele estivesse sentindo as entranhas prestes a explodir. Era assim que ela se sentia.

Se houvesse um momento ideal para botar o almoço pra fora nos sapatos de alguém...

Então, ela jogou os ombros para trás e encarou o fracote diretamente nos olhos.

— Mas eu sei ser profissional. Espero que você também saiba.

O Vilão pareceu perceber a hesitação deles e voltou-se para a dupla parada perto da porta, a dúvida estampada nos olhos pretos.

— Por que você não fala ao sr. Warsen da sua compra mais recente, sr. Arthur? — Evie se aproximou do chefe olhando diretamente para ele, e não para o ambiente que evocava alguns dos seus piores pesadelos.

O chefe inclinou a cabeça, mas entendeu o recado com facilidade.

— Claro. Sr. Warsen, o que você sabe sobre o trato com criaturas selvagens?

— Não muito, meu senhor, devo admitir. — Otto parecia estar adotando a postura de um humilde comerciante. Desempenhava muito bem o papel. — Claramente não sou tão experiente quanto você. — Então, ele riu, apontando para as próprias roupas surradas e para o rosto todo sujo de terra.

O Vilão sorriu o suficiente para exibir a covinha na bochecha. Uma raiva fervente cresceu no estômago de Evie. Otto Warsen não era digno de ver algo tão precioso.

Mas o chefe não notou nem um pouco sua ira ao dizer:

— Tive a grande sorte de adquirir um guvre recentemente.

O ambiente pareceu resfriar diante da menção à fera mortal, cujo corpo de serpente e asas morcego eram os detalhes menos aterrorizantes sobre ela. Era seu sopro que evocava pesadelos. Dragões sopravam fogo, mas guvres sopravam um veneno capaz de derreter a carne dos ossos. As mordidas eram um pouco menos letais, mas igualmente aterrorizantes.

— Uma criatura rara e arredia, meu senhor — disse o sr. Warsen nervosamente. — Dizem ser quase impossível de domesticar.

— Sim, pois bem, contratei um domador de feras muito talentoso. Não tenho dúvidas de que terá sucesso assim que o animal for entregue a mim.

Evie quase riu pelo nariz.

Boa sorte, Blade.

Uma mesinha e uma cadeira de madeira no canto da sala chamaram a atenção do chefe.

— É ali que você trabalhava, Sage?

Ele caminhou até lá e passou a mão pela mesa, abrindo um sorriso bem discreto ao ver o coraçãozinho que ela havia entalhado na superfície quase um ano antes.

Evie ignorou a pergunta, determinada a concluir o que vieram fazer. Determinada a não se perder em memórias, ainda mais quando tais memórias a levavam a um penhasco íngreme.

— Meu chefe esperava conseguir uma coleira para a criatura, sr. Warsen. — Ela deu um passo à frente e quase arfou ao sentir uma pontada de dor na cicatriz do ombro direito. Evie foi rapidamente lembrada da magia que existia na lâmina com a qual ele a cortara e de como a sua pele devia estar brilhando naquele momento, debaixo das roupas.

Fazendo uma careta e esfregando a ferida, Evie observou o sr. Warsen acompanhando a mão dela com os olhos. Ele sorriu.

Ela o odiava.

O sr. Warsen ergueu uma adaga familiar, segurando-a nas mãos como se fosse um objeto sagrado. Sua rara lâmina de cor branca brilhava e cintilava lindamente, mas aos olhos dela era uma ameaça.

— O último projeto em que trabalhamos antes de você ir embora, Evangelina. — Quanto mais a adaga se aproximava, mais seu ombro começava a latejar. Ele devia ter percebido, pois pareceu satisfeito ao vê-la se contorcer novamente.

Parecia que o universo estava lhe concedendo pequenos favores, pois o chefe continuava distraído com as marquinhas na sua antiga mesa, perdido em pensamentos.

— Eu lembro — disse ela secamente, tentando evitar o tremor na voz. — Eu disse a ele que não tinha certeza de que uma coleira desse porte seria algo que você teria condições de fazer, sr. Warsen, mas talvez eu esteja enganada?

Ele caiu feito um patinho.

— Claro que eu tenho condições! — O homem estufou o peito e abriu os braços. — Dê só uma olhada em algumas das minhas criações, meu senhor!

Eles observaram a sala toda, com lâminas e metais pendurados nas paredes feito troféus.

— Muito impressionante — disse o Vilão, voltando na direção dos dois até estar ao lado de Evie. Sua presença quentinha e o cheiro de canela fizeram com que ela suspirasse aliviada. — Então você acha que está pronto para o trabalho? Não quero sobrecarregá-lo, especialmente com um tipo tão desconhecido de contenção.

— Não é desconhecido! — protestou Otto antes de baixar o tom de voz em um sussurro intenso. — Cá entre nós, meu senhor, eu já projetei uma coleira para um dragão de verdade. — Evie começou a imaginar-se tirando uma tábua do chão e arrancando aquele sorriso presunçoso do rosto dele às pauladas.

— É mesmo? — disse seu chefe, tentando disfarçar o interesse.

— Foi um projeto secreto, encomendado por um dos Guardas Valentes do rei Benedict. — O sorriso do sr. Warsen era de alguém que se achava superior, tão cheio de autoestima que ele não percebeu que o Vilão o estava manipulando feito uma marionete.

Evie mal podia acreditar, mas sentiu vontade de rir. Ela resistiu a um impulso repentino de dar um beijo na bochecha do Vilão por tornar esse momento mais fácil. Mas ele tinha mesmo aquele hábito: fazê-la flutuar quando parecia que ela ia afundar.

— Um agente especial? — disse Evie com leveza, fingindo estar impressionada. — Não sabia que o rei tinha um dragão em sua posse.

Otto se virou para ela, mas o seu olhar se voltou rapidamente para o Vilão, com o intuito de prender a atenção dele.

— Não, nosso estimado governante jamais desejaria ter um animal daquele. — O ferreiro arregalou os olhos enquanto balançava a cabeça para o chefe de Evie. — Não que haja algo de errado em abrigar criaturas raras, meu senhor!

— Não seria um hobby atraente para um líder tão estimado e benevolente quanto o nosso rei Benedict — disse o Vilão, com um olhar de deferência.

Ele era um ator fantástico. Se Evie já não reconhecesse as mudanças sutis nas expressões dele, de fato acreditaria no respeito e na admiração que o chefe demonstrava pelo governante do reino, seu maior inimigo.

Mas Evie já passara uma quantidade excessiva de tempo estudando o rosto do chefe, então percebeu o leve tique na mandíbula e o tom perigoso por trás das palavras dele.

— Perfeito para um nobre obstinado como você, meu senhor! — disse Otto, virando-se para pegar um pano pendurado no outro lado da sala e enxugar o suor da testa suja.

— Talvez você devesse abrir as pernas para que ele possa puxar seu saco mais facilmente — sussurrou Evie para o chefe.

— Facilitaria *mesmo* as coisas, né?

Ela apertou o braço dele com força.

— Você não pode fazer piadas em cima das minhas piadas sem avisar; eu posso desmaiar de surpresa.

— Entendido — disse secamente, revirando os olhos. — Sr. Warsen! — o Vilão chamou o homem com um sorriso no rosto. — Eu preciso saber... para que o rei Benedict precisaria de uma coleira de dragão se não tem um dragão?

— Parece mesmo um pedido curioso — concordou o ferreiro antes de parar e olhar à sua volta, como se quisesse garantir que ainda estavam sozinhos. — Para alguém que não conhece a história toda, claro.

— E quanto custaria para alguém conhecer a história toda? — O Vilão enfiou a mão no bolso da frente e tirou um saquinho de aparência pesada que fazia barulho de moedas de ouro.

Aquilo ali era um fio de baba escorrendo da boca de Otto?

— Acho que por dez moedas de ouro eu poderia me lembrar da história completa. — Ele ajustou as alças do suspensório enquanto esperava pela resposta do Vilão com um brilho cheio de ganância no olhar.

— Cinco — rebateu o Vilão, aproximando-se do homem, o que fez Otto inclinar a cabeça para trás para poder olhá-lo nos olhos. — Você faz por cinco, não faz?

Ele falara em tom de pergunta, mas não parecia exatamente uma. Estava mais para um comando, daqueles que uma pessoa não ousaria recusar.

Afastando o medo da voz com uma tossida, o sr. Warsen recuou um passo e estendeu a mão.

— C-Claro, meu senhor. É muito generoso da sua parte.

As moedas tilintaram ao caírem nas mãos do homem, que rapidamente as guardou dentro do bolso.

— Por favor, sente-se, meu senhor! — O ferreiro se acomodou em um banquinho bambo, gesticulando para o outro à sua frente.

O Vilão pegou o banquinho com a mão e o arrastou para mais perto deles, mais perto de Evie.

— Aí está, Sage. — Sem dizer mais nada, ele se dirigiu para o outro lado do banco, encostando-se de leve em uma viga de madeira, de braços cruzados.

Evie sentiu a perna do banquinho balançar sob o seu peso e entrelaçou os dedos no colo. Otto olhou o espaço entre os dois e demonstrou um leve desprezo antes de voltar rapidamente a uma expressão amigável.

— Por onde devo começar? — Ele esfregou um dedo grosso no queixo. — Se me lembro bem, já faz seis meses.

— Por cinco moedas de ouro, espero que você se lembre de tudo com precisão.

Evie amou ver Otto se contorcer diante da censura do Vilão.

— Claro, meu senhor, sim, foi há seis meses, quase exatamente no mesmo dia! Eu estava trabalhando pesado, na esperança de terminar mais cedo para passar um tempo com uma dama. — Ele piscou para o chefe como se fossem cúmplices, mas o Vilão só arqueou a sobrancelha, esperando que o canalha continuasse. — Estava tarde. Eu tinha bebido um pouco além da conta, entende? Ajuda a esquentar durante a noite.

— Você também deve sentir frio durante o dia — observou Evie inocentemente. — Você usava esse método frequentemente.

A amargura nas suas palavras deve ter se intensificado, pois ela sentiu a cabeça do Vilão se inclinar para poder olhar para ela, e aquele escrutínio parecia um carinho na sua bochecha.

Felizmente, Otto a ignorou, como se suas palavras fossem apenas o zumbido irritante de um inseto que podia ser espantado.

— Foi no início da semana. Eu estava abarrotado de encomendas e consertos. Mas então um homem entrou e fez um pedido muito especial. Ele disse que trabalhava para o rei. *Um homem.*

É claro, não havia garantia de que a pessoa que fizera o pedido da coleira fosse a mesma que havia se infiltrado no escritório, mas quem quer que fosse tinha um contato direto com ela.

— Você chegou a ver o rosto desse homem? — perguntou o chefe, com um objetivo e o foco totalmente voltado para resolver aquele pequeno enigma.

— Não... ele estava de máscara. Tinha o símbolo do rei, as duas espadas cruzadas sobre o leão.

— E ele encomendou uma coleira de dragão para o rei? Mesmo sem necessidade? — O Vilão começou a tamborilar os dedos na empunhadura da espada pendurada em sua cintura. Ele estava com vontade de partir para a violência; Evie sentia. — Isso é excepcionalmente peculiar, não acha?

— Pelo que parece... — O ferreiro se aproximou mais, com ares de conspirador. — Ele estava fazendo algum tipo de trabalho secreto. Todos acham que o rei Benedict tem sido muito passivo no quesito lidar com o Vilão.

A menção ao seu apelido fez Trystan ficar em alerta.

— Acham, é? — Mas Evie percebeu que ele estava satisfeito com aquela revelação.

— Ah, sim. Apesar de todos os seus poderes, o rei Benedict tem um bom coração. Existe um boato de que o Vilão já foi uma espécie de aprendiz do rei, e é por isso que ele tem sido tão complacente em deixá-lo escapar impune de todas as suas falcatruas.

— *Realmente* seria pela benevolência do rei e não por mérito próprio — disse o Vilão em um tom sombrio. — O Vilão não tem a inteligência para enganá-lo.

Otto fez que sim com muita vontade, alheio ao fato de que o Vilão provavelmente estava imaginando várias maneiras de decapitá-lo.

— Mas parece que o bom rei enganou a todos nós. Eu acho que ele tinha acordos secretos com o Vilão esse tempo todo.

— Por que você acha isso? — perguntou Evie.

— Porque o homem que esteve aqui contou que a coleira iria diretamente para o covil do Vilão, lá na Morada do Massacre. Que o rei descobriu que o Vilão adquiriu um dragão e a coleira seria uma mensagem sutil para ele. Que seus dias de disseminação do caos estavam contados.

E ali estava. A verdade nua e crua que buscavam, exposta diante deles. Mas, mesmo assim, ainda estavam longe de descobrir a identidade do traidor — ou o plano definitivo do rei.

O coração de Evie acelerou. Era curioso, na verdade, como ela tinha entrado naquela sala sentindo raiva e apreensão e, mesmo descobrindo exatamente o que queriam, sairia dali com a mesma sensação — ou até pior.

O que simplesmente não adiantaria de nada.

O banquinho rangeu alto quando Evie se levantou. De ombros para trás e queixo erguido, ela olhou diretamente nos olhos de Otto Warsen.

— Você foi bem útil, sr. Warsen, obrigada. Infelizmente, meu chefe não vai precisar dos seus serviços, no fim das contas.

O ferreiro quase caiu do banquinho com a força da sua indignação.

— Você… Eu… Como ousa falar em nome de seus superiores, sua pirralha insolente!?

Por um momento, Evie imaginou ver fumaça saindo das orelhas e do nariz do homem, e um sorrisinho surgiu nos seus lábios.

Um deslize.

Quando os olhos de Otto notaram o movimento dos lábios de Evie, ele passou da raiva à explosão. Mas seu surto iminente foi interrompido quando o Vilão deu um passo para a frente e ergueu a mão, olhando para o sr. Warsen como se ele não passasse de um incômodo.

— O que minha assistente disse é verdade. Não preciso mais de seus serviços. No fim das contas, não acho que você possa me oferecer o que preciso, mas agradeço o seu tempo. — Havia uma calma equilibrada em sua voz, tipo a quietude do vento antes do início de uma tempestade.

— É claro. Boa sorte para encontrar alguém que possa atendê-lo melhor — disse o ferreiro com desdém.

O Vilão virou-se para Evie.

— Está pronta para ir embora?

Ela fez que sim, levemente atônita com a troca de palavras. Ambos seguiram para a porta, mas aí Evie viu o sr. Warsen se mover em direção a Trystan com aquela adaga tão familiar na mão.

E então começou a gritar.

CAPÍTULO 28
Evie

— **Senhor...** — A palavra saiu em um suspiro sufocado enquanto ela caía de joelhos, consumida por uma dor ardente.

De qualquer forma, não teria feito diferença. Antes que Evie pudesse dizer algo, o chefe já estava girando em direção ao ferreiro e agarrando o seu pulso com força. Otto berrou, soltando a adaga perto da bota do Vilão, que chutou a arma para o outro lado da sala.

— Por favor, meu senhor, peço minhas mais sinceras desculpas. Meu temperamento, veja bem... Tenho dificuldade de controlá-lo. É como se uma fera tomasse conta de mim.

Evie permaneceu de joelhos, como se ver o Vilão prestes a mutilar aquele homem fosse uma cena sagrada a ser venerada.

— Sabe o que acho engraçado, sr. Warsen? — Não havia nada de alegre no tom dele. A tempestade havia chegado. — Você trata suas ações e escolhas como se não fossem suas.

Ela observou, com uma satisfação imensa, os ossos do pulso do ferreiro sendo esmagados sob a pressão das garras do Vilão. Warsen soltou um grito angustiado.

— Por favor, meu senhor! Meu ganha-pão depende das minhas mãos. Não sou nada sem elas!

— Veja bem, sr. Warsen — respondeu o Vilão, com uma voz profunda e hipnotizante. — Por isso, o fato de eu ter acabado de quebrar seu pulso, você pode me culpar. Sou responsável por isso. — E então apertou de novo.

Otto começou a soluçar enquanto seus joelhos falhavam e ele caía no chão.

— Eu imploro.

Havia uma escuridão envolvendo o Vilão naquele momento, um toque de desumanidade nos olhos escuros enquanto olhava para o homem que não parava de chorar.

Pela primeira vez desde que entrara naquele lugar, Evie não sentia medo algum.

— A culpa é uma coisa interessante — continuou o Vilão com uma voz neutra e calma, como se estivesse falando sobre o clima. — A maioria das pessoas foge dela, como se nossas falhas nos enfraquecessem.

— Você tem razão, meu senhor! — Otto parecia desesperado. — Eu sou fraco. Sou muito fraco!

— Elas evitam enfrentar seus demônios como se fossem algo a temer, algo do qual devem ter vergonha. — O Vilão apertou o pulso de Otto novamente, empurrando-o contra o chão. — E elas são covardes por isso.

Otto soluçou ainda mais, de bochecha pressionada contra a madeira do chão.

— Essa é a diferença entre nós dois, sr. Warsen. — O chefe de Evie se ajoelhou e chegou mais perto do homem destruído à sua frente. Ela tentou sentir algum horror diante da cena que presenciava, mas só conseguiu reunir uma mistura de alívio e satisfação.

Era absolutamente hipnotizante.

— Eu não fujo dos meus demônios. Eu os *acolho*. Deixo que eles me envolvam até ficar mais forte. — O Vilão soltou o pulso de Otto, largando-o estirado e trêmulo no chão, e então voltou-se para a adaga que tinha sido chutada para o outro lado da sala. Ele se abaixou devagar para pegá-la e, por fim, encarou Evie.

Ele sabia.

— Um homem fraco afasta a culpa de si como se fosse uma doença, para envenenar e contaminar o resto do mundo.

Evie tentou permanecer firme enquanto se levantava.

— Cuidado... a lâmina tem magia embutida no aço — alertou, dando um passo discreto para trás.

Mas já era tarde demais para fingimentos, pois no momento em que o Vilão levantou a lâmina alguns centímetros mais alto, uma dor aguda, como se fosse fogo, eletrocutou as terminações nervosas de Evie.

— Argh! — Com a mão livre, ela agarrou a parte de trás do ombro enquanto sentia a sala começar a rodar.

Evie viu o chefe jogar a adaga na parede mais distante, enterrando a lâmina até o cabo.

Ela arfou quando a dor a deixou num piscar de olhos e cambaleou por um momento antes que ele segurasse seus antebraços.

— Por quê? — insistiu o Vilão em voz baixa, mas havia uma leveza no canto dos olhos.

Ele queria saber sobre o passado dela ali, mas Evie não conseguia admitir sua vergonha. Não para ele. Então, em vez disso, fez o que fazia de melhor: desviou do assunto.

— Bom, quando você espreme o pulso de alguém como se estivesse tentando fazer suco, os ossos tendem a quebrar

— comentou Evie, retesando-se um pouco com a nova sensação que a invadiu quando o polegar dele acariciou a região abaixo do seu cotovelo.

— Sage.

Evie suspirou e se afastou, indo até Otto Warsen, que chorava desconsolado. Sentiu uma vontade crescente de pressionar a bota contra o pulso ferido do homem. Porém, quanto mais se aproximava, mais percebia que não parecia haver necessidade.

Ele tinha desmaiado, e se Evie fosse infligir dor em outra pessoa deliberadamente, queria que o sujeito estivesse plenamente consciente.

— Sage — disse o Vilão de novo. — Qual o verdadeiro motivo para você ter saído desse emprego?

— Está perguntando isso porque minha tolerância à dor no ombro está coincidentemente ligada à proximidade daquela adaga? — brincou ela, ainda fragilizada.

— Você tem um golpe fatal no ombro — disse ele. — Faz ideia do que isso significa?

— Eu...

— Isso significa que, se eu acertar essa cicatriz no ângulo certo com a minha magia, você morre. — Seu tom de voz foi ficando mais severo; ele estava irritado.

Mas Evie não estava nem aí, já que havia questões mais urgentes no momento.

— Quem quer que tenha feito a encomenda é o espião na Morada do Massacre, eu poderia apostar muito dinheiro nisso. Nosso foco agora deveria ser encontrar essa pessoa, e aí usá-la para obter informações sobre o rei Benedict, fazendo dela *nossa* informante.

Dava para ver uma guerra se desenrolando atrás dos olhos dele, mas era impossível dizer quais lados estavam lutando e qual estava vencendo.

— Sabemos que provavelmente estamos procurando por um homem, de acordo com as informações que Malcolm e o sr. Warsen nos deram. — Evie começou a se afastar da parede com a adaga, só para garantir. — Mas não vamos descartar totalmente outras possibilidades.

— Está falando de Rebecka Erring? — quis saber o Vilão, parecendo desistir da pergunta anterior por um momento.

— É possível.

Ela ouviu um grunhido fraco vindo do homem corpulento ainda esparramado no chão, o que quebrou a ilusão de calma que estava começando a envolvê-los.

— Estamos tentando conversar... fica quieto aí embaixo. — Evie suspirou, sentando-se de novo no banquinho instável. — O que vamos fazer com ele? — Seu corpo inteiro começava a se sentir exausto, como se ela tivesse corrido cem quilômetros, o que era improvável: correr e Evie combinavam tanto quanto um raio e uma haste de metal.

Só corra se alguém estiver te perseguindo.

— Matá-lo?

— Essa é a sua solução para todos os problemas? — perguntou ela, exasperada.

— Não, é só a mais eficaz.

— Não nesse caso. — Evie suspirou e rodeou a cintura com as mãos. — Se o matarmos, a vila inteira vai ficar sabendo em questão de horas. E, se alguém nos viu entrar aqui, a coisa ficaria feia para mim.

— Muito bem. Então ele vai deixar a cidade.

— Como é que a gente faz para ele fazer isso?

— Nós o matamos e fazemos todo mundo *pensar* que ele deixou a cidade. — A malícia nos olhos de Trystan a fez rir sozinha e balançar a cabeça enquanto ele continuava: — Eu vou mandar meus guardas virem limpar a bagunça que nós fizemos.

— Nós? — Ela arqueou a sobrancelha.

Ele caminhou até o ferreiro e o cutucou com a bota.

— Eles vão convencer esse infeliz, da forma mais educada possível, a deixar essa cidade e sua forja para trás e recomeçar em outro lugar.

Então, ele deu um soco forte à direita da cabeça do homem.

Evie arfou.

— Por que você fez isso?

— Isso vai mantê-lo inconsciente até eles chegarem. Existe alguma maneira de trancar a porta? — O Vilão se virou para ela, totalmente profissional, para o alívio de Evie.

— Sim, e tem uma placa também. — Evie correu até a parte da frente e abriu apenas uma frestinha da porta para virar a placa de madeira pendurada de aberto para fechado, antes de fechá-la com força e girar o trinco.

Quando ela voltou, seu chefe estava amparando o homem, amordaçando-o e usando uma das correntes da parede para prendê-lo ali.

— Podemos sair pela lateral e eu mando os guardas de volta dentro de uma hora. E, antes que você pergunte, eu garanto que eles vão ser discretos.

— Como eles vão saber para onde vir? — Ela só queria dormir; seu ombro doía e a adaga do outro lado da sala a fazia se sentir mais presa do que qualquer jaula poderia fazer.

O Vilão tirou uma plaquinha de cristal de dentro do bolso.

— Você vai chamá-los aqui com um cristal? — disse ela, com um ceticismo explícito.

— É um cristal de chamada, Sage. — Trystan arqueou a sobrancelha.

— Como foi que você conseguiu um desses? — Evie sorriu.

Ela correu em direção a ele, colocando a mão por baixo da do chefe para dar uma olhada. Era difícil achar um cristal de chamada. Os objetos pontiagudos e coloridos eram magicamente produzidos, em geral um por vez, mas no fim das contas resultavam em um conjunto completo. Cada cristal do conjunto era feito a partir de um pedaço do maior deles, como um farol. Evie já tinha ouvido uma história sobre eles uma vez, quando tinha seis anos e costumava pegar todas as pedras cintilantes da caixa de joias da mãe, na esperança de que, se sonhasse intensamente, alguém pudesse vir encontrá-la.

— Tenho amigos influentes — rebateu Trystan, puxando a pedra de volta e fechando os olhos. Ela brilhou por um momento, e Evie arqueou as sobrancelhas quando uma melodia num tom grave soou de volta. — Os guardas vão chegar em breve.

Ela fez que sim, caminhando em direção à adaga outra vez e deixando-se sentir a pontada aguda de dor.

— Existe alguma maneira de romper a ligação entre a adaga e a cicatriz no meu ombro? — perguntou ela, sentindo-se tonta.

De repente, o Vilão estava muito perto dela, afastando-a gentilmente pelo ombro.

— Vamos falar com Tatianna, ver o que ela pode fazer.

— Normalmente não dói dessa forma. Nem sabia que ficar perto da lâmina causaria esse tipo de reação. Me descul…

— Eu espero sinceramente que você não esteja prestes a pedir desculpas por alguém ter te machucado.

Evie sorriu, envergonhada e meio lisonjeada por ele se importar.

— Você não é totalmente mau, né?

— Como ousa! — Ele pareceu ofendido.

— Eu sei que matá-lo teria te deixado satisfeito, já que o sr. Warsen ajudou a pessoa que está tentando te derrubar. — Evie assentiu, sabendo muito bem que tudo que o Vilão fazia tinha um propósito. — Mas ainda agradeço que você se importe, mesmo que seja só um pouquinho, já que a morte dele poderia fazer com que *eu* sofresse.

O chefe não se moveu nem disse nada, então ela deu de ombros e caminhou até o canto de trás da sala. Em seguida, estendeu a mão ao longo da parede e disse:

— Tem um painel falso aqui que nos leva para fora pelos fundos. Bem perto da Floresta das Nogueiras.

Evie comemorou uma vitória silenciosa quando a parede cedeu em um único ponto, deixando entrar um feixe de luz solar.

— Acho que vou voltar para casa e encerrar o dia. Se não houver mais nada, senhor.

Ao segui-la até o lado de fora, certificando-se de que o painel da porta estivesse no lugar certo atrás deles, o Vilão guardou a adaga mágica que havia retirado da parede no cinto e recuou um passo quando viu que ela se encolheu diante da proximidade do objeto.

— Sim, claro. Vou ver o que Tatianna pode fazer a respeito disso. — Seus olhos escuros encontraram os dela e Evie se sentiu presa, mas não por seu poder, como já havia sentido antes. Era um olhar de conhecimento, um olhar de compreensão, e fez com que Evie sentisse que todo sentimento frio e dolorido escorria para fora dela para dar espaço ao calor.

— Obrigada, senhor. — Evie seguiu pelo caminho que levava à sua casa, surpresa ao ver que o sol ainda brilhava em meio a tanto caos acontecendo abaixo dele.

— Seja lá o que ele tenha feito, seja lá o que tenha acontecido para que você terminasse machucada, não é sua obrigação compartilhar comigo, de forma alguma — disse ele e, quando Evie se virou, o Vilão parecia desconfortável, como se suas roupas estivessem muito apertadas. — Mas, se um dia você decidir que não quer que ele exista no mesmo mundo que você, espero que saiba que vou adorar destruí-lo.

— Talvez eu conte — disse Evie suavemente. — Talvez em algum momento eu te conte o que aconteceu. — Ela piscou para ele antes de seguir para casa e, jogando o ombro para trás, acrescentou: — Enquanto tomamos uma xícara enjoativamente doce de elixir de caldeirão.

O eco da gargalhada dele a acompanhou até chegar em casa, fazendo-a se sentir segura de um jeito que não sentia havia muito tempo.

Até o ombro começar a arder novamente e a realidade voltar a bater em sua porta.

CAPÍTULO 29
Vilão

Finalmente tinha chegado a hora.

Trystan se abaixou depressa quando mais um lodaçal de névoa roxa derreteu um grande trecho de árvores bem ao seu lado. O calor chamuscou a ponta de seu... seu *cabelo*. Correndo alguns metros à frente, ele tocou os fios para verificar se estavam intactos, e tratou de afastar a mão no mesmo instante ao ver Keeley olhando para ele com uma expressão estranha.

O Vilão ergueu o queixo e voltou a atenção para o restante dos seus Guardas Malevolentes, que se esquivavam em volta do guvre e balançavam os braços para distrair o animal. A natureza era mais selvagem e desinibida perto dos limites ocidentais da Floresta das Nogueiras, mas as árvores enormes ofereciam alívio do calor sufocante. O animal estivera repousando por aquele penhasco havia mais de uma semana, o maior período desde que Trystan resolvera começar a rastreá-lo para capturá-lo.

Ele já tinha visto um guvre uma vez antes, fazia muito tempo...

Piscando com vontade, ele se forçou a voltar do passado, recusando-se a pensar por um momento sequer na escuridão que ali habitava. A criatura era diferente da fêmea que ele tinha visto naquela época. As características da fêmea eram mais marcantes, mais definidas, sua pele áspera semelhante à de uma cobra tinha um tom marrom suave. O macho que ele observava no momento tinha sido criado para impressionar.

A pele lisa das suas costas apresentava uma impressionante gama de pigmentos, como se toda vez que o sol a tocasse em um ponto diferente, uma nova cor surgisse. Trystan analisou cada movimento da criatura, um caleidoscópio de cores explosivas e cintilantes.

Cintilantes? Ele andava passando tempo demais com Sage.

Ao sair de trás da árvore, o restante do corpo foi revelado, cor por cor. O animal não era maior do que o dragão que atualmente estava se aproveitando da propriedade de Trystan, mas era rápido como fogo. Suas asas se expandiam quando ele se movia, e o brilho fazia alguns dos seus guardas pararem para olhar, maravilhados. O corpo comprido ondulava e se curvava, sem ossos. A cabeça era igual à de uma serpente e brilhava intensamente, bem como o resto do animal.

— A menos que queiram passar seus últimos momentos vivos se fundindo à terra, sugiro que vocês *SIGAM EM FRENTE*! — bradou o Vilão. Era algo que ele geralmente evitava fazer, mas a desatenção dos homens parecia exigir isso dele. — Keeley! Você está com o sonífero?

A líder dos Guardas Malevolentes fez que sim e lhe atirou o frasco.

— Tem certeza de que o senhor mesmo quer fazer isso?

Trystan cerrou os dentes, estreitando os olhos na direção da fera.

— Tem que ser eu.

Aquela era a sua batalha. Fazia anos que ele esperava capturar aquela criatura, e só a vida dele estaria em perigo quando fosse o momento.

O sonífero era concentrado — uma gota era capaz de derrubar um cavalo, duas gotas, um elefante. Um frasco inteiro? O guvre não aguentaria ficar de pé por muito tempo. O risco estava no tempo que levaria para fazer efeito. Trystan seria destroçado, e sequer tinha comido o seu doce da tarde.

Mas ele precisava do macho se quisesse capturar sua companheira.

O Vilão sentiu uma malevolência satisfatória se misturando à sua magia, e a névoa cinza surgiu na ponta dos dedos. *Ainda não*, disse ele, acalmando-a. *Em breve*.

Certamente o pessoal do escritório perguntaria por que Trystan queria um guvre e, caso a notícia vazasse para o público, por que *o Vilão* queria um. Mas os seus motivos remontavam a quase tudo que fizera ao longo da última década. Se o rei Benedict queria alguma coisa, o Vilão tinha que consegui-la primeiro.

Assim que o Vilão adquirisse o guvre, não demoraria muito para que a notícia chegasse ao rei Benedict por meio do traidor no escritório, exatamente como ele planejava.

O Vilão sorriu para si mesmo. A vitória logo seria dele.

Por mais que isso significasse colocar os guardas e a si mesmo possivelmente no maior perigo que enfrentavam em um bom tempo. Como se soubesse no que Trystan estava pensando, a serpente cuspiu outro jato de veneno que quase atingiu os guardas, e árvores derreteram assim que a substância roxa e pegajosa atingiu a casca, desintegrando as folhas como pó.

Com um suspiro, Trystan segurou firme o frasco do sonífero, usando uma das mãos para remover a capa preta e observando a peça cair no chão. Restou-lhe apenas a vestimenta que ele reservava para as tarefas de que menos gostava. O couro preto abraçava suas pernas e as botas mais leves que as de sempre cobriam os pés e as canelas. A camisa preta era mais apertada do que o confortável, mas ele não queria que o excesso de tecido o atrapalhasse.

O Vilão se esquivou entre os guardas, que seguiam acenando freneticamente para manter o guvre distraído. A grama não fazia barulho sob seus pés enquanto Trystan se aproximava de fininho das costas da criatura. Ele tinha apenas uma chance de acertar a boca da fera antes que ela soltasse outra lufada do seu hálito venenoso.

Pensando bem, esse não foi meu plano mais bem elaborado.

É claro, Gushiken também não teria sido uma solução útil. O currículo dele, cheio de relatos entusiasmados sobre as criaturas mágicas com as quais já tinha trabalhado, era claramente um exagero.

Com um suspiro, o Vilão se deu conta de que seu escritório e seus funcionários estavam começando a parecer um desenho malfeito. Mas não havia tempo para se deixar abater por aquela imagem insana.

Trystan sentiu uma rigidez nas pernas enquanto corria; as coxas ardiam, o coração estava acelerado. Ele desviou de uma das suas guardas, Andrea, e a empurrou para longe do sopro do guvre.

Ela rolou e pousou habilmente, depois gritou para outro guarda, Dante:

— Balança os braços mais alto, seu idiota!

Dante já estava agitando os braços tão freneticamente que parecia uma bailarina bêbada.

— Estou balançando! E tentando não morrer, Andy!

Naquele momento, Trystan estava perto o suficiente para saltar nas costas da criatura, só que a cabeça estava alta demais, longe demais. O plano original era abordar a criatura por trás e esperar que ela abrisse a boca para que ele pudesse despejar o sonífero. Mas Trystan só tinha uma chance — e não podia desperdiçá-la.

O plano era suicida, e era muito provável que Trystan fosse morrer. Mas morrer em busca de vingança era o sonho de todo vilão, então ele não se importavam muito.

— Ei! — gritou. Seu poder emanava dos dedos, aquela névoa cinza familiar fluía ao redor dele enquanto a criatura se virava com um guincho tão poderoso que soprou seu cabelo para trás. Trystan procurou pontos fracos, mas um golpe mortal não era uma opção; precisava da fera viva. Apenas um ponto fraco era visível no pé da criatura, destacado em amarelo, o que mal serviria para lhe dar um corte superficial.

Sacudindo o corpo, guvre se livrou da magia e, quase no mesmo instante, qualquer tipo de controle que Trystan tivesse rachou até despedaçar. Ele não era poderoso o suficiente para controlar uma criatura daquele tamanho por mais do que alguns segundos, mas aqueles poucos segundos foram suficientes.

O guvre abriu bem a boca e uma grande nuvem de fumaça roxa começou a se formar. O calor da nuvem atingiu o topo da testa de Trystan, e ele sentiu a pele chamuscar, arder. Mas o Vilão sorriu em meio à dor, pois tinha esperado tempo suficiente. Arrancando a tampa com os dentes, ele despejou o sonífero diretamente na garganta da criatura. O líquido desapareceu na onda agressiva de hálito quente que queimava a pele de Trystan. O calor se espalhava tão rápido que, caso ele ficasse ali por mais um segundo, o osso do seu crânio veria a luz do sol.

O efeito do sonífero não demorou tanto quanto esperado, mas o mesmo valia para o dano do hálito quente que derreteu o arbusto onde Trystan estivera. Meio perto demais para o seu gosto, mas ele não morreu, então já era o suficiente. O animal cambaleou para a esquerda e sua cabeça se contorceu e se balançou, sem deixar de expelir a névoa tóxica.

— Saiam! — gritou Trystan. — Saiam do caminho! — Os guardas se dispersaram, dando cambalhotas e rolando para longe dos trechos de terra derretida, e um grito estridente ressoou quando uma lufada de névoa roçou a perna de Dante.

— Porra! — gritou ele, pulando e agarrando a parte de trás das vestes de couro vermelho que usava. — Isso dói! — Dante inclinou o pescoço para olhar o tecido queimado da sua calça, revelando um pedaço de seu... traseiro.

O guvre balançou-se feito um bêbado por um momento e então finalmente caiu com um estrondo. Mas os guardas mal repararam, pois estavam ocupados demais rindo de Dante sendo despido por sua presa.

Trystan suspirou; estava exausto. Encolhendo-se e tocando a ferida na testa, adicionou a dor à sua lista de reclamações, junto com o fato de sua vida tão organizada aparentemente não existir mais.

— Quando pararem com esse som irritante que sai da boca de vocês, será que poderiam fazer a gentileza de exercer suas tarefas e pôr o animal na carroça? — O Vilão apontou para a enorme gaiola sobre rodas que mandara fazer especificamente para aquele propósito.

Assim que completou a frase, seus guardas já estavam arrastando a criatura para a lona e movendo-a pouco a pouco em direção ao seu futuro de encarceramento, da forma mais humana que Trystan pôde arrumar. Não tinha jeito: remover a coleira do dragão havia despertado nele um certo nível de... compaixão. Já era um obstáculo, mas precisava ser levado em conta.

Ele mal acreditava que tinha conseguido. Era algo que Benedict vinha tentando fazer por anos. Aquela era e sempre seria a vitória de Trystan sobre o homem que havia arruinado tudo, que *o* havia arruinado. Uma flor amarela em meio à vegetação rasteira remanescente na floresta chamou sua atenção, e sua mente conjurou uma imagem de Sage.

Arruinado.

Mas ele não se sentia arruinado com Evie. Ele se sentia renascer.

Que desastre de merda.

CAPÍTULO 30
Evie

— Está torto — insistiu Becky.

Evie empurrou o quadro mais para cima na parede e quase tropeçou na escada da qual já estava perigosamente perto de cair.

— Igual a sua cara — murmurou Evie, sentindo os braços queimarem enquanto segurava a pesada obra de arte pelas laterais.

— O que você disse? — perguntou Becky em voz alta. Mesmo alguns centímetros abaixo de Evie, ainda dava um jeito de olhá-la como se a visse de cima, com ar de superioridade.

— Nada — resmungou Evie. Ela se odiava por aquilo, mas a normalidade daquela troca infinita de palavras cortantes lhe dava um nível de conforto familiar. Após toda a anormalidade imprevisível das semanas anteriores, era legal ter algo com que pudesse contar.

— É mesmo? Achei que você tivesse falado alguma coisa sobre meu rosto ser torto.

De algum lugar do outro lado da sala, Evie ouviu um estagiário tossir nas mãos.

— A Evie jamais diria uma coisa dessas. — O rosto brincalhão de Tatianna surgiu abaixo dela. — Ela é moralista demais.

— Não sou, não — disse Evie, fechando a cara. — Eu sei ser brutal. — Ou, pelo menos, a versão dela de brutal.

Distraída pensando nas maldades que poderia fazer contra Becky para provar que estava certa, Evie sentiu o pé enroscar no degrau da escada e escorregar.

— Cuidado! — gritou Becky. — Vê se não derruba.

— E, é claro, vê se não cai — acrescentou Tatianna calmamente.

Desde o retorno de Evie ao trabalho depois de ter pedido demissão, Becky tinha resolvido tomar para si a responsabilidade de seguir as regras a um nível... obsceno.

Na semana anterior mesmo, Becky havia emitido um memorando avisando que todos os funcionários deveriam ser pontuais e chegar ao trabalho bem-cuidados, sem o odioso cheiro de dragão entranhado na pele. O que, claro, significava que Blade tinha que passar vários minutos no banheiro antes de entrar no escritório todos os dias (coisa que não acontecia) ou arriscar ser advertido (isso, sim, acontecia).

Como se aquilo não fosse o suficiente, Becky tinha decidido que qualquer momento livre e ocioso deveria ser utilizado para aumentar a produtividade no trabalho. Ela cortara os quinze minutos de descanso que todos recebiam a cada turno, além de dez minutos do intervalo de almoço de meia hora, substituindo-os por uma folha de tarefas "extras". Cada tarefa na lista era pior do que a outra.

Mas era inútil resistir, pois os poucos que se atreviam descobriam que o salário tinha "se perdido" no fim de semana e que, sem mais nem menos, a escrivaninha tinha sido arrastada para a parte do escritório que as aranhas pareciam gostar de ocupar.

Surpreendentemente, no topo da lista de atividades extras estava Tatianna, que recebera a tediosa incumbência de recarregar os frascos de tinta para o material de escritório. Diante dos protestos da curandeira, especialmente por conta do risco para os vestidos dela, Becky dissera que era uma boa oportunidade para usar roupas de trabalho mais adequadas, já que os extravagantes vestidos cor-de-rosa se encaixavam melhor em um baile do que em uma organização de respeito. Tatianna jogara uma almofada na mulher. Uma almofada cor-de-rosa.

— Levanta o canto. Ainda está torto — avisou Becky, como se os braços de Evie já não estivessem tremendo com o esforço de segurar a grande obra de arte.

Enquanto o suor escorria da testa, Evie rebateu:

— Por gentileza, me faz um favor… e cala a boca.

De alguma forma, deu certo: Becky não respondeu.

A palma de Evie queimava onde o metal escorregava, e ela empurrou o canto da moldura para cima antes que cortasse mais ainda a pele. O fato de estar fazendo aquilo era meio absurdo, para início de conversa, mas ela não confiava que os outros não espionariam debaixo do pano antes que revelasse sua preciosa descoberta.

— Eu espero que seja lá o que você tenha escolhido no depósito para substituir o último retrato seja digno de estar na parede da frente — disse Becky, e Evie nem precisou olhar para saber que a sobrancelha da mulher estava arqueada.

Não era segredo para ninguém que Becky estava amargurada com o que tinha acontecido com o último retrato. Aparentemente, ela dera a pintura ao chefe de presente. Era uma obra de arte feia que Becky afirmara ser uma peça abstrata de um artista recluso, e ela nunca deixava de se gabar sempre que alguém respirava na direção do quadro.

O súbito bater de asas no pátio fez Becky se encolher; Evie riu baixinho e se esticou para endireitar a moldura mais uma vez antes de descer os degraus.

Blade e o dragão vinham trabalhando juntos como uma máquina em sintonia, mas ainda tinham algumas engrenagens para lubrificar. Mesmo assim, Evie havia se afeiçoado à elas. Na tarde anterior, por exemplo, o dragão — que ainda estava se acostumando a voar livremente — tinha acertado em cheio um dos vitrais da cozinha. Felizmente, o companheiro de elixir favorito de Evie não estava lá na hora do ataque.

Então até que fora bom; tinha sido um início de semana incrivelmente entediante e improdutivo até então.

Após ter deixado a ferraria de Otto Warsen com uma sensação de encerramento de uma era, o chefe passara a se dedicar a um problema para o qual não precisava da ajuda dela.

Mas Evie havia se contentado com a pequena alegria que teria com a peripécia perigosa que estava prestes a realizar com aquela exposição de arte.

Depois que o dragão arrebentara a janela, levando a pintura horrenda consigo, Evie havia gritado de medo antes de sentir um momento de satisfação ao ver o fim ardente daquela pintura. O retrato abstrato passara a maior parte dos últimos seis meses encarando a alma dela.

— Duvido que o que você encontrou no depósito esteja à altura do que estava pendurado aqui antes.

Evie não estava nem aí para a incredulidade no tom de voz de Becky, não quando estava ganhando sutilmente a batalha de vontades.

— Nada está à altura daquela aberração. — Blade deu uma risadinha, juntando-se a elas pela primeira vez sem uma ferida ou um rastro de sangue escorrendo de alguma parte do corpo. Reinaldo estava acomodado no ombro dele.

— É claro — disse Becky lentamente, olhando Blade de cima a baixo. — Vamos aceitar conselhos do homem que acordou hoje e decidiu que tomar banho era opcional.

Blade abriu um sorriso de orelha a orelha, como se os insultos fossem os mais belos elogios, e então se aproximou. Reinaldo olhava por toda parte, em busca de um jeito de escapar da discussão. Evie viu as costas de Becky ficarem mais eretas do que o normal enquanto dava um passo para trás, afastando-se quase que imperceptivelmente do sapo.

Mas Blade viu. Evie percebeu pelo brilho nos olhos dele, mas também pela maneira como ele congelou em vez de trazer Reinaldo para mais perto.

— Se um dia eu precisar de um novo perfume, vou pedir esse aí que você está usando, já que te deixa tão cheirosa mesmo quando suas regras são tão podres, Rebecka.

Evie detectou um toque de rubor nas bochechas de Becky e quase interveio para dizer a Blade para pegar leve. Mas, antes que dissesse qualquer coisa, Becky ordenou:

— Puxa a lona, Evangelina. Ainda tenho muito trabalho a fazer.

Com um breve sorriso, Evie puxou a ponta do pano que cobria a obra, revelando a tela que havia passado a última hora enquadrando e pendurando.

Depois do silêncio atônito, a gargalhada de Tatianna dominou o ambiente. Um estagiário passou por ali com uma bandeja de elixir de caldeirão, viu o retrato recém-revelado e tropeçou na escrivaninha mais próxima, derramando copos de bebida por toda parte.

— É o chefe — disse Blade com olhos arregalados, mordendo o lábio para não sorrir.

Mas não era o chefe — quer dizer, era, só que a percepção pública dele. Na noite anterior, Evie estava passeando pela praça da aldeia e encontrara uma carroça que vendia grandes telas da horrenda interpretação do Vilão, pintadas a mão, por metade do preço.

Fora a melhor compra da vida de Evie.

— Que coisa horrível! — Becky estava boquiaberta, e o olhar de horror só adoçou ainda mais a vingancinha de Evie contra o chefe por tê-la deixado de fora dos planos mais recentes.

A imagem era ainda pior ampliada: a representação do homem de cabelos flamejantes era mais clara e as letras em negrito na parte de baixo se destacavam nitidamente.

O VILÃO

PROCURADO POR ASSASSINATO, TRAIÇÃO E VILANIA EM GERAL.

AVANCE COM CUIDADO.

— Pode acrescentar "ser horrendo" à lista de acusações.

Evie e Tatianna riram do comentário de Blade. Becky jogou os braços para o ar, olhando feio para os três, cheia de veneno.

— Vocês debocham do trabalho que fazemos aqui. — Ela ergueu o queixo e, depois, se sobressaltou ao ouvir a risada de Blade. — O chefe nos oferece empregos dignos, embora sejam confidenciais. Se vocês tivessem um pingo de bom senso, demonstrariam um pouco mais de respeito, porque isso é uma raridade.

O grupo inteiro parou antes que Blade voltasse a falar.

— Peço desculpas — disse ele em voz baixa, franzindo a testa de preocupação. Logo em seguida, Becky deu meia-volta e foi embora, o que o encheu de pânico. — Rebecka! Espera! — gritou, passando Reinaldo para as mãos de Tatianna antes de correr para alcançar a mulher que se afastava rapidamente.

Com um estranho sentimento de defesa em relação a Becky, Evie percebeu que não sabia muito sobre como ela viera trabalhar ali. Nunca tinha nem perguntado. Talvez estivesse na hora de mudar aquilo. Talvez, se tirasse um tempo para conhecer Becky, as duas pudessem encontrar interesses em comum e seguir a partir daí.

— Tati, pode pedir ao Marvin para me avisar quando o chefe voltar? Eu quero ver a cara dele quando chegar e der de cara com a nova arte.

— Então é só virar para trás.

Evie congelou, virando-se lentamente na direção da voz e sabendo direitinho quem é que estaria ali. Não precisava nem dos olhares frenéticos de Reinaldo ou da placa que no momento dizia ENCRENCA.

— Boa tarde, senhor.

CAPÍTULO 31
Vilão

A caricatura era divertida.

Mas o que verdadeiramente chamou a atenção dele e o fez olhar de novo para ter certeza foi o semblante da assistente. Havia um toque de travessura nos lábios dela, os olhos brilhavam com uma satisfação maníaca.

De repente, uma ideia maluca o dominou — pendurar cem retratos horríveis daquele pela sala, só para continuar vendo aquela expressão no rosto dela.

Sage arfou e arregalou os olhos ao finalmente notar a aparência de Trystan.

— O que aconteceu com você?

Ah, sim, ele tinha se esquecido de limpar o sangue.

— Tive um leve desentendimento com um guvre — admitiu.

Trystan esfregou a queimadura que ainda ardia na testa e se afastou da própria mão. Não era fácil capturar um guvre, mas era uma tarefa que precisava ser feita.

Pensar na criatura o fez se lembrar do ferreiro... e de como Trystan não tinha notado o quanto Sage estava desconfortável na presença do homem.

Encontrar pequenas marcas de Sage por toda a ferraria o desarmara. Os entalhes na antiga mesinha dela eram desajeitados, mas meigos. As borboletas de papel que ficaram grudadas nas janelas eram idênticas às que ela havia recortado e colado pelas paredes no seu primeiro dia de trabalho. Aquilo o deixara louco.

Mas, estranhamente, ele tinha sentido falta quando ela retirara as borboletas.

Ver os toques de Sage por toda a oficina do ferreiro provocara nele uma espécie de alegria agitada, o que era uma estranha distração. Portanto, Trystan não percebera as hesitações da assistente até ser quase tarde demais. E descobriu que se odiava muito por aquilo.

Aquilo era um problema.

Dava para notar que a assistente estava lutando contra o impulso de correr até ele e olhar a ferida mais de perto... o que não era necessário.

— Posso falar com você um segundo, Tatianna? — disse ele, e então se dirigiu para uma área mais discreta do escritório. Longe do alcance e dos ouvidos da assistente.

Mãos brilhantes e marrom-escuras surgiram diante do rosto dele, mas Trystan as afastou.

— Obrigado, Tatianna, mas logo, logo vai cicatrizar.

Ele tossiu e seu olhar logo desviou para a assistente, que estava tendo uma conversa bem longa com Reinaldo, levando-se em conta a rápida troca de plaquinhas de uma palavra. Depois, voltou-se para Tatianna e disse em voz baixa:

— Tem uma adaga para você no meu escritório.

A curandeira arqueou a sobrancelha.

— Quem é que eu vou esfaquear?

— O quê? — Mas, naqueles olhos escuros, Trystan logo reconheceu aquele mesmo brilho sarcástico de quando os dois eram crianças. — É uma adaga mágica, hum... Pode perguntar à Sage a respeito.

— Isso tem alguma coisa a ver com a cicatriz impregnada de magia no ombro dela? — sussurrou Tatianna, estreitando os olhos de preocupação.

— Ela te contou? — perguntou Trystan, arqueando a sobrancelha.

— Eu senti todas as vezes que a curei. Mas nunca cheguei a perguntar, e ela nunca chegou a me contar.

Tatianna olhou para Sage, que, no momento, estava levantando o polegar em resposta a uma plaquinha do sapo que Trystan não conseguia ler dali. Ele estremeceu ao imaginar o que Reinaldo poderia estar convencendo a assistente a fazer.

— Ela sente mais dor toda vez que está perto da adaga — explicou Trystan, sentindo-se estranhamente pequeno por ser incapaz de solucionar sozinho aquela situação para a assistente. — Você consegue fazer alguma coisa?

Um furor sereno iluminou o semblante de Tatianna.

— Vou fazer de tudo... para ajudá-la.

Por mais ridículo ou insignificante que fosse, Trystan sentiu um certo alento ao notar que Tatianna parecia disposta a enfrentar o mundo inteiro antes que qualquer coisa atingisse Evie Sage.

— Obrigado. — Aquela era uma palavra que ele não dizia com frequência, mas, se havia alguém que a merecesse, esse alguém era Tatianna.

Ela assentiu e deu um tapinha amigável e familiar no ombro dele antes de se encaminhar para o escritório de Trystan com determinação, arrastando a cauda cor-de-rosa do vestido atrás de si.

Trystan voltou para perto de Sage, que parecia satisfeita enquanto dava um joinha para a pintura, e Reinaldo coaxava ao lado dela. Um riso rouco quase escapuliu da garganta antes que ele pudesse se conter. Em vez disso, Trystan se inclinou e posicionou a cabeça ao lado da dela, acima da curva do ombro. Ele fingiu não ter notado que Sage prendeu a respiração, fingiu não ter feito o mesmo.

— Está torto, lado esquerdo — sussurrou, tratando de se afastar rapidamente do perfume de baunilha que estava dificultando a formação de frases completas.

— Aff, Reinaldo, você estava certo — disse ela, e então se esticou para ajustar a moldura.

Trystan sentiu as mãos coçarem de vontade de tocá-la, o que era totalmente inaceitável.

Ele deu meia-volta em direção ao escritório, e o arrastar das botas cada vez mais distante fez com que a assistente corresse até alcançá-lo.

— Desculpa. Você esteve fora de combate basicamente a semana inteira, e aí depois diz casualmente que estava brincando com um guvre!

Trystan abriu a porta do escritório e ficou aliviado ao ver que Tatianna já tinha pegado a lâmina e ido embora. Então, dirigiu-se à cadeira mais próxima da sua mesa e a inclinou de leve em direção à janela. Só porque ficava mais bonito assim; não tinha nada a ver com o sol batendo no ângulo certo, fazendo com que feixes de luz brilhassem no cabelo preto e comprido de Sage.

Ele simplesmente gostava da cadeira ali.

— Eu não estava brincando com o guvre, Sage.

Trystan se encolheu ao se acomodar no conforto da outra cadeira, sem se dar ao trabalho de contornar a mesa para sentar-se na dele. Então, controlou-se para não suspirar profundamente enquanto a assistente ocupava o outro assento e o sol iluminava suas bochechas.

Era apenas um bom lugar para a cadeira, nada mais.

— Ah, então vocês estavam discutindo a reforma tributária com a criatura? — murmurou Sage num tom seco, deslizando suavemente os dedos pelo caderno que parecia sempre carregar consigo.

— Eu precisava do guvre porque o rei Benedict o quer — admitiu ele. Era mais simples assim.

— Por que é que ele precisa daquela coisa? — perguntou Evie, curiosa.

— Não sei. Só sei que, se o rei quer uma coisa, é imperativo que ele não consiga tê-la.

— Por causa daquele lance de ele ter pisado no seu pé? — perguntou Sage retoricamente, e então se inclinou sobre a mesa para pegar a pena no tinteiro, dando-lhe uma vista privilegiada de uma leve sarda em seu decote.

O Vilão engoliu às pressas o que restava do seu cantil de água para estancar a secura.

— Você realmente capturou um guvre? — Sage começou a escrever alguma coisa em seu caderninho, furiosamente. — Devo pesquisar como se cuida de um guvre?

— Não temos tempo. — Claro, aquela teria sido a linha de ação prudente, se Trystan não tivesse passado a última década se preparando para aquilo.

Eles tinham capturado o guvre.

Finalmente.

Foi o olhar da criatura quando ele a enfrentara que havia confirmado os medos dele, uma emoção que raramente sentia. Mas, quando um ser daquele tamanho olha para a sua alma, é assustador. Trystan havia trancado a fera na cela, uma área grande o suficiente para que pudesse se movimentar livremente, com um entendimento claro entre eles.

Ambos tinham alguém para proteger — a criatura entendia aquilo.

Ou então Trystan estava, aos poucos, perdendo a cabeça, e as nuvens escuras que vinham de céus distantes e escureciam a luz ao redor do rosto de Sage eram uma metáfora de como ele escurecia tudo que tocava.

— Que estranho — observou Sage, inclinando a cabeça ao ver a escuridão projetada pela janela e, em seguida, dando um pulo discreto quando o trovão sacudiu as paredes.

— Não, infelizmente isso é o que se espera quando capturamos um guvre contra a vontade dele. — Trystan beliscou o dorso do nariz e cerrou a outra mão.

— Uma tempestade?

— Não é à toa que eles são conhecidos como "criaturas vingativas do destino". Prender um deles sempre resulta em algum tipo de consequência na natureza que vai piorando quanto mais tempo o mantemos.

— Então, a consequência de prender esse guvre é uma tempestade?

Como se tivesse sido combinado, um raio iluminou o céu, seguido rapidamente por outro estrondo de trovão. A mãozinha de Sage agarrou o antebraço dele e ela arregalou os olhos.

O toque era ardente.

Trystan se desvencilhou do braço de Sage, levantou-se e foi para perto da parede, tentando criar uma distância que lhe desse espaço para pensar direito.

Diante daquela retirada repentina, ela semicerrou os olhos.

— Parece que sim. — Os céus escolheram aquele momento para se abrir e despejar uma chuva torrencial sobre a mansão.

A assistente teve que falar um pouco mais alto para ser ouvida em meio ao dilúvio:

— E você está planejando soltar a criatura até o fim do dia?

— Não, não posso. — Ele precisava do guvre pelo menos por tempo suficiente para que as engrenagens de seu plano entrassem em ação. Para que o traidor informasse o rei.

Sage suspirou e avançou em direção à porta com um senso de propósito a cada passo.

— Vou mandar os estagiários pegarem alguns sacos de dormir na lavanderia, então.

— Por que raios você faria uma coisa dessas? — questionou Trystan, e um desconforto começou a se insinuar à sua volta como um predador furtivo.

— Porque, se a tempestade continuar do jeito que está, ninguém vai conseguir sair daqui em segurança no fim do dia.

Ela lhe lançou um olhar incisivo enquanto outro raio iluminava a sala ao redor deles. Em seguida, fez uma pausa, como se precisasse escolher com muito cuidado as palavras seguintes. Mas não precisava ter se dado ao trabalho. Ondas de desgraça já agitavam o estômago de Trystan.

Por fim, ela disse:

— Vamos passar a noite presos aqui. Juntos.

Um raio iluminou o céu mais uma vez e refletiu nos lábios de Sage, levemente levantados nos cantos. O Vilão se apoiou com tudo na mesa quando a porta se fechou atrás dela.

Em seguida, fechou bem os olhos e tentou organizar os pensamentos.

Mas, quando mais um raio brilhou no céu, ele não pôde deixar de temer que seu plano de vingança tivesse trazido muito mais do que o esperado.

CAPÍTULO 32
Evie

— **É enorme! — exclamou Evie,** sem fôlego.

Blade virou-se para ela com um sorrisinho malicioso.

— Se eu ganhasse uma moeda de ouro toda vez que...

Um som de tapa bem alto atravessou o ar e Blade se encolheu, segurando a parte de trás da cabeça.

O Vilão nem sequer olhou na direção do homem quando levou a mão de volta à lateral do corpo.

— É menor do que o dragão.

O chefe estava calado desde que Evie saíra do escritório dele para organizar o espaço onde cada um ia dormir. Depois de dispensar os estagiários e os outros funcionários para os quartos de hóspedes do outro lado do pátio, sob forte vigilância, ele a chamara para ir ao canto dos fundos do porão para ver a criatura com os próprios olhos.

E o guvre era aterrorizante.

— Sim, mas o Fofucho não tem essa aparência. — Evie inclinou a cabeça e o animal com traços de serpente fez o mesmo em resposta. — Para de ser fofo... você deveria ser um pesadelo vivo.

Pelo menos era o que o guvre parecia ser, apesar do comportamento calmo que exibia no momento.

Os olhos dele eram grandes e saltados, e a cabeça tinha um formato inclinado e afunilado no nariz, como o de uma cobra. Quando o guvre se aproximou das grades, as asas de morcego se abriram; a membrana coriácea lembrava muito a do dragão, mas era diferente de uma forma intimidadora.

— Por que estamos prendendo essa abominação no nosso porão mesmo? — questionou Evie, acenando de mansinho para o animal feroz e suavizando o semblante quando ele inclinou a cabeça para ela outra vez.

Ela se virou para cobrar uma resposta e notou que o chefe a observava atentamente, com um leve brilho nos olhos e um sorriso quase imperceptível nos lábios, tão sutil que Evie quase não se deu conta.

— Senhor? Aconteceu alguma coisa? — perguntou, curiosa.

Ele balançou a cabeça e limpou a garganta, desviando o olhar para as grades. Então disse, ignorando a pergunta:

— Os guvres são animais conhecidos por viver em pares.

— E você achou que poderíamos auxiliar a criatura na arte da conquista? — questionou Blade em tom irônico, passando a mão entre as grades e estalando a língua. Para a surpresa de Evie, o guvre se aproximou e encostou a cabeça na mão de Blade.

— Como foi que você fez isso? — Ela arregalou os olhos.

Blade deu de ombros.

— Os animais gostam de mim.

— Ah, claro, você está sempre na enfermaria, às vezes eu esqueço.

Evie não tinha a intenção de ofender, mas só se deu conta do teor das palavras depois de tê-las pronunciado.

Para seu alívio, Blade deu uma risadinha e endireitou o colete.

— É a parte menos agradável do trabalho, com certeza.

— Eu teria chutado que a parte menos agradável seria limpar os excrementos da criatura.

Blade e Evie encararam o chefe boquiabertos.

— Ele acabou de fazer uma piada? — perguntou Blade num sussurro exagerado.

— *Pois é.* Ele tem feito muito isso ultimamente. — Ela respondeu no mesmo volume.

— Interessante. Você acha que...

— Basta! — O chefe pôs as mãos na cintura com uma expressão séria e intimidadora. — Se não se importam, eu gostaria de concluir o que estava dizendo.

— Claro! — disse Evie, fingindo inocência. — A gente não se importa, pode continuar.

Arqueando a sobrancelha, como se quisesse sorrir novamente, o chefe balançou a cabeça e começou a falar:

— Os guvres normalmente têm parceiros. O par desse guvre em particular é valioso para mim.

— Então por que não simplesmente capturar o par do guvre? Por que se dar ao trabalho de pegar esse daqui? — Blade começou a jogar pedaços de carne através das grades, e a criatura engolia sem mastigar.

— Porque é praticamente impossível capturar uma guvre fêmea; elas são astutas demais, inteligentes demais. Os machos são bem mais fáceis de dominar. Além disso, essa guvre fêmea já está em cativeiro.

— O quê? Então como você espera capturá-la? — perguntou Evie, incrédula.

— As guvres fêmeas são criaturas vingativas, e a melhor maneira de capturar uma delas é atraindo-a através do parceiro.

— Isso não explica como você espera que essa fêmea venha até aqui se está presa.

— Não me entenda mal. Quando digo vingativa, falo no sentido mais extremo da palavra. Se uma guvre fêmea acredita que o parceiro está em perigo, não há prisão no mundo que possa detê-la.

Um silêncio pesou no recinto e o único som era o dos murmúrios do animal ao lado deles.

Evie esperou Blade voltar ao escritório no andar de cima antes de se aproximar da jaula. Em seguida, apontou um dedo acusador para o Vilão e sussurrou com intensidade:

— O rei Benedict! É ele que está com a guvre fêmea em cativeiro!

Trystan olhou para o dedo dela e arqueou a sobrancelha.

— Muito perspicaz, Sage.

— Por que o rei Benedict teria uma guvre?

Um ruído ressoou da cela, paralisando os dois.

— Isso foi um ronronar?

Evie se inclinou e, hesitante, passou a mão pelas grades, como Blade tinha feito. Depois, soltou um gritinho quando duas mãos grandes envolveram sua cintura e a puxaram para trás.

— Prefiro que você não perca a mão, Sage. — A voz rouca estava no ouvido dela, o que a fez se arrepiar todinha. — Ele pode até parecer fofo, como você mencionou, mas tem um temperamento forte.

— Hmm... Acho que conheço alguém assim. — Evie lhe lançou um olhar sugestivo, e o chefe revirou os olhos.

— Faz dez anos que o rei Benedict está em posse da parceira dele.

— Dez anos? — repetiu Evie. — Que tipo de consequências isso deve ter causado?

O Vilão a soltou com um sorriso irônico e misterioso e, depois, se afastou.

— Seja qual for, hoje à noite isso vai mudar.

O Vilão sempre se afastava ao mencionar a vingança, como se, para acessá-la, precisasse se transportar para outro lugar. De alguma forma, Evie sabia que era melhor deixá-lo a sós com aqueles pensamentos. Quem era ela para se interpor entre um homem e sua sede de retaliação? Sinceramente, se ele algum dia compartilhasse suas motivações com Evie, talvez ela até viesse a apoiá-lo com entusiasmo.

— Preciso voltar para ajudar nos preparativos para a pernoite, senhor — disse ela, seguindo em direção às escadas do porão que a levariam ao escritório.

Quando já estava quase no topo, a voz surpresa do Vilão a alcançou.

— Sage... você acabou de me chamar de fofo?

Ela abriu a porta com um sorriso no rosto.

Mas, ao ouvir o som do metal pesado se fechando às suas costas, o bom humor de Evie foi substituído por um sentimento de temor. Porque, naquela noite, o Vilão não seria a única criatura em busca de vingança dentro das paredes da mansão.

Se tudo se desenrolasse conforme o planejado... uma guvre aterrorizante viria em busca do parceiro. E nem mesmo o Vilão seria capaz de impedi-la.

CAPÍTULO 33
Evie

Era impossível se concentrar quando as pálpebras estavam pesadas feito chumbo.

Com as mãos, Evie forçou os olhos a se abrirem, ordenando que o corpo obedecesse aos seus desejos.

— Você não vai dormir — disse a si mesma.

Evie tinha acabado de comer o último doce de baunilha — o que era uma tragédia, já que uma dose de açúcar viria bem a calhar no momento. O espaço do escritório estava sinistramente vazio, os únicos sons eram os rugidos da tempestade lá fora. O pai provavelmente estava louco de preocupação, mas ela esperava que a mensagem que tinha conseguido enviar através de um dos corvos chegasse a ele sem demora.

De acordo com o chefe, a tempestade estava atingindo grande parte do reino. Os guardas o informaram que todo mundo deveria permanecer dentro de casa até o fim da tempestade. Mas aquilo não ia passar, não até que o guvre fosse libertado, e isso só aconteceria quando o chefe conseguisse o que queria.

O delicioso aroma do elixir de caldeirão a envolveu e, ao levantar os olhos, Evie viu uma taça fumegante à sua frente.

— Você é minha pessoa favorita — disse Evie antes de levantar a cabeça. — Quem quer que você seja...

Becky estava ali a sua frente, com uma expressão igualmente enojada.

Evie deu de ombros e tomou um gole da bebida quente antes de afastar a taça dos lábios e observá-la.

— Está envenenado?

— Não é meio inútil perguntar depois de já ter tomado? — perguntou Becky, confusa.

— Eu precisava da cafeína, de qualquer maneira; um venenozinho nunca matou ninguém — disse Evie, sorrindo para a taça enquanto Becky parecia frustrada a ponto de doer.

— Literalmente, veneno mata. É para isso que ele serve, sua tonta. — A mulher era quase tão literal quanto o chefe.

— Você me traz um elixir e aí depois me insulta. — Evie levou a mão ao peito, fingindo estar ofendida, e demorou alguns segundos para assimilar as próprias palavras. — Espera. *Por que* você me trouxe um elixir? — perguntou ela, com uma dose saudável de desconfiança.

— Qualquer um com olhos perceberia que você está esgotada. E, já que está determinada a não ir para os aposentos dos hóspedes, como os outros funcionários, para esperar a tempestade passar, eu preferiria não ter que ouvir seus roncos enquanto eu de fato *trabalho*.

Becky voltou para a escrivaninha do outro lado da sala e ignorou completamente o aceno de Blade quando passou por ela.

Com cara de cachorro sem dono, Blade apareceu diante da mesa de Evie com os cabelos escuros úmidos de chuva.

— Já são seis da tarde… Vamos invadir a adega do chefe e fazer a noite valer a pena.

— Vocês *não vão* fazer isso! — disse Becky, sem fôlego. Então, levantou-se e derrubou o porta-lápis que estava na beirada da mesa.

— Pode ficar tranquila, Becky. Não vou arrastar você para as nossas travessuras. Sei bem que não devo te envolver em nenhuma diversão não autorizada. — Blade deu um sorrisinho e desviou quando Becky jogou um dos lápis na direção dele. No fim das contas, acabou acertando Evie com a parte da borracha.

— Ei! — A assistente se virou para Becky. — Não foi você que deu uma bronca no chefe semana passada para ele parar de jogar pedras, sua hipócrita? — resmungou, esfregando a cabeça, até Tatianna surgir com duas garrafas e cinco taças.

— Trouxe vinho, Blade! Vamos beber. Você também, Rebecka… sem reclamações. — Tatianna pôs uma taça na mesa dela e a encheu até a boca.

— Não podemos… — Becky encarou a taça como se estivesse mesmo cheia de veneno, não vinho.

— Podemos, sim. O expediente tecnicamente já acabou, e esse vinho é da minha reserva pessoal — rebateu Tatianna, ajeitando uma das tranças amarradas atrás da orelha com fita cor-de-rosa antes de servir uma taça para Evie e Blade.

Evie aceitou a dela com gratidão e logo tomou um gole revigorante, sentindo o quentinho se espalhar pela garganta e pelos membros doloridos.

— Será que você pode mesmo chamar de "minha reserva pessoal" quando foi um roubo da *minha* reserva pessoal?

O chefe surgiu como um fantasma e, enquanto Blade estava apenas úmido, o Vilão estava ensopado até a alma.

Assim como Reinaldo, sentado em seu ombro e brilhando dos pés à coroa dourada.

A camisa preta do Vilão estava grudada em cada músculo curvado do seu torso. Evie engoliu em seco enquanto ele caminhava na direção dela; uma intensidade palpável pairava no ar.

— Eu disse a eles que não deveriam beber, senhor — Becky logo tratou de dizer, e acabou derrubando a cadeira na pressa de se levantar.

— Por favor, fique à vontade, srta. Erring. Sei que passar a noite aqui é um inconveniente que eu causei a todos vocês. Podem lidar com isso da maneira que acharem melhor. — O chefe olhou para Tatianna e para a última taça vazia. — Contanto que aquela taça seja para mim.

— Mas é claro! — disse Tatianna animadamente, enchendo-a até a boca e entregando-a a ele com um gesto teatral.

— Nenhum sinal da guvre fêmea? — perguntou Evie, observando o chefe esvaziar a taça com três goles grandes e depois estendê-la para que Tatianna a enchesse de novo.

— Nenhum. — O chefe caminhou em direção a um dos vitrais. Reinaldo saltou do ombro dele e pousou na mesa de Evie. — Mas não estou surpreso. Vai demorar mesmo.

— Como vamos saber quando ela estiver vindo? — perguntou Becky.

O Vilão se virou para o grupo no instante em que um relâmpago iluminou seu rosto.

— Nós vamos saber — respondeu num tom ameaçador.

— Você planejou isso? — perguntou Evie, indicando a tempestade com a cabeça.

Blade deu uma risadinha com a mão na boca e o chefe revirou os olhos para eles.

— Vocês dois são incorrigíveis.

— Concordo — murmurou Becky, lançando um olhar cheio de desejo para a taça.

— Vai, bebe logo, Rebecka. — Tatianna se aproximou e pôs a taça bem debaixo do nariz dela. — O chefe literalmente falou para você ficar à vontade. Cadê sua obediência às regras?

Evie não sabia se Tatianna odiava Becky ou a respeitava profundamente. Toda interação entre as duas sempre ficava em algum lugar no meio do caminho.

Depois de tomar um gole cauteloso e dar um suspiro de satisfação, Becky se afundou na cadeira.

— É isso aí, garota. — Tatianna lhe deu um tapinha encorajador no ombro, que Becky tratou de afastar enquanto tomava outro gole da bebida.

— Cuidado, querida Rebecka. — Blade ergueu a taça como se estivesse prestes a fazer um brinde. — Você pode acabar se divertindo e seu corpo pode entrar em choque.

Evie riu quando Becky mostrou o dedo do meio para ele e manteve o contato visual enquanto esvaziava a taça. Viu Blade engolir em seco ao acompanhar a cena.

Outro relâmpago atravessou o céu e o estrondo do trovão estilhaçou uma janela, fazendo com que todos se abaixassem e protegessem a cabeça com as mãos.

Blade deu uma espiadinha de onde estava e franziu a testa olhando para o vidro quebrado.

— Quem, hm... quem é que vai recolher aquilo ali? Porque todos os estagiários já foram para os quartos e meus dedos são muito sensíveis.

— Sensíveis a vidro? — disse Tatianna em tom de ironia, servindo mais vinho para Evie e para uma Becky levemente atordoada.

— Eu limpo — falou Evie. O calor do álcool já estava começando a bater, deixando-a mais leve, como se um peso estivesse saindo dos seus ombros. Ela seguiu até o armário para pegar pá e vassoura, mas foi interrompida por Tatianna, que ergueu a mão. Com um gesto, os cacos de vidro subiram e caíram na lixeira.

Blade suspirou com uma indignação fingida.

— Queria ter essa habilidade.

— Você tem seus próprios talentos especiais, meu caro. — O belo sorriso de Tatianna se abriu ainda mais.

— Como ser irritante, por exemplo — acrescentou Becky.

— Ou viver machucado. — Evie deu uma risadinha.

— E o que me dizem da total falta de autopreservação? — disse Tatianna com uma risada, tomando um gole da bebida.

— Não estou gostando nada dessa brincadeira — comentou Blade, muito sério, e tomou o vinho de uma só vez.

— O daltonismo também é algo admirável.

Todos viraram a cabeça para olhar para o chefe, que observava a interação de uma certa distância, como se não quisesse se misturar totalmente. A taça de vinho estava vazia, e Tatianna se prontificou a abrir outra garrafa para servi-lo.

Blade olhou para o Vilão com cara de quem tinha acabado de ser traído.

— Até você, senhor?

O chefe deu de ombros com uma expressão neutra no rosto, o que acrescentou ainda mais humor ao comentário com a seriedade com que foi feito.

— Que tal se falarmos dos talentos do chefe agora? — Tatianna parecia radiante, o vinho iluminava os olhos e o semblante dela.

— Não, isso não… — Mas a voz do chefe foi abafada pelas risadas de Evie e Tatianna.

— A incapacidade que ele tem de sorrir para qualquer coisa que não esteja relacionada a morte ou tortura. — Tatianna caiu na gargalhada e Evie a acompanhou.

Ela segurou a barriga enquanto as lágrimas ardiam no cantinho dos olhos. Era aquele tipo de risada difícil de controlar e, quanto ela mais tentava, mais irresistível ficava (o melhor tipo, o favorito de Evie).

— A obsessão com o cabelo — acrescentou Evie, enxugando os olhos.

— E a habilidade de jogar corpos pela janela? — emendou Blade.

Reinaldo ergueu duas plaquinhas: PIADAS e RUINS.

— Fazer os estagiários chorarem só de olhar para eles por tempo demais — acrescentou Becky em voz baixa, cheia de receio.

Todo mundo riu ainda mais alto. Tatianna ergueu a taça em direção a Becky, num brinde silencioso. Becky olhou ao redor e um sorriso quase imperceptível se insinuou nos seus lábios naturalmente sérios.

A risada de Evie finalmente diminuiu um pouco ao olhar em direção ao chefe, que olhava para todos eles, e para ela, com uma expressão diferente. Ele estava tranquilo, em paz. A eterna tensão na mandíbula parecia ter se desfeito, e então ele disse, com um ar relaxado:

— Eu não tenho obsessão com o meu cabelo.

Foi aquilo que desencadeou tudo. Todos caíram em uma nova onda de gargalhadas, ainda maior. Era como um remédio que curava todas as feridas e as transformava em algo novo, algo diferente. A sensação de pertencimento era um conceito desconhecido para Evie, algo que ela desejava em segredo, mas que nunca tinha descoberto como conquistar. No entanto, ali estava. Era seu momento, seu grupo. Tinha valido a pena esperar…

Um clarão e um estrondo sacudiram as paredes, sugando a alegria do ambiente.

A mandíbula do Vilão voltou a se contrair enquanto ele avançava até a janela.

— Senhor? Sem querer pressionar, mas você tem alguma ideia de quando a guvre fêmea vai chegar? — perguntou Evie com hesitação enquanto se aproximava dele.

Um grito agudo cortou o ar.

— Isso foi…

— Foi. — O Vilão fez que sim, mantendo o olhar fixo em alguma coisa do outro lado da janela. — Ela chegou.

CAPÍTULO 34
Vilão

— **Volta lá pra cima!** — vociferou o Vilão de um recanto protegido no pátio, e cambaleou para trás quando a assistente surgiu atrás dele com uma grande rede. — E pra que raios é isso?

A chuva estava ainda mais forte no momento, e os gritos da criatura eram ensurdecedores. O dragão se movimentou no canto oposto, buscando abrigo abaixo de uma das grandes arcadas do castelo. A guvre ainda não tinha chegado, mas estava perto. Sage apareceu ao lado dele com o vestido tão encharcado de chuva que chegava a aderir às suas curvas suaves.

— É uma rede, ué! — gritou Sage em resposta, erguendo-a e olhando para Trystan como se ele fosse o desequilibrado ali.

— Sim, eu percebi!

Era incrível que, mesmo com o rugido de uma criatura absurdamente perigosa que vinha direto até eles, era aquela conversa a responsável pelo início da dor de cabeça insuportável que se insinuava.

— De que outra forma você pretende capturá-la? — perguntou Sage, com uma expressão confusa que formava uma ruga encantadora entre suas sobrancelhas.

E esse definitivamente não é o momento para eu notar o quão encantadoras são as feições da minha assistente.

— Eu tinha um plano um pouco mais efetivo em mente — disse Trystan, apontando para a grade aberta do outro lado do pátio. — Aquilo leva direto para o porão, perto do guvre macho.

— Ela vai entrar ali por conta própria? — perguntou Sage, enquanto uma gota de chuva escorria por sua bochecha de modo tentador. Ele precisou controlar os dedos para não a enxugar.

Trystan fez que sim e voltou a olhar para o céu, esperando.

— Nada vai impedir que ela chegue até ele, lembra?

— Então por que ela ainda não voou para o buraco? — gritou Sage por cima do barulho da chuva que, incrivelmente, estava ainda mais forte do que antes.

— Ela não é boba! — gritou ele em resposta, puxando-a levemente pelo braço para trazê-la de volta para baixo do beiral quando Sage esticou o pescoço para espiar a guvre. — Ela sabe que estaria voando direto para uma armadilha. Está tentando encontrar outra maneira de chegar até ele.

Um clarão surgiu em sua visão periférica, seguido pelo ruído de mais vidros estilhaçando-se. Sage o segurou firme pelo braço e o puxou para perto com sua força sutil. Bem a tempo de um dos arcos desabar exatamente onde ele estivera, envolvendo-os em uma nuvem de escombros.

Sem mais nem menos, Trystan prestou atenção nas mãos, que de alguma forma estavam fixas na curva dos quadris de

Sage depois que ela o puxara. Sentindo falta de ar por razões que nada tinham a ver com seu quase óbito, o Vilão olhou das próprias mãos para os lábios dela.

A assistente também estava com a respiração entrecortada enquanto o segurava pelos antebraços.

— Obrigado — disse Trystan por fim. A voz tinha ficado vergonhosamente rouca.

Outro grito o fez despertar do seu encanto. Enquanto se separavam meio sem jeito, ele percebeu que Sage parecia não ter sido afetada pela troca entre eles. O que, claro, não o incomodava nem um pouco. Por que a proximidade dele teria algum efeito sobre ela?

— Ah, sem problemas. Você sendo esmagado por blocos de concreto teria sido um final bem anticlimático.

— Você já pensou tanto assim sobre a forma como eu morreria? — brincou Trystan, esperando aliviar a tensão com uma piada.

Mas, como sempre, ele errou no tom, porque Sage arregalou os olhos, ofendida.

— Claro que não, senhor!

Então, suspirando e beliscando o dorso do nariz, ele tentou se corrigir:

— Sage, não foi isso que eu…

Mas ela o surpreendeu com um sorriso travesso que substituiu o semblante magoado.

— Você cai muito fácil — disse Sage com uma risada, enquanto mais uma gota de chuva escorria até a ponta do nariz dela.

Um sentimento de alegria cresceu no peito de Trystan e se alojou ali enquanto ele sorria de orelha a orelha, despreocupado.

— É a primeira vez que me acusam disso.

Só que o momento foi arruinado quando o teto acima deles começou a ruir. Segurando a mão úmida de Sage, Trystan a puxou e evitou por pouco que fossem esmagados outra vez.

Ao ar livre, totalmente expostos, ele sentiu um momento de pânico.

— Volta pra dentro — ordenou à assistente.

— Só se você for também — retrucou ela. Através do vestido encharcado, dava para ver todo o contorno do corpo de Sage. Trystan desviou o olhar para uma das torres e ordenou a si mesmo que não tirasse os olhos dali.

— Preciso ficar aqui para fechar a grade quando ela voar para dentro! — argumentou ele.

— Por que você não manda um dos guardas fazer isso? — Trystan notou que ela estava exasperada, pois as mãos voavam para lá e para cá feito uma borboleta ensandecida.

— Eu não vou delegar uma tarefa tão importante. — Ele não tinha feito aquilo ao capturar o macho e não faria aquilo naquele momento. Seus planos estavam começando a se concretizar e, sem dúvida, o traidor do escritório estava entrando em desespero, assim como o rei Benedict, agora que Trystan estava com a vantagem.

— Você tem noção de que ser tão controlador vai acabar te matando? — gritou Sage por cima da chuva, revirando os olhos antes de arregalá-los de terror. — Abaixa!

Ambos se agacharam a tempo de evitar um vulto marrom-acinzentado que passou voando por cima deles, quase arrancando a cabeça dos dois. Aquela guvre era tão aterrorizante quanto o Vilão se lembrava.

Ela era grande, maior do que o macho. Poderia ter eclipsado o sol, caso estivesse fazendo sol naquele momento.

— Ela é linda — disse Sage, maravilhada.

— Ela é aterrorizante — corrigiu ele.

Sage deu de ombros, absorvendo cada detalhe abominável do corpo da guvre.

— Muitas vezes, dá no mesmo.

Ele sentiu os joelhos enfraquecerem contra sua vontade, como se o corpo estivesse tentando se curvar. O padrão de voo da criatura estava ficando claro à medida que ia chegando cada vez mais perto da grade a cada rasante. A guvre perceberia em breve que a única maneira de estar com seu parceiro era se permitindo ser aprisionada com ele.

Quando se trata daquilo que mais amamos, refletiu Trystan antes de sair correndo ao ar livre em direção à grade, ouvindo os gritos de protesto de Sage às suas costas, *é sempre melhor ficar presos juntos do que livres e separados*.

CAPÍTULO 35
Evie

— **O que você está fazendo?** — gritou Evie em meio à tempestade, mas não tinha como Trystan ouvi-la com toda aquela barulheira. A guvre soltou um rugido assim que o Vilão entrou abruptamente em seu campo de visão. Evie o observou se agachando devagarinho e pegando a beirada da grade, pronto para fechá-la no momento certo.

Uma sensação de impotência a dominou, e Evie sentiu embrulho no estômago ao observar o animal dando rasantes cada vez mais próximos do chefe. As garras da guvre estavam abertas, prontas para arrancar uma presa do chão. Evie berrou quando a criatura arranhou o ombro dele e um jato brilhante de sangue se fez visível apesar da escuridão da chuva.

Para seu alívio, o chefe se endireitou com cara de quem não tinha sido afetado pela ferida, exceto por uma postura um pouquinho mais curvada. *É só o veneno no hálito deles que é letal*, lembrou Evie a si mesma. Se o chefe ficasse longe da boca da criatura, sobreviveria.

E, então, Evie diria poucas e boas a ele.

— Vamos! — ouviu o chefe gritar. — Ele está te esperando! — A criatura tinha pousado lá no topo de uma das torres, bufando lentamente e imóvel de um jeito que conferia uma calma sinistra ao cenário. — Você estava fraca demais para encontrá-lo antes. E agora? — Ele estava provocando a fera, como se ela pudesse entendê-lo.

Quer entendesse ou não, ela estava furiosa. E o chefe de Evie havia subestimado e muito a situação. Ela percebeu pela expressão de pânico no rosto dele quando a criatura abriu as asas e escancarou a boca antes de dar mais um rasante. A intenção da guvre era clara.

Ela ia matá-lo.

Evie não pensou muito depois daquilo, mas notou algumas coisas, é claro. A pulsação ecoando nos ouvidos, o som das botas batendo no piso. O vestido, pesado e molhado, dificultando seus passos. Os olhos de Trystan ao ver Evie se aproximando rapidamente e, logo em seguida, a mão que ele estendera em um gesto de "pare", furioso. A criatura estava cada vez mais perto, e Evie viu mais do que sentiu os próprios dedos indo até a boca, e então assobiou bem alto.

No mesmo instante, ela se lembrou do primeiro ano de escola, quando havia ganhado um concurso de quem assobiava mais alto. Ganhara uma medalha e tudo, mas, naquele momento, provavelmente só ganharia um corte no rosto de uma cobra voadora gigante.

A vida adulta deveria ser proibida.

A criatura empinou-se e se virou para ela com a mesma expressão furiosa de antes, talvez ainda mais irritada. Evie deu um passo lento para trás, depois mais um.

— Sage! — gritou Trystan na direção dela.

— Deixa comigo, deixa comigo! — Ela deu mais um passo antes de engolir em seco.

— Corre!

E foi o que ela fez. Passou correndo pela arcada destruída e, depois, pelas grandes portas abertas. Fez a curva na entrada e quase chegou às escadas. Mas então uma sombra escura pairou sobre ela e Evie percebeu que os degraus estavam derretendo diante dos seus olhos enquanto a pedra ia se transformando numa gosma escura.

Então, ela parou, virou-se rapidamente e caiu no chão ao notar que a cabeça da criatura estava a menos de um palmo de distância da sua e o hálito venenoso preenchia o ar, dificultando a respiração.

— Ah, não, não, não, não. — Ela repetiu a palavra como se fosse uma oração, um mantra que dizia que aquilo não podia estar acontecendo. Levando as mãos ao rosto, sentiu o calor do hálito nauseante roçar as palmas.

Evie gritou.

Aquilo queimava feito ácido, corroía sua pele. Ela rezou para desmaiar logo, assim talvez não tivesse que estar plenamente consciente durante sua morte iminente.

Evie abriu os olhos lentamente e notou que havia um pequeno recesso abaixo da escada. Rolando naquela direção, ela tentou desesperadamente ignorar a ardência persistente nas mãos no instante em que tocaram o chão. Então, encolheu-se o máximo que pôde, abraçou os joelhos no peito e abaixou o queixo.

A criatura gritou de novo, mas não era um grito de ataque, mas um ruído de dor. O som foi seguido por um estrondo alto e retumbante. Evie se desenrolou com muito cuidado e pôs só a cabeça para fora do recesso, a fim de confirmar suas suspeitas. E descobriu que estavam corretas.

Sorrindo apesar da dor, Evie foi se arrastando até sair do espacinho. A guvre fêmea estava deitada de lado, com as pálpebras escamosas fechadas.

— Demorou, hein? Escorregou no caminho? — perguntou ela.

O chefe estava ali e ainda arfava por conta do esforço que tinha feito para arremessar um aríete que devia ter arrancado de um display na parede.

— Está criticando meu resgate? — perguntou ele, enxugando a água que pingava da sua testa e sacudindo a camisa.

— Não, estou criticando o tempo que você levou para fazer o resgate — disse Evie antes de semicerrar os olhos ao se dar conta de um detalhe. — E nem era *seu* resgate, era meu. Se eu não a tivesse distraído, você teria virado uma panqueca do mal.

O chefe jogou o aríete de lado com o mesmo esforço que Becky fazia para jogar um lápis e se aproximou da guvre com a mão no pescoço da criatura.

— Ela está viva. Só acertei num ponto fraco. Vai ficar desmaiada por tempo o suficiente para meus guardas e eu a levarmos para o porão.

— Estamos mudando de assunto porque você está com vergonha de ter sido um soberano do mal em apuros? — Evie se aproximou dele e sentiu um momento de pena da criatura desmaiada. — Não tem nada de errado com isso. Acontece nas melhores famílias.

— Não estou com vergonha... só não é verdade. — Ele sempre mordia a isca quando ela o provocava. Evie começou a pensar se o chefe fazia de propósito, só para entretê-la.

Mas logo descartou a ideia. Por que ele se importaria com a diversão dela?

— Você não pode ser um soberano do mal em apuros — continuou o chefe — se salva a heroína logo depois de ela salvar você.

— Sendo assim, acho que salvamos um ao outro, então. — Evie sorriu, sem entender por que aquela frase apagou alguma coisa nos olhos do chefe.

— Volte para o escritório — disse ele, indicando com a cabeça as escadas destruídas. — Eu cuido disso.

— Hm, senhor... — disse Evie.

— O quê? — respondeu o Vilão brevemente enquanto os olhos encontravam a escadaria destruída e coberta por um líquido derretido. Ao olhar para o animal desacordado, murmurou: — Foi ela que...

— Sim, senhor.

— Droga.

— Aposto que dá para consertar — comentou Evie, e então deu um tapinha no braço do chefe. — Enquanto isso, você precisa descobrir como levar essa dama alada lá para o porão. E tentar não se meter em encrenca no processo; não posso ficar te salvando o tempo todo.

Era para ser uma piada, só para descontrair, mas certamente não foi o que pareceu quando o olhar intenso do Vilão encontrou o dela.

CAPÍTULO 36
Evie

A tempestade passou na manhã seguinte, como ela imaginava que aconteceria.

A magia vingativa da criatura havia se esgotado — ele reencontrara a parceira e as nuvens se foram.

Evie se olhou no espelho, usando uma roupa emprestada de Tatianna. Era um vestido que ficara meio largo num primeiro momento, mas, assim que os botões nas costas foram fechados, o corpete foi se ajustando lentamente ao corpo dela até se acomodar como uma segunda pele.

— Que truque divertido — comentou Evie, examinando o veludo azul no grande espelho do outro lado dos aposentos da curandeira.

— Aprendi com um alfaiate mágico quando fui visitar uma amiga lá em Verdelana. — Tatianna sorriu e se aproximou de Evie, virando as mãos dela para examinar por baixo das ataduras. — As melhores magias vêm do sul. Ele disse que o vestido deve se adaptar a você, não o contrário.

— Então, não importa que…

— Ele sempre vai caber direitinho. — Tatianna semicerrou os olhos e encarou as olheiras de Evie. — Você chegou a dormir?

— Um pouco. Sua cama extra era confortável.

E realmente tinha sido. Só que as mãos de Evie ainda doíam, mesmo depois de Tatianna ter usado toda a sua magia nelas. Regenerar a pele onde bolhas tinham se formado não era fácil e, em algumas áreas, Tatianna admitira que estavam tão machucadas que levaria várias sessões mágicas para curar por completo. Naquelas áreas em específico, Tatianna aplicara um bálsamo, mas Evie recusara qualquer tipo de atadura, temendo que o Vilão notasse o estrago e lhe fizesse perguntas.

Evie já tinha visto como ele reagia quando ela se machucava, e a última coisa que queria ou precisava era que ele começasse a achar que ela era incapaz.

Por isso, mal tinha dormido.

Claro, a curandeira tinha feito tudo aquilo depois de ter arrancado toda a história de Evie como forma de pagamento. Incluindo o fato de que, por algum tipo de milagre, tinha dado um jeito de esconder as mãos machucadas do chefe no momento da lesão.

O barulho do vidro fez Evie voltar a prestar atenção em Tatianna, que já estava na mesa de trabalho esmagando folhas e todo tipo de plantas estranhas dentro de potes.

— Como que é? Morar com *ele*?

Tatianna bufou e continuou trabalhando enquanto o sol começava a surgir no horizonte.

— Eu não diria que moro com ele. Só vejo o Trystan no escritório ou nas raras vezes em que ele precisa de cuidados com algum ferimento. Quando quero companhia, vou ao bar mais próximo e arrumo uma bela moça para passar o tempo.

— E a Clare? — disse Evie com um sorrisinho malicioso, ignorando o olhar fulminante que Tatianna lhe lançou por cima da tigela de ervas. — Tive a impressão de que as coisas entre vocês não tinham acabado.

— Ah, mas acabaram, sim — resmungou ela, esmagando as ervas com ainda mais força. — Ela fez questão disso.

— Acho que você se sentiria melhor se falasse sobre o assunto — cantarolou Evie, desviando quando Tatianna atirou uma colher na direção dela.

— Eu negocio segredos, querida. Não saio distribuindo de graça.

— Poxa, nem para uma amiga? — perguntou Evie, deixando transparecer uma pontinha de vulnerabilidade.

Tatianna bufou, mas depois relaxou o rosto.

— Caramba. Somos amigas, né? Como foi que eu deixei isso acontecer?

— É porque eu sou irresistível. — Evie deu uma voltinha, passou os dedos pelo cabelo e riu quando quase perdeu o equilíbrio.

— Ah, sim, deve ser isso. — Tatianna sorriu.

— *E aí?* — Evie a encorajou, indicando o reloginho na mesa. Ainda tinha vinte minutos antes que o chefe esperasse sua primeira dose de elixir de caldeirão na mesa e, na verdade, ela estava ansiosa para saber como estavam os dois animais no porão. — Tenho tempo.

— É uma longa história. — Tatianna grunhiu, como se falar da própria vida fosse um insulto à sua índole. — A versão resumida é: cresci perto dos três irmãos Maverine. A Clare e eu éramos inseparáveis desde pequenas.

Evie arregalou os olhos, surpresa e meio chocada com o que aquela novidade significava.

— Então quer dizer... que você conhece o Vilão... quer dizer, o Trystan... — Por algum motivo, ela nunca tinha imaginado o chefe como alguém que tivesse tido infância.

— Sim. Eu conheço o Trystan desde que éramos bem novinhos. — Tatianna se remexeu, parecendo desconfortável de um jeito bem incomum. Como se estivesse insegura. — Não é um assunto que eu deveria estar discutindo com você.

Evie suspirou, puxou uma cadeira para se sentar de frente para a curandeira e perguntou:

— Quantos segredos *meus* você sabe?

— Você se machuca bastante, então... muitos — disse ela, apreensiva.

— Pois é — insistiu Evie. — Você não acha que me deve pelo menos um? Hein, *amiga*? — Ela disse a última palavra com uma inocência ferida nos olhos.

Tatianna grunhiu outra vez e enfiou a cabeça entre as mãos.

— Você é uma manipuladora de marca maior. — Em seguida, levantou a cabeça e olhou para Evie com um sorriso incrédulo. — Já está aqui há tempo demais.

— Ah, fala sério, estamos chegando na parte interessante agora. — Evie sorriu e se inclinou para a frente, indicando que Tatianna continuasse.

— O que você quer saber? — De repente, a curandeira lhe lançou um olhar malicioso e ergueu a sobrancelha. — *Por que* você quer saber?

Certamente o coração de Evie só tinha acelerado por ficar desconfortável ao ser analisada tão diretamente.

— Quem não iria querer saber? — argumentou Evie. — É difícil imaginar aquele homem como qualquer coisa diferente do... hum... homem que ele é. — Por que de repente estava tão quente ali? Ela se levantou e caminhou em direção às janelas, depois abriu uma até uma brisa fresquinha acariciar suas bochechas quentes. — Quer dizer, ele sempre foi tão... — Ela mediu as palavras antes de se virar para Tatianna, que completou a pergunta.

— Taciturno? Mal-humorado? Péssimo no quesito sentir e demonstrar emoções humanas normais?

— Isso. — Evie fez que sim.

— Qual das opções? — perguntou Tatianna, parecendo confusa.

— Isso — repetiu Evie categoricamente.

Tatianna se levantou da cadeira e se dirigiu para a porta dos aposentos.

— Se quer saber, ele já era indecifrável naquela época também. Vivia se isolando, sempre fazia de tudo para não chamar atenção.

Evie a encarava, absorvendo cada palavra como se fossem nutrientes preciosos enquanto a curandeira prosseguia.

— Mas, lá no fundo, ele tinha uma bondade intrínseca. — Tatianna abriu um sorriso. — Ele quase nunca estava por perto quando eu ia visitar a Clare. O Trystan era alguns anos mais velho do que a gente, então eu sempre imaginei que fosse porque ele não queria duas garotinhas irritantes o pentelhando.

— Mas? — perguntou Evie, pressentindo a palavra antes mesmo de ser dita.

— Mas, no meu décimo aniversário, minha mãe fez uma festa para mim. Minha magia de cura tinha se manifestado um ano antes, quando quase fui esmagada por uma carruagem. E todos ficaram eufóricos; tinham achado que eu seria uma curandeira primordial.

Evie mal pôde acreditar no absurdo daquela afirmação, porque, pelo pouco que entendia, curandeiros primordiais eram tão raros que eram praticamente considerados mitos. Era normal que a magia se manifestasse em alguém por conta de um trauma, mas era muito raro que aquela pessoa tivesse a magia de cura — mais raro ainda a magia *primordial*. No entanto, curandeiros primordiais eram assim: curavam mentes, corpos; alguns diziam até que eram capazes de curar as profundezas da alma.

Um mito, pensou Evie.

— A Clare e o Malcolm eram meus amigos mais próximos, mas, de repente, parecia que eu era um brinquedo com quem todo mundo queria brincar. — Tatianna prosseguiu. — Minha mãe tornou a festa pública, então centenas de pessoas vieram para testemunhar o nascimento da minha magia. Foi horrível. Eu fui puxada pelo braço a festa inteira, todo mundo me pedia para eu curar cortes, hematomas e até doenças graves. Eu ainda não tinha consultado um especialista, então não tinha a menor ideia do que estava fazendo ou de quanto aquilo me custaria. Eu só tinha dez anos.

Enquanto contava aquilo, houve um momento em que Tatianna começou a se assemelhar à garotinha da história: perdida e esgotada.

— Que coisa horrível, Tati. — Evie queria abraçar a amiga, mas ela continuou a história como se não tivesse assimilado as palavras.

— Foi nesse aniversário que eu percebi que, não importava o que eu conquistasse na vida a partir daquele dia, eu sempre seria definida só por essa habilidade. Ninguém nunca me veria *de verdade*. Quando a festa terminou, eu senti vontade de chorar. Não consegui nem comer um pedacinho do meu próprio bolo. Mas a Clare e o Malcolm ficaram para comemorar, só comigo. — A tristeza no rosto da curandeira lentamente deu lugar a um leve sorriso. — Nos divertimos, mas eles não conseguiram aliviar o peso no meu coração, por mais que tivessem tentado.

Então, ela olhou para Evie, e aqueles extraordinários olhos castanhos brilharam com uma graciosidade tão tocante que Evie só pôde encará-la, boquiaberta.

— E aí o Trystan chegou.

Aquilo despertou Evie do seu estado de semiadoração.

— Ele foi? No seu aniversário?

— Fiquei tão surpresa quanto você está agora — disse a curandeira, balançando a cabeça e esfregando o braço. — Ele nunca tinha ido aos meus outros aniversários. Mas apareceu logo depois que todo mundo foi embora. E fez um bolo.

— Ele cozinhou?

— *Pois é*. Mas ele sempre gostou disso. O Edwin o ensinava — comentou Tatianna com uma risadinha.

— O nosso Edwin? — Evie não sabia que a história do ogro com o Vilão era tão antiga.

— Ele era o Edwin da nossa aldeia antes... era responsável pela padaria. Era com ele que o Trystan passava boa parte do tempo, não gostava de ficar com o resto da família. — Tatianna balançou a cabeça. — Entendo por que ele o mantém aqui. O Edwin foi o único que... — Tatianna limpou a garganta e deixou as palavras no ar como se nunca tivesse dito nada. Em seguida, continuou a história do décimo aniversário.

— Enfim, o Trystan ficou do meu lado o tempo todo. Chegou até a cantar quando a gente acendeu as velas. Bem desafinado, diga-se de passagem.

— Eu venderia minha alma para ver isso — comentou Evie, impassível.

A curandeira riu.

— Ele me disse que "a opinião dos outros vive mudando". E me aconselhou a "não ligar muito para o que o mundo pensa da gente".

Tatianna ficou ali, do mesmo jeito de sempre. Linda e confiante, mas com um brilho bem sutil que não estava presente segundos antes.

— Ele nunca mais voltou a tocar no assunto. Foi uma das atitudes mais gentis e atenciosas que já tinham tido comigo, mas, no dia seguinte, ele voltou a ser o mesmo ranzinza de sempre. Como se nunca tivesse acontecido. Como se ele não quisesse ser reconhecido por uma atitude genuinamente boa.

Aquele detalhe não tinha mudado muito, pensou Evie. Sabia que o chefe repelia elogios como se fossem unhas rasgando a pele.

— O que aconteceu depois disso?

Tatianna abriu um sorriso radiante e escancarou os braços. Ao ver aquilo, um quentinho se espalhou pelo peito de Evie.

— Depois daquele aniversário, eu resolvi que, se alguém fosse reparar em algum detalhe sobre mim, eu escolheria qual seria.

A ficha foi caindo lentamente enquanto Evie arregalava os olhos e notava a faixa cor-de-rosa brilhante no pulso de Tatianna.

— O rosa.

Ela fez que sim e apontou para o tecido desgastado.

— Comprei meu primeiro laço cor-de-rosa no dia seguinte e tem sido meu conforto desde então.

— Bom, fica maravilhoso em você, então acabou dando tudo certo — disse Evie, antes de perguntar com hesitação: — E o que aconteceu com a Clare?

Tatianna fechou os olhos.

— Só vou dizer que a Clare nunca perdoou o Trystan pelos acontecimentos que acabaram o transformando no Vilão, e eu perdoei. Não foi um problema no início, mas depois virou um, então acabou.

— Sinto muito — disse Evie gentilmente.

A curandeira lhe deu um tapinha no ombro e abriu um sorriso discreto.

— Agora me deixa voltar ao trabalho, amiga. Não podemos deixar o Vilão esperando.

CAPÍTULO 37
Evie

— **Um dos mapas desapareceu** do armário de cartografia.

O chefe de Evie nem se deu ao trabalho de tirar os olhos dos mapas espalhados ao acaso sobre a mesa, no pequeno recanto ao fim do corredor.

— Será que é porque estou com alguns deles aqui? — perguntou ele num tom seco, ainda de olho nos mapas.

Grosso.

— Não, ô engraçadinho. É um dos mapas que mostra em detalhes as rotas regulares dos Guardas Valentes para a cidade. Não está lá... alguém pegou.

Quando Evie vira o chefe sair com um monte de mapas naquela manhã, uma ideia lhe ocorrera. O Vilão estava sendo atacado por meio das remessas, então, se algum dos mapas não estivesse lá...

E não estava. Evie havia passado a manhã inteira vasculhando o armário, conferindo cada mapa até não restar mais nenhuma caixa a ser verificada.

O chefe finalmente ergueu os olhos, franzindo a testa

— Não estou entendendo. Para abrir o armário é necessário ter uma chave, e só eu e você temos uma.

Evie pôs as mãos na cintura e olhou feio para ele.

— O que você está insinuando?

— Calma, furacãozinho...isso não foi uma acusação. Só uma observação. — Ao ouvir o apelido, Evie relaxou os ombros. — Estou com a minha chave aqui. Cadê a sua?

Evie tirou a chave do bolso da saia e a mostrou a ele, girando-a entre os dedos.

— E a fechadura não estava quebrada. Será que conseguiram arrombar?

O Vilão balançou a cabeça e se levantou da cadeira onde estava.

— É impossível arrombar aquela fechadura, ela tem proteção mágica. Eu... — Ele parou de falar e o rosto ficou pálido.

— Que foi? — Evie praticamente gritou.

— Existia uma terceira chave — respondeu o chefe, fechando bem os olhos e beliscando o dorso do nariz.

Evie esperou que ele continuasse e sentiu que estava prestes a explodir de ansiedade. Só que ele não falou nada, simplesmente ficou ali, imóvel. Ela esperou mais um segundo antes de falar, porque, sério, aquilo não era um melodrama nem nada do tipo.

— *Oii!* Com quem está essa chave?

Ele balançou a cabeça.

— Não tem importância. — Quando ela começou a retrucar, o chefe levantou a mão. — Pode acreditar, Sage. Deixa pra lá.

Claro, porque Evie era muito boa naquilo.

Mas, mesmo assim, acabou obedecendo. Por enquanto. Naquele momento, o cansaço era maior do que a curiosidade, e aquela revelação tinha sido chocante o suficiente para fazer Evie recuar um passo.

A tarde já estava quase no fim e ela precisava ir para casa. Precisava avisar a família que estava bem e garantir que Lyssa estivesse recebendo os cuidados necessários, apesar de seu pai ter se mostrado bem melhor nos últimos meses.

Evie balançou a cabeça e ergueu as mãos em sinal de rendição.

— Senhor, eu estou exausta. Preciso ir para casa. Preciso ver se está tudo em ordem e depois tirar um cochilo, de preferência ao lado de uma lareira aconchegante e ouvindo o som da chuva no telhado.

A surpresa no rosto dele se transformou em algo que parecia ser preocupação. Mas cada reação do chefe envolvia sempre uma mudança tão sutil de emoções que era quase impossível interpretá-las às vezes.

— Sim. Imagino que possamos continuar a conversa depois de amanhã. — Pelo tom dele, era impossível dizer se estava irritado ou chateado. Era um tom de voz contido demais, quase como se tivesse treinado para ficar daquele jeito. — Eu ia anunciar no final do expediente que todo mundo está de folga amanhã.

Evie arregalou os olhos.

— Mas estamos no meio da semana. Por quê?

— Até encontrarmos quem está vazando nossos segredos, quero fazer uma busca formal pelo escritório sem ninguém por perto para interferir. Se o espião deixou algum vestígio, quero encontrá-lo antes que ele tenha a chance de se livrar das evidências.

Ela fez que sim e observou as rugas de estresse no rosto do chefe. Provavelmente ele também precisava de um cochilo, mas não era da conta dela.

— A gente se vê depois de amanhã então, acho.

— Na verdade, Sage, pensando bem, você não vai ter o dia de folga. Preciso da sua ajuda na busca.

Evie fechou a cara ao dizer:

— Por que é que eu estou sendo punida por alguém estar tentando detonar você?

O Vilão arqueou a sobrancelha e estava prestes a respondê-la, mas virou a cabeça para o lado de repente. Risinhos abafados ecoavam pelo corredor, e tanto Evie quanto ele aguardaram um instante antes de cumprimentar os dois intrusos. Então, o eco de duas vozes chegou até eles — uma provavelmente de um homem, a outra de uma mulher.

— Será que o chefe vai recompensar quem tiver informações sobre o espião? — A julgar pelo tom de voz, Evie concluiu que quem estava falando era um dos estagiários de quem menos gostava.

— Talvez… — Mas Evie não ouviu o resto da frase, porque, em pânico, acabou abrindo um painel na parede que dava acesso a uma das salas secretas e puxou o chefe para dentro com ela. Aparentemente, ele ficou tão surpreso com o toque de Evie que entrou sem protestar.

O espaço não era feito para duas pessoas — na verdade, mal cabia uma pessoa ali dentro. O corpo de Evie estava totalmente colado no do chefe, que sibilou no ouvido dela:

— Por que raios você fez isso? Furacãozinho.

— Ei — advertiu ela, ignorando a proximidade dos rostos. — Dessa vez, "furacãozinho" pareceu uma ofensa.

— Quando foi que você teve a ilusão de ser um elogio? — retrucou ele, incrédulo.

Ela levantou a mão para silenciá-lo e indicou a parede com um gesto de cabeça.

Dava para ouvir palavras abafadas, mas Evie não conseguia entender direito. Ela grudou o ouvido no painel frio de pedra e soltou um gritinho quando a parede cedeu sob a leve pressão da sua cabeça. Antes que pudesse cair e passar vergonha, duas mãos fortes a envolveram pela cintura e a puxaram de volta.

A parede parou de se mexer e a conversa continuou passando pela fresta, o que felizmente distraiu Evie do grande corpo masculino espremido contra o dela.

— Quem quer que esteja traindo o Vilão está com os dias contados.

— Você viu como ele carregou a srta. Sage depois que a destrambelhada quase morreu? Se eu soubesse que bastava ser uma pobre coitada para conseguir chamar a atenção do Vilão, eu teria inventado uma história triste bem melhor na minha carta de apresentação.

O comentário veio acompanhado de uma risada cruel, e Evie se viu dominada dos pés à cabeça por uma sensação de apatia. Era libertador, de certa forma, que palavras como aquelas não a machucassem mais como antes. Apesar dos vários momentos de dúvida, Evie sabia quem era. Nem sempre acertava, mas se esforçava e sempre tentava de novo, mesmo quando falhava.

Eram boas qualidades para se ter.

E, se Evie conseguisse engolir o choro, talvez começasse a acreditar que isso era verdade.

— Sage — sussurrou o Vilão.

— Shhh! — rebateu ela, virando-se para ele e apontando para a porta. "Escuta", sinalizou com a boca.

— Só pode ser alguém com um cargo mais alto na empresa — disse o homem.

— Ah, isso é fato. Eu tenho certeza de que o chefe já sabe quem é. Ele só está dando um tempo para que o otário fique roendo as unhas de medo enquanto planeja a maneira perfeita de se livrar do sujeito.

Evie sentiu as mãos do Vilão apertarem delicadamente a sua cintura. Ela se perguntou se ele estava tentando pensar em uma forma educada de passar por ela, mas o punho se fechou ao ouvir falar da equipe. Ele estava ficando furioso. Não dava para ver o rosto dele, mas ela sentia uma energia palpável no ar.

— Imagina só se for a Evangelina? — comentou a voz masculina, e então os dois caíram na gargalhada.

Evie cerrou tanto os punhos que achou que os ossos pudessem quebrar.

— Até parece que aquela mulher é capaz de qualquer tipo de enganação. Ela tem cara de quem se perderia dentro da própria casa.

Ela sentiu as bochechas queimando de vergonha ao se lembrar contra quem estava espremida naquele momento — e ao pensar que o chefe estava ouvindo o que os funcionários de fato achavam da assistente dele.

Ocorreu-lhe a ideia de que muita gente adoraria estar na posição dela — uma mosquinha na parede, ouvindo o que falavam quando não estavam na área para se defender. Mas, no fim das contas, era horrível. Absolutamente pavoroso.

Mas que dia maravilhoso eu estou tendo.

— Eu vou...

Evie se virou depressa, o que fez com que seu ombro roçasse o peito do Vilão dentro do espaço apertado, e então colocou a mão na boca do chefe antes que ele pudesse dizer mais alguma coisa.

— Você não vai fazer nada — sussurrou. — Agora fica quieto, senão a gente pode acabar perdendo algum detalhe importante.

Era literalmente uma tortura ouvir cada uma daquelas palavras depreciativas, mas os dois ficariam ali e continuariam ouvindo tudo, se aquilo significasse salvar a vida de Trystan.

Evie não sabia explicar, mas tinha a forte sensação de que algo importante estava prestes a acontecer, como se um grande objeto estivesse pairando sobre eles, esperando o momento de cair. Ela só esperava que os dois não estivessem embaixo quando aquilo acontecesse.

— Você chegou a ouvir o que os outros estagiários estavam dizendo? — disse a mulher com desdém.

— Não, o que foi?

— Eles encontraram uma máscara com o emblema do rei Benedict. Estava num canto da escada no dia da explosão.

— Como é que é? — disse a voz masculina, estupefata. — Por que ninguém relatou isso ao chefe?

— Eu chutaria que não queriam entregar a máscara ao chefe e depois serem considerados suspeitos por terem encontrado aquilo, para início de conversa.

— Faz sentido. — A voz masculina riu. — Já viu como o cara lida com qualquer desfeita contra ele? Lembra o que ele fez com Joshua Lightenston?

— Ah, não. — A voz da mulher se tornou um sussurro conspiratório. — Ouvi dizer que ele fez aquilo por causa do que o Joshua falou sobre a srta. Sage.

Evie lançou um olhar penetrante para o Vilão, que havia ficado tenso e olhava para todos os lados, menos para ela.

— Melhor pararmos com isso, Saline. Senão vamos ser os próximos.

— Vida longa à santa srta. Sage. — Salina riu enquanto os passos se afastavam.

Evie notou que ainda estava cobrindo a boca do chefe com a mão e que os lábios macios contrastavam suavemente com a barba por fazer que fazia cócegas nos seus dedos.

Então, ela recolheu a mão e disse, toda sem jeito:

— Desculpa, senhor.

Em seguida, rapidamente abriu a porta secreta e cambaleou em direção à luz, sentindo a pele queimar.

— Sua mão está sangrando? — A voz dele, que já era baixa, parecia ter ficado uma oitava mais grave. Quando Evie se virou para responder, apreciou a visão dos músculos das costas do Vilão esticando a camisa enquanto ele fechava o pesado painel de parede.

— Hmm — murmurou ela. Em seguida, olhou para baixo e percebeu que as unhas tinham arranhado uma das bolhas que ainda estavam na sua mão. — Ora, vejam só. Parece que sim.

— É das queimaduras de ontem à noite? — A pergunta foi tão casual que Evie quase não percebeu o que aquela frase sugeria.

Ela soltou um suspiro profundo e recuou um passo para olhá-lo melhor.

— Como você sabia disso? A Tatianna me dedurou?

O Vilão revirou os olhos e voltou à mesa onde estavam os mapas. Ao se sentar, pegou o lápis.

— Não. A Tatianna não conta nada a ninguém. Eu já sabia das suas mãos ontem.

Evie estava confusa, cansada e ainda um pouquinho magoada depois de ter sido julgada por pessoas que deveriam respeitá-la.

— Por que você não disse nada?

— Porque era óbvio que você estava tentando disfarçar. Não vi necessidade de tocar no assunto contra sua vontade. — Ele continuava olhando para baixo, tão emocionado quanto uma pedra.

Mas Evie parecia ter emoções suficientes para os dois.

— Bom, não é das queimaduras. Não exatamente — resmungou. — Fechei as mãos com muita força, o que acontece às vezes quando estou... estressada.

O comentário o fez olhar diretamente para Evie, diretamente até demais.

— Por causa do que aqueles panacas falaram? — Ele olhou na direção do escritório, para onde a dupla tinha ido.

— Prefiro a palavra "paspalhões" — comentou Evie, pensativa.

— Por quê? — perguntou o Vilão, inclinando a cabeça.

— Porque soa mais engraçado.

Ele suspirou como se estivesse exausto.

— Não sei nem o que responder.

— Excelente. — Ela assentiu, ansiosa para ir embora antes que o olhar penetrante do chefe a perfurasse. Mas um pensamento lhe ocorreu e lhe deu coragem para olhá-lo diretamente nos olhos e perguntar: — O que o Joshua Lightenston falou de mim?

Evie tentou não recuar quando o Vilão parou de olhar nos olhos dela e pareceu ter encontrado algo interessante na janela ao lado da mesa.

— Não lembro.

— Não lembra? — perguntou Evie, sem acreditar. — Você, que outro dia lembrou no meio de um inventário que só tinha disparado sete flechas num cavaleiro no *ano* passado, não lembra o que um estagiário falou há algumas semanas?

Ela observou o Vilão contrair a mandíbula e, de repente, desejou que o chão se abrisse e a engolisse. Porque, seja lá o que tenham falado, só podia ser incrivelmente pesado, se alguém com um coração tão maligno quanto o de Trystan era incapaz de repetir.

— Deixa pra lá — disse Evie depressa, sentindo embrulho no estômago. — Eu realmente não quero saber.

Ele suspirou.

— Joshua Lightenston foi insolente. Vamos deixar por isso mesmo, Sage.

— Tudo bem. — Evie engoliu em seco e torceu as mãos.

— Só isso? — O chefe a olhou desconfiado, e saber que ele conhecia sua famosa teimosia a fez sentir um conforto familiar.

— Só isso. — Evie arriscou o que esperava ser um sorriso convincente. Aquela não era a primeira vez que alguém fazia um comentário cruel a respeito dela. E certamente não seria a última. — Estou cansada, senhor. Acho que vou para casa.

De repente, o cansaço dos últimos dias quase a fez cair de joelhos. O guvre, os ferimentos, as fofocas. Tudo pareceu pesar ao mesmo tempo, e ela só queria ir para casa. Dormir. Como se quisesse provar que estava falando a verdade, um bocejo escapuliu da sua boca, e Evie foi logo a cobrindo com a palma da mão.

— Eu levo você para casa — disse o Vilão, alongando os ombros.

— Não precisa, senhor — respondeu Evie, sentindo o corpo cambalear de exaustão.

Ele pôs a mão no braço dela para estabilizá-la.

— Precisa, sim.

Enquanto o Vilão recolhia os mapas e a conduzia para fora, Evie não pôde deixar de lembrar por que tinha procurado o chefe, para início de conversa. Alguém tinha roubado um mapa.

E Trystan sabia quem era.

CAPÍTULO 38
Evie

Ninguém falou nada no percurso de carruagem.

Parecia que a única coisa capaz de interromper o fluxo incessante de palavras de Evie era um cansaço profundo, e o chefe aparentava preocupação. Ele não parava de lhe lançar olhares sutis, tentando não mexer a cabeça, mas Evie percebeu de qualquer maneira.

— Você vai ter que me deixar longe o bastante de casa para que a Lyssa não te veja, caso contrário, ela não vai te deixar ir embora nunca mais — ela falou baixinho, uma raridade.

De canto de olho, Evie viu que ele assentiu.

— Mas então como ela vai conseguir mais material para o próximo capítulo de *Trystan e a princesa perdida*?

— Acho que ela simplesmente vai ter que usar a imaginação. — Evie deu uma batidinha com a perna na do chefe, na esperança de que ele retribuísse a brincadeira. Por um instante, ele não se mexeu, mas, depois, a coxa do Vilão se aproximou da dela e a tocou de leve.

Evie sorriu e se acomodou no assento acolchoado. Em seguida, olhou para o lado e ficou observando as árvores que passavam, tentando não sentir enjoo. A carruagem seguia num ritmo tranquilo pela estrada de terra, parecia que nenhum dos dois estava com pressa.

Ela recostou a cabeça, mas se endireitou na mesma hora ao ver algo que fez seu coração afundar.

Bem ao longe, uma figura solitária caminhava entre as árvores, afastada da trilha. Como Evie não conseguiu identificar o rosto, semicerrou os olhos para enxergar melhor, mas se deu conta de que era impossível ver o rosto, já que a figura estava de máscara. A máscara que tinha o emblema do rei Benedict.

— Ah, meus... — Evie levantou as saias e ficou de pé na carruagem, ignorando o olhar questionador do chefe.

— Sage?

Mas ela não respondeu. Em vez disso, respirou fundo e pulou da carruagem. Cambaleou por um momento, mas logo recuperou o equilíbrio. Em seguida, correu.

— Sage!

Evie disparou em direção à figura na floresta enquanto segurava as saias. Dava para ouvir os gritos furiosos do Vilão, mas ela os ignorou. O espião ia escapar — ela sabia que escaparia, porque a figura mascarada a tinha visto antes mesmo que Evie saltasse da carruagem e também tinha começado a correr.

Mas ela não ia deixar o sujeito escapar, *não podia*. Então, apertou o passo. Foi chegando cada vez mais perto da figura fugitiva e deu um salto, chocando-se com o espião e derrubando-o no chão junto com ela.

Os dois rolavam enquanto um tentava dominar o outro. A figura mascarada arriscou dar um golpe e Evie desviou do pequeno punho, prendendo a figura embaixo dela enquanto o olhar se fixava nos olhos *muito* familiares do agressor.

Evie ficou boquiaberta quando se deu conta de quem estava ali embaixo, e uma sensação de horror logo a dominou. Dava para ouvir o Vilão se aproximando às pressas, mas ela arrancou a máscara da figura antes que ele chegasse.

Então, ficou sem fôlego e se levantou rapidamente, com medo de vomitar ali mesmo.

— Becky?

Sua arqui-inimiga a encarou sem óculos, e então semicerrou os olhos castanhos.

— Evangelina?

— Você é a espiã? — Evie ainda estava ofegante da corrida, mas a voz trêmula era fruto daquela traição.

Quando ergueu os olhos, o Vilão estava ali, encarando as duas e parecendo meio perdido.

— O quê?! — exclamou Becky, e então a ficha pareceu ter caído enquanto ela se levantava às pressas. — Não! Claro que não!

Evie ergueu a máscara descartada e Becky tirou os óculos do bolso, ajustando as grandes lentes redondas no nariz empinado.

— Como você explica isso? — perguntou Evie. — O que raios está fazendo aqui?

Becky suspirou e esfregou o cotovelo, que devia estar machucado por conta da queda.

— Não é da sua conta.

— Por que você não está furioso? — Evie se virou para o chefe, que não parecia tão surpreso com a situação quanto ela. — Você sabia disso?

— Não — respondeu ele, impassível. — Eu não sabia. Mas acho que sei qual é a intenção dela com isso. — O Vilão olhou para Becky e balançou a cabeça, decepcionado. — Eu te disse para não dar bola para os boatos.

— Mas como eu não ia nem tentar? Um dos estagiários me deu a máscara de bandeja e eu imaginei que, se eles achassem que eu fazia parte da guarda e...

— Você achou que eles te dariam a cura para a Doença Mística só porque estava usando uma máscara? — perguntou o Vilão, incrédulo.

— Achei que fosse pelo menos conseguir entrar escondida no Palácio de Luz com ela — disse Becky, com mais emoção do que Evie já tinha visto nela. Naquele momento, a principal emoção de Evie era confusão, misturada com uma pontada de esperança.

— Uma cura? Não existe cura nenhuma — disse Evie, pensando no pai e em como a vida voltaria a ser mais fácil se ele estivesse bem.

— Você está certa — comentou o Vilão, irritado.

— Mas não dá pra ter *certeza* — insistiu Becky com a voz suplicante. Evie não conhecia aquela versão da sua arqui-inimiga. Ela parecia desesperada e meio triste, o que fez Evie sentir uma onda de compaixão, quase ternura.

— Deixa eu ver se entendi — disse Evie, cruzando os braços enquanto enfim recuperava o fôlego. — Você pegou a máscara de um dos estagiários achando que ia se infiltrar na Cidade de Luz para roubar uma cura que pode ou não existir? — Ela balançou a cabeça, incrédula. — Você vai comprar essa? — perguntou ao Vilão, que parecia estar acreditando em cada palavra.

— Ela está sendo sincera, mesmo que ingênua — disse ele, claramente reprovando tudo aquilo.

Assim que os últimos resquícios de choque por fim desapareceram, Becky voltou a ficar na defensiva.

— Por acaso você conhece alguém que tem a Doença Mística?

A mulher de óculos assentiu com firmeza, fixando o olhar em algo ao longe, mas o queixo se manteve erguido.

— Um dos estagiários deixou a máscara na minha mesa na semana passada. Eles estavam com medo de entregá-la ao chefe. Eu tinha planejado entregá-la diretamente a você, senhor!

Evie ainda estava desconfiada, mas a adrenalina inicial já tinha enfraquecido e o cansaço parecia voltar a tomar conta.

— Como é que podemos saber que você não está mentindo?

Evie jamais se esqueceria do semblante de Becky ao se virar para encará-la. Havia tanta dor ali que Evie começou a se sentir ridícula por sequer tê-la questionado, e a sensação piorou assim que Becky começou a falar:

— Se você me conhecesse pelo menos um pouco, e claramente não conhece, saberia que eu preferiria pendurar minha própria cabeça na entrada do escritório a ter que chegar perto do Palácio de Luz. A menos que fosse *necessário*.

Algo dizia a Evie que ela não saberia mais detalhes sobre aquilo, pelo menos não naquele dia. Mas o Vilão sabia; dava para ver nos olhos dele.

Becky jogou a máscara para o chefe, que a pegou e a guardou no bolso.

— Sinto muito — disse ela, derrotada. — Fui muito boba.

O Vilão assentiu e, então, olhou para a carruagem abandonada e os cavalos assustados.

— Preciso cuidar deles. — Ele olhou para Becky com um certo respeito e uma pitada de gentileza ao dizer: — Se um dia recebermos provas concretas de que o rei tem a resposta para a cura, eu *vou* consegui-la. — Em seguida, olhou para Evie. — Para vocês duas.

O Vilão voltou-se para os cavalos, que, àquela altura, já estavam inquietos, e Evie sentiu os olhos perspicazes de Becky a decifrando.

— Você conhece... alguém com a doença? — Becky quis saber.

Evie endireitou as saias só para ocupar as mãos.

— Meu pai.

A reação de Becky foi uma mistura de choque e compreensão.

— Minha avó.

As duas ficaram ali, avaliando uma à outra em silêncio. Era estranho.

— Você ia mesmo até a capital a pé? — perguntou Evie.

— Peguei no armário de cartografia o mapa da rota usual que eles fazem. Pensei em me passar por um deles e conseguir uma carona direto para o Palácio de Luz.

A terceira chave... agora fazia sentido.

Evie assobiou.

— Péssimo plano.

— Até parece que você teria pensado em coisa melhor — rebateu Becky com desdém, e então deu de ombros.

— Eu nunca disse que conseguiria. Só disse que o seu plano foi péssimo. — Evie deu de ombros e sorriu, satisfeita consigo mesma.

— Você é insuportável — disse Becky, mas não havia muita convicção nas palavras.

— Você também. — Evie balançou o corpo suavemente, para a frente e para trás.

As duas voltaram a ficar em silêncio até ouvirem o chefe chamá-las para que entrassem na carruagem. Ele levaria Evie para casa e Becky de volta à mansão.

Antes que saíssem do lugar, Evie disse baixinho:

— Sinto muito pela sua avó.

— Sinto muito pelo seu pai — respondeu Becky no mesmo tom suave.

As duas começaram a andar, mantendo um silêncio saudável entre elas.

Mas Evie interrompeu o momento antes de chegarem à carruagem.

— Não gostei de saber que temos algo em comum.

— Eu também não. — Becky estremeceu. — Acho melhor nunca mais falarmos disso.

— Combinado.

CAPÍTULO 39
Evie

— **Onde você estava?** — O grito da irmã ecoou pelo espaço arejado da casa quando Evie entrou pela porta.

Ela envolveu a cintura de Evie com os bracinhos, levemente trêmula. Ao se ajoelhar para abraçar a irmã, Evie sentiu uma pontada no peito. O Vilão, como combinado, a deixara a uma boa distância de casa, enquanto Rebecka franzia a testa no banco de trás. Evie acenara para a mulher antes de saltar da carruagem pela segunda vez naquele dia e correr para casa.

Para a família.

— Fiquei presa no trabalho por causa da tempestade. O corvo não passou por aqui ontem à noite? — Evie acariciou o cabelo trançado da irmã, tentando acalmá-la.

— Passou, mas o papai não conseguiu sair da cama ontem, e eu não estava conseguindo trancar a porta. — Lyssa se afastou e limpou o nariz com a própria manga. — A porta da casa ficou destrancada a noite toda, e eu fiquei com medo de um ladrão me roubar e me trocar por algum tesouro.

Sorrindo ao pensar na imagem da irmãzinha tentando desesperadamente fechar a porta, Evie enxugou uma lágrima do rosto de Lyssa.

— Ah, sua bobinha. Um ladrão jamais te trocaria por um tesouro. — Evie fez uma pausa dramática. — Ele provavelmente trocaria você por algo mais divertido, tipo uma abelha gigante.

Como desejado, a tristeza sumiu do rosto da irmã e as sobrancelhas se ergueram à medida que um canto da boca se curvava num meio sorriso.

— Dá pra ter uma abelha?

— Não, mas acho que dá pra alugar. — Evie começou a rir assim que viu Lyssa rindo.

Elas se jogaram no chão de tanto rir, deitadas de costas, lado a lado. Evie pôs a mão em cima da mãozinha de Lyssa.

— Desculpa não ter estado aqui.

— Tudo bem. Eu sei que seu trabalho é importante e, afinal de contas, a gente precisa de comida, né?

— Lyssa! — Evie riu, ofegante. — Isso é lá piada que se faça?

A irmã fez que sim com ar de satisfação.

— Por isso mesmo que eu falei.

Evie recostou a cabeça no chão e tentou disfarçar o orgulho que sentia.

— Você é muito minha irmã mesmo.

— Evie? — chamou o pai de dentro do quarto, com a voz fraca. — É você?

Ela se levantou às pressas e correu para o quarto dele.

Griffin Sage estava pálido na cama, imóvel de um jeito que fez Evie ficar apavorada.

— Pai? — Ela sacudiu o ombro dele e soltou um suspiro profundo ao ver seu peito se mexer.

O homem, que parecia bem mais velho do que no dia anterior, abriu um sorriso fraco.

— Evangelina? Você voltou para casa sã e salva.

— Shhhh. Você precisa descansar.

O pai de Evie suspirou e se afundou ainda mais nos travesseiros. Depois, estendeu a mão na direção dela. Parecia tão grato em vê-la que Evie apertou a mão dele e disse:

— Desculpa, papai. Eu teria feito de tudo para voltar se soubesse que você estava mal.

— Minha querida, não foi culpa sua. — O pai dela se retesou por um momento, como se quisesse dizer mais alguma coisa, mas depois relaxou novamente. — Acho que você tem razão. Preciso dormir. Que bom que você está em casa, Evangelina.

Evie levantou gentilmente a cabeça dele para lhe dar o remédio, depois recostou o pai no travesseiro e limpou o suor grudento da testa do homem com um pano úmido. Em seguida, ela o observou adormecer; o movimento constante do peito proporcionava um pequeno alívio para sua consciência pesada.

Mais tarde, Evie andou de fininho em direção à porta e voltou ao próprio quarto, onde se deitou na cama, exausta.

O sol, que estava quase se pondo, lançou um último raio de luz pela janela e refletiu em algo dourado na escrivaninha de Evie. Lutando contra a dor nos músculos, ela foi até a mesa e pegou o envelope com letras metálicas. Na frente, estava escrito:

Evangelina,

Achei que seria de seu interesse.
Você sabe quem eu sou.

Evie quase derrubou o bilhete ao virar a cabeça rapidamente pelo quarto, na expectativa de dar de cara com qualquer intruso que tivesse colocado o envelope ali e estivesse escondido em algum canto escuro ou debaixo da cama.

— Lyssa!

— Que foi? — A irmã apareceu na porta do quarto com cara de poucos amigos.

— Você deixou isso aqui na minha escrivaninha? — Evie mostrou o envelope e congelou ao notar que a janela estava destrancada e havia uma frestinha entre a moldura e o vidro.

— Não. Isso não estava aí quando olhei o seu quarto hoje de manhã. O que é? Posso ver? — Lyssa entrou saltitando e Evie sentiu uma inquietação incontrolável.

— Agora não, Lyssa. Isso é coisa de trabalho; mais tarde você olha — explicou Evie com jeitinho. A irmã revirou os olhos e fechou a porta.

Antes que Evie ouvisse o clique da porta, o envelope já estava aberto. Então, ela arrancou o pergaminho e viu letras em negrito impressas na frente.

Para Evangelina Sage,

Está em busca de uma cura?
Pico da Roseira
Hoje à noite.
Vista-se para uma celebração formal
organizada pelo curandeiro primordial.

Este convite é válido para apenas
uma pessoa, sem exceções.

Evie pôs o convite na mesa, passou a mão pelo cabelo e puxou algumas mechas. Alguém tinha invadido seu quarto para lhe entregar algo que a ajudaria. Que ajudaria sua família? Devia ter sido o espião — por que outro motivo seria tão misterioso? E, pensando bem… tão bizarro.

E a parte do curandeiro primordial? Seria um mito se tornando realidade? Ou seria então uma armadilha?

Com a sorte que você tem, provavelmente as duas coisas.

A cabeça de Evie estava a mil e ela sentia enjoo só de imaginar um desconhecido perigoso na mesma casa que a família, tão perto de onde ela se deitava à noite. Do outro lado do corredor, o pai gemia de dor.

Droga.

Evie correu para a cama, abaixou-se e puxou uma grande caixa. Em seguida, jogou-a em cima do colchão e removeu a tampa. Segurou o tecido com punhos cerrados e tirou-o da caixa sem nenhum resquício da satisfação que havia sentido ao comprar o vestido.

Tinha visto a peça na vitrine da costureira de uma cidade vizinha e resolvido se permitir aquele único prazer. Àquela altura, já estava ganhando mais do que o suficiente para sustentar a família, então por que não se dar um mimo? No momento da compra, não fazia ideia de onde o usaria, mas a ocasião parecia ter chegado.

O tecido parecia branco, mas, quando batia luz, brilhava como se fosse um arco-íris ambulante. O vestido reluzia, o corpete se ajustava ao corpo e as mangas fininhas caíam sedutoramente sobre os ombros. De alguma maneira, ela conseguiu fechá-lo por trás sem tropeçar ou torcer o pulso. Após prender o cabelo com os grampos de borboleta da mãe, olhou-se no espelho.

Evie deu uma giradinha e riu antes de se recompor e voltar a ficar séria. Não era todo dia que usava um vestido tão bonito.

Então, suspirou ao ver o potinho de batom num canto da escrivaninha. Era a cor favorita da mãe. Ela o dera de presente para a filha em seu último aniversário antes de ir embora, só que Evie nunca tivera coragem de mexer naquilo desde então.

Ela respirou fundo, pegou o potinho, passou o dedo no batom vermelho e delicadamente o aplicou na boca. Os lábios se destacaram, cheios de vida, e Evie teve a estranha sensação de que aquela pessoa no espelho era quem ela sempre deveria ter sido.

Ela sorriu.

Mas o sorriso murchou e Evie franziu as sobrancelhas ao perceber que aquele poderia ser o vestido que usaria no próprio enterro, caso não tomasse cuidado aquela noite.

Ela suspirou. Pelo menos era brilhante.

CAPÍTULO 40
Evie

Evie não fazia ideia de como nem por que o espião tinha mirado nela, mas se existia uma chance de salvar o pai, certamente ela teria que aproveitar.

Depois de ter posto Lyssa para dormir e a deixado aos cuidados de uma amiga da família, Evie amarrou a capa branca nos ombros e tentou não ficar mexendo nos grampos de borboleta que prendiam diferentes partes do cabelo. O Pico da Roseira ficava do outro lado da cidade, uma área que as pessoas de bem da aldeia procuravam evitar. Apesar da bela vista de Rennedawn, ficava perto demais da Floresta das Nogueiras.

Mas, como Evie não tinha nada a temer em relação ao Vilão, caminhou sem se preocupar pelos arredores da cidade mais próximos da floresta, rumo ao Pico da Roseira. Ao passar por uma árvore e parar debaixo de um lampião na esquina da praça, ela massageou as têmporas, tentando não borrar a maquiagem que havia aplicado ao redor dos olhos.

— Irresponsável. Você é uma irresponsável, Evie Sage. — Então, suspirou e se encostou no tronco da árvore, sentindo o coração acelerar enquanto tentava identificar qualquer silhueta no escuro. Não era a primeira vez, desde que dera início àquela aventura, que se perguntava se deveria ter entrado em contato com o Vilão.

Verdade seja dita, ela meio que esperava que o chefe aparecesse de qualquer maneira, da mesma forma que havia feito uns dias antes, quando Evie estava se sentindo para baixo e meio derrotada. Além disso, mesmo que quisesse contatá-lo, não dava nem para mandar um pombo-correio àquela hora — o escritório fechava antes do pôr do sol.

Ela olhou para a faixa dourada ao redor do mindinho.

— De que serve um pacto de trabalho se não posso falar com a pessoa que me contratou? — Em seguida, encarou intensamente o dedo, como se quisesse que a marca a obedecesse.

— Evie?

A voz familiar fez Evie sorrir. Ao se virar, deu de cara com Blade Gushiken — o lampião iluminava a pele bronzeada do sol e o colete de cetim azul-claro que, pela primeira vez, era usado por cima de uma camisa, uma branca dessa vez.

Ela se aproximou e lhe deu um soquinho no braço.

— Por que está se esgueirando pelas sombras hoje? — Evie notou o vazio ao redor dele. — Você não trouxe o Fofucho, trouxe?

Blade deu uma risadinha e endireitou o colete.

— Não, não trouxe o Fofucho. Que os deuses tenham piedade daquela pobre criatura. Se bem que o nome até que combina com ele de um jeito meio ridículo, que só faz sentido se você tiver levado uma pancada na cabeça.

O jeito favorito de Evie.

— Você também recebeu um desses, é?

Ela ouviu um som de papel amassado enquanto ele tirava do bolso um envelope dourado; o pergaminho era claramente feito por tritões.

Uma sensação de alívio a dominou ao perceber que não tinha sido a única escolhida pelo espião. Nunca era bom desejar a ninguém a mesma dor ou desconforto que nós sentíamos, mas era sempre agradável saber que não estávamos sozinhos.

Evie ajeitou um dos grampos no cabelo quando o vento desmanchou um cacho e, depois, estendeu o braço.

— Vamos?

Blade sorriu de orelha a orelha antes de entrelaçar o braço no dela e, então, seguiram juntos pela trilha.

— Você acha que mais alguém recebeu o convite?

— Não, porque obviamente o mundo gira em torno só de vocês dois. — A voz sarcástica era ao mesmo tempo mordaz e reconfortante, uma grande confusão de emoções.

— O que foi que eu fiz para merecer isso? — perguntou Evie aos céus quando Becky fez sua aparição. Os cabelos castanhos estavam soltos, ao contrário do penteado preso de sempre, e caíam em ondas bem suaves até um pouco além dos ombros. O vestido em um cor de rosa suave, com rosas bordadas na barra, contrastava delicadamente com sua pele marrom-clara. Um rubor do mesmo tom de rosa surgiu nas bochechas assim que notou o olhar apreciativo de Blade.

— Eu já ia fazer a mesma pergunta — disse Becky, ajustando os óculos com um envelope dourado entre os dedos. — Imagino que vocês dois também tenham recebido isso, né?

— Sim, recebemos. — Evie franziu a testa ao notar a escrita no topo do convite de Becky. — O que está escrito?

Becky lhe entregou o envelope com certa relutância.

Para Rebecka Erring,

Está em busca de uma cura?
Pico da Roseira
Hoje à noite.
Vista-se para uma celebração formal
organizada pelo curandeiro primordial.

Este convite é válido para apenas
uma pessoa, sem exceções.

Ela devolveu o convite a Becky e ambas trocaram um olhar cúmplice antes de desviar os olhos.

— Ao que parece, quem quer que tenha deixado esses convites para a gente teve a ideia de nos atrair com motivos individualmente convincentes — disse Blade, avaliando e mostrando o próprio convite para as duas.

Evie e Becky se aproximaram e leram o convite que Blade segurava.

Para Blade Gushiken,

Pico da Roseira
Hoje à noite.
Vista-se para uma celebração formal
organizada pelo curandeiro primordial.

Este convite é válido para apenas
uma pessoa, sem exceções.

— Só isso? — Evie examinou o convite outra vez para ter certeza. — O seu não tem um motivo, como o meu e o da Becky. Por que você compareceria, então?

Blade deu de ombros, parecendo meio envergonhado.

— Disseram "celebração", então imaginei que teria comida de graça.

Becky balançou a cabeça em sinal de reprovação.

— Você é um caso perdido. — Em seguida, esticou o próprio convite, delicadamente. — É óbvio que isso é uma armadilha para nos levar até lá. Sugiro que a gente avise ao chefe agora mesmo.

Evie chamou os dois para a lateral da trilha de cascalho, escondidos de olhares curiosos.

— Estamos quase lá. Como já viemos até aqui, vale a pena investigarmos juntos o que quer que seja isso e depois contarmos ao chefe o que descobrimos.

— Não gosto da ideia — resmungou Becky, puxando desconfortavelmente as mangas do vestido.

— Nossa, que surpresa. — Blade sorriu e ofereceu um braço a cada uma. Evie o segurou, mas Becky avançou resoluta ao lado dos dois, recusando-se a fazer contato visual.

— Estamos seguindo em direção a uma armadilha bem óbvia — resmungou ela, e então puxou o capuz da capa para cobrir a cabeça.

— Verdade, mas pelo menos já vamos entrar sabendo disso — disse Blade, arqueando a sobrancelha para Becky. — Por que você está aqui se achava que poderia ser uma armadilha? Por que não foi direto falar com o chefe?

Rebecka reagiu como um bichinho encurralado antes de desviar o olhar.

— Porque… existia uma chance de não ser. E eu precisava saber.

Evie abriu um sorriso solidário e mostrou o próprio convite para Becky.

— Eu também.

Becky assentiu discretamente.

— Vocês acham que mais alguém do escritório recebeu um convite desses?

— Vamos descobrir agora — disse Blade, apontando para a luz e o barulho que vinham do caminho arborizado, mais à frente. — Parece que as festividades já começaram.

Era a primeira vez que Evie ouvia a palavra "festividades" como uma ameaça. Para dizer a verdade, soava quase como um sinônimo de morte.

CAPÍTULO 41
Evie

Havia luzes por toda parte.

O Pico da Roseira ficava à beira de um precipício na Floresta das Nogueiras. Daquele lado, havia uma clareira íngreme, com despenhadeiro profundo a ponto de haver a necessidade de uma frágil ponte de madeira para ligar um lado da floresta ao outro. A ponte — se é que poderíamos chamá-la assim — tinha tantas tábuas faltando que basicamente se resumia a duas cordas bem grossas amarradas uma à outra. Mas aquela estrutura completamente instável não era o foco.

Não quando a opulência irresistível diante dos olhos de Evie exigia toda a atenção dela.

As árvores que rodeavam o pico estavam decoradas com velas flutuantes e protegidas de modo a não incendiarem as folhas e os galhos à sua volta. O som de música e risadas espalhava-se pelo ar feito confete, e um calor suave acariciou os ombros nus de Evie quando ela removeu a capa.

Blade assobiou baixinho.

— Você não é de se jogar fora, minha amiga. — O sorriso dele era afetuoso, ao contrário do olhar fulminante que Becky lançou a Blade antes de se misturar à multidão de pessoas que dançavam ao som das notas musicais.

Evie repreendeu Blade com um estralo de língua e lhe deu um leve empurrão.

— Por que você não comentou nada sobre a aparência da Becky? Você ficou um tempão de boca aberta quando ela apareceu.

Blade suspirou e passou a mão pelo denso cabelo preto.

— Porque o que eu pensei quando a vi com aquele vestido não era muito apropriado para se dizer em voz alta.

Evie desviou de um casal bêbado que passou por ela aos tropeços, sem dúvida prestes a fazer as safadezas que Blade estava insinuando.

— Isso foi mais informação do que eu precisava, para dizer a verdade.

— Foi você que perguntou. — Ele abriu um sorriso sugestivo.

— Quanta grosseria da sua parte apontar coisas que são totalmente verdadeiras. — Evie se virou e avistou Becky de relance antes que a colega desaparecesse em meio à multidão outra vez. — Bom, espero que ela saiba o que raios está fazendo, porque eu com certeza não sei.

Eles passaram por uma mesa comprida cheia de pratos exóticos, com comidas de formas e cores que pareciam de outro mundo. Até o vinho era de um prateado denso, diferente de tudo que Evie já tinha visto.

— A magia tem suas vantagens, né? — comentou Blade com um sorriso, e depois pegou um copo para cada um.

— Será que deveríamos mesmo beber isso? — Evie ficou surpresa ao se sentir inebriada só de cheirar o líquido. — Não sabemos quem está por trás disso tudo. E se estiver envenenado?

Blade tomou um grande gole do copo dele e Evie deu um pulo em protesto.

— Seu trouxa!

Ele apontou para a multidão.

— Todo mundo está bebendo a mesma coisa. Então, a menos que todo mundo tenha sido envenenado para dançar bêbado e fazer exageradas demonstrações públicas de afeto, acho que estamos seguros.

Evie tomou um gole cauteloso e se segurou para não soltar um gemido assim que sentiu a eufórica explosão de sabor em suas papilas gustativas.

— Como pode ser tão bom? — Ela fez menção de tomar outro gole, mas Blade segurou a mão dela.

— Cuidado. Não é veneno, mas é forte. Agora, vamos procurar o curandeiro primordial. — Blade passou os olhos pela multidão e, de repente, fechou a cara. Evie acompanhou o olhar dele e abriu um sorriso de quem tinha entendido tudo quando reparou no homem loiro e bonito que beijava a mão de Becky e a admirava de cima a baixo.

— Já volto — resmungou ele antes de avançar na direção dos dois.

— Mas...

Tarde demais. Blade já estava ali, quase se jogando entre Becky e o estranho e, ao mesmo tempo, curvando-se para sussurrar furiosamente no ouvido dela. Verdade seja dita, Becky, por sua vez, também parecia furiosa por ter sido interrompida.

— Tá bom, eu me viro sozinha — murmurou Evie, analisando novamente a multidão em busca de rostos conhecidos. Havia todo tipo de criatura ali, de humanos a fadinhas. Ela também viu unicórnios brancos amarrados às árvores e duendes da floresta dançando ao redor deles. O ar estava impregnado de magia e Evie o respirava com uma alegria contagiante.

Lá no fundo, ela tivera esperança de encontrar Tatianna em meio a todo aquele esplendor, rodopiando pela pista com um convite na mão. Evie fizera pouco caso quando listou os nomes dos funcionários que poderiam ser o traidor do Vilão, mas cada nome que tinha registrado para que o chefe avaliasse criara um buraco tão grande no seu estômago que, semanas depois, ainda dava para sentir. Que maneira inocente de acabar com as pessoas de quem afirmava cuidar. Ela expirou com força, sentindo o aperto do espartilho.

Aquele tipo de coisa não era feito para pessoas que tinham altos níveis de ansiedade, mas pelo menos ela estava bonita.

De repente, Evie pulou de susto, com os punhos erguidos, ao sentir um tapinha no ombro. Então deu de cara com um homem mais velho, cujo cabelo ruivo batia no ombro e cobria parte do rosto. Ele estendeu a mão, mas as vestes escuras cobriam o restante do corpo.

— Posso ver seu convite, mocinha?

Desconfiada, Evie semicerrou os olhos e, com a ponta do sapato, tocou a faca que tinha enfiado na bainha presa ao tornozelo, para conferir se ainda estava ali.

— Claro. — Ela entregou o envelope, torcendo para que Blade e Becky voltassem logo.

Mas o homem simplesmente sorriu após ler o envelope, sem se dar ao trabalho de tirar o convite de dentro, e o devolveu a ela sem problemas.

— Maravilha. Que bom que veio, querida.

— Eu te conheço? — perguntou Evie, ainda desconfiada, tentando reconhecer o rosto do homem.

— Não, eu não esperaria que me conhecesse. — Então, ele riu, e a risada era doce e suave como açúcar líquido. Em seguida, estendeu a mão novamente, áspera e cheia de bolhas. — Eu sou Arthur Maverine. Acredito que você trabalhe para meu filho, Trystan. Eu sou o curandeiro primordial.

Evie estava certa de que seu corpo tinha entrado em choque, porque ela congelou, incapaz de lembrar como se juntava as palavras para formular frases. Só conseguiu ficar boquiaberta e olhar fixamente para o homem diante dela.

— Você… Eu… Hm, oi?

Arthur deu uma risadinha e baixou a mão quando percebeu que a dela estava paralisada.

— Devo dizer que, para alguém que pediu com tanta insistência um convite para o evento de hoje, você parece surpresa em estar aqui.

Evie balançou a cabeça tão forte que quase caiu para trás, mas recuperou a voz.

— Como é que é? Eu não pedi nada. Alguém deixou esse convite no meu quarto com um bilhete agourento.

Arthur franziu a testa e indicou duas cadeiras de madeira afastadas da multidão.

Com certa relutância, ela o seguiu, mas manteve a mão a postos para pegar a adaga num piscar de olhos.

Não era tão afiada quanto a que Evie carregava consigo no dia em que conhecera o Vilão. Era uma lâmina que havia comprado na feira local no fim de semana, por um preço muito maior do que realmente valia. Especialmente ao se considerar como estava cega, mas aquilo era outro assunto.

A adaga era afiada o suficiente para esfaquear alguém, e Evie só precisava daquilo, caso as coisas chegassem àquele ponto.

— Posso garantir, srta. Sage, que foi você que *me* convidou para o evento de hoje. — O homem sustentou o olhar dela. — Você me mandou uma carta hoje de manhã.

Evie balançou a cabeça, tentando clarear as ideias.

— Eu nunca mandei carta nenhuma, sr. Maverine. Não faço a mínima ideia do que você está falando.

Arthur se levantou e tirou um pergaminho de dentro das vestes. Então, abriu-o enquanto voltava a se sentar e começou a ler.

— "Caro Arthur Maverine, imagino que o senhor não me conheça, mas eu conheço o seu filho. Trabalho diretamente com ele. Dada a nossa conexão, eu ficaria muito grata se o senhor pudesse me enviar um convite para uma de suas ilustres celebrações. Seria de suma importância não só para mim, mas também para seu filho. Assinado, Evangelina Sage." — Ao terminar de ler, Arthur a encarou à espera de uma resposta.

Evie negou com a cabeça furiosamente.

— Não, não. Eu não lhe enviei essa carta, senhor. Não sei quem foi que fez isso, mas não fui eu. — Evie procurou Blade e Becky em meio à multidão, mas os dois tinham sumido.

A preocupação estava estampada no rosto de Arthur. Era um gesto paternal, e Evie quase lhe pediu um abraço… quase.

— Garanto a você, Evie. — Ele testou o nome como se quisesse ter certeza de que estava pronunciando corretamente. — Quando recebi essa carta, fiquei intrigado. Senti que não tinha escolha a não ser vir aqui e te procurar.

Foi naquele momento que Evie desejou ter a capacidade de distinguir verdade e mentira. Sua ingenuidade escolhia os momentos mais aleatórios para dar as caras, e ela nunca reparava até ser pega de surpresa.

Mas ele parecia tão sincero...

— Você...? Você sabe...? — Ela estava com dificuldade de encontrar um jeito delicado de perguntar a Arthur se ele sabia qual era a profissão do filho.

— Quem é meu filho? — O homem entrelaçou os dedos e sorriu em meio a um semblante de dor. — Sim, sei muito bem o caminho que o Trystan escolheu.

— Ah — disse Evie timidamente. As coisas não estavam se desenrolando da forma que havia planejado. Era como se estivesse descendo um corredor infinito em direção a uma porta que nunca conseguia alcançar. — Isso é bom, eu acho.

— Você trabalha diretamente com ele? — perguntou Arthur, genuinamente curioso.

— Trabalho. — Evie fez que sim. — Ele é um chefe maravilhoso.

O homem limpou a garganta e ajustou os botões abaixo do queixo.

— Que bom que ele tem alguém que cuide dele.

— Sou assistente do seu filho, então, é claro, devo atender às necessidades dele... — Evie notou que ele estava insinuando um relacionamento mais íntimo e se atrapalhou ao tentar se explicar. Precisava deixar tudo claro, para a posteridade e tudo mais. — Necessidades de *trabalho*. Como qualquer assistente deveria fazer, né?

— Concordo.

A voz grave e poderosa fez ambos se sobressaltarem. Evie viu Arthur arregalar os olhos e empalidecer.

Em seguida, viu o homem se levantar lentamente, estendendo as duas mãos.

— Trystan — sussurrou.

— Olá, Arthur.

Evie se virou e deu de cara com a figura do Vilão vestido de preto.

Os olhos escuros encontraram os dela, a raiva era palpável.

— Olá, Sage.

Sem acreditar no que estava acontecendo, ela arregalou os olhos e disse:

— Pelo amor dos deuses, senhor! Se você continuar aparecendo de fininho pelas minhas costas desse jeito, vou te obrigar a usar um sininho.

Sinceramente, isso está ficando meio ridículo.

Mas o bom humor de Evie rapidamente foi embora e deu lugar a um arrepio que percorreu sua coluna ao se dar conta do transtorno que tinha causado. Por não ter mostrado o convite ao chefe logo de cara, agora ele estava tendo um reencontro para lá de público com o pai. Ela estava quase certa de que o chefe jamais pretendera ter aquele reencontro. Pelo menos não ali, não na frente dela.

Enquanto olhava ao redor da multidão, Evie começou a procurar a melhor saída daquele lugar. Só queria fugir daquele desastre.

CAPÍTULO 42
Vilão

Mantenha a fúria sob controle.

Era uma frase que ecoava na cabeça de Trystan com tanta frequência que ele achava que estivesse gravada dentro do próprio crânio, uma parte permanente do seu ser.

Mas era difícil manter a calma quando tantas coisas contribuíam para aumentar a pressão na cabeça dele, como uma chaleira prestes a apitar. Para início de conversa, seu pai, um homem que Trystan jurou nunca mais olhar nos olhos, estava bem ali, encarando-o. Um dos guardas o havia informado a respeito de uma reunião suspeita entre alguns membros do seu círculo mais próximo de funcionários e, antes que o nome de Sage saísse dos lábios de Dante, ele já estava fora da mansão.

Trystan percebeu que se tratava de um dos eventos de Arthur assim que ouviu a música e viu as lanternas. A decoração opulenta era idêntica ao que ele se lembrava da própria infância, e Trystan detestava aquilo.

Sem falar da dança que durava até o amanhecer, enquanto Arthur usava toda a magia que havia em seu arsenal para curar o coração de todos que pediam, e eram vários. Trystan achava que Arthur tivesse deixado aquele tipo de festinha para trás, mas o embrulho no estômago lhe dizia que aquilo estava longe de ser coincidência, uma vez que tantas coisas já pareciam estar dando errado na vida dele.

Aquilo fora planejado; aquilo era uma traição. A pergunta era... traição de quem?

O som leve da voz de Sage conversando limpou a mente de Trystan de qualquer distração, e ele finalmente se permitiu olhar para ela. A reação que Sage lhe causou foi... alarmante. Não era como se o vestido fosse muito diferente das outras cores vivas e ostensivas que costumava usar. Estava mais para a maneira como ela o usava, como se estivesse brilhando. Sage brilhava das presilhas no cabelo até o delineado preto ao redor dos olhos... e os lábios. Estavam pintados de um vermelho tom de sangue.

Logo em seguida, Trystan endireitou a postura, pigarreou e se amaldiçoou por ter perdido um pouco da própria compostura, esforçando-se para esconder quaisquer pensamentos que lhe ocorriam a respeito da assistente.

Agonia. É isso que chamo de agonia.

— Senhor? — Sage acenou diante do rosto dele. A luz refletia nas borboletas no cabelo dela, fazendo com que os fios escuros parecessem estar envoltos pela luz das estrelas.

— Arthur, poderia nos dar licença? Minha assistente e eu precisamos conversar — disse Trystan, incapaz de disfarçar a discreta raiva no tom de voz. Ele observou o delicado pescoço de Sage se retesar enquanto engolia em seco.

— Calma, calma — Arthur começou a dizer, mas Trystan não tinha tempo. A julgar pelos olhos arregalados da assistente, ele já sabia que a mente dela estava a mil por hora, imaginando o que o "Vilão" poderia fazer quando a demitisse por aquela atitude imprudente.

— Certamente seus convidados gostariam de receber sua atenção. — Ele acenou para as pessoas que se aglomeravam em volta deles com olhos desesperados.

Arthur se levantou lentamente e Trystan sentiu um aperto no peito ao notar os traços do rosto dele que conhecia tão bem.

— Promete que conversa comigo antes de ir embora, Trystan? — A mão que o pai pousou no ombro dele quase o fez rosnar, mas ele segurou qualquer resposta que pudesse dar e apenas fez que sim com a cabeça, rigidamente.

Assim que chegou a uma distância segura, o Vilão virou-se para Evie, mas então viu que ela estava se esgueirando na direção oposta.

— Aonde você pensa que vai?

— Ah, eu ia só... — E, para a surpresa dele, Sage se virou bruscamente e saiu correndo em meio à multidão.

— Volta aqui, Sage! — gritou Trystan, sentindo-se ridículo enquanto a perseguia como se fosse uma raposa numa caçada. Ele esbarrou em um casal envolto em um abraço apaixonado e revirou os olhos diante dos protestos enfurecidos dos dois. — Evangelina! — Ele se esticou para pegar a mão dela, mas ela escapou e correu pela ponte capenga, misturando-se à escuridão.

Sage não ia facilitar a vida dele — claro que ia fugir. Trystan gostava quando as pessoas reagiam a ele daquela maneira no passado, mas, naquele momento, odiava aquilo.

Ele a seguiu de perto, determinado, apesar do peso que sentia no coração ao pensar que devia tê-la assustado. Queria se dar um tapa pela maneira como reagiu ao vê-la ali... tão perto do pai dele. O medo não era um sentimento com o qual

Trystan estava acostumado, mas Sage claramente estava determinada a fazê-lo experimentar aquilo com certa frequência.

A ponte rangia e balançava sob o peso dele e a escuridão ameaçava engoli-lo, mas a lua voltou a destacar as pedras no cabelo de Sage. Trystan não tirou os olhos dali, pois tinha certeza de que seguiria aquela luz aonde quer que ela fosse.

Ele nunca tinha sido tão sentimental assim, e a culpa era toda dela.

Ao chegar ao outro lado da ponte, as árvores se agitavam em meio à brisa fresca da noite e, sem nenhum fogo por perto, o ar estava gelado. Provavelmente ela estava com frio.

— Sage, sai daí. Você vai acabar morrendo, e aí eu vou ter que contratar a Rebecka para te substituir.

Ela saiu dos arbustos aos tropeços, cheia de gravetos nos cabelos.

— Que maldade. — Sage olhou feio para ele.

— O objetivo era esse. — Ele lhe lançou um olhar sarcástico e arqueou a sobrancelha.

— Vai lá, pode desabafar. — Ela se aproximou dele e, nervosa, puxou um cacho entre os dedos. — Grita comigo.

— Ah, é? Eu deveria gritar?

— Eu sei que você está bravo por causa de alguma coisa relacionada ao Arthur... — ela começou a dizer.

— Não estou bravo — ele a interrompeu, limpando uma gota de suor da testa. Como Sage se limitou a arquear a sobrancelha atrevidamente, Trystan admitiu: — Sim, estou muito bravo, mas não por causa do Arthur agora.

Ela arregalou os olhos.

— Ah, então você *está* bravo comigo... por eu não ter ido falar com você antes de vir ao evento? Mas eu juro que não sabia que seria organizado pelo seu... seu, hm... pai, e que eu ia acabar te chateando. — Ela disse a última palavra e se encolheu, o que fez Trystan segurar uma risada (problema que ele parecia não ter no passado).

— Eu não estou chateado, Sage — disse Trystan, tentando pôr os pensamentos em ordem e controlar sua pulsação.

Ela o olhou de cima a baixo e apontou para a mão de Trystan que segurava firme o punho da espada.

O Vilão a soltou na mesma hora e sentiu-se meio envergonhado, talvez pela primeira vez na vida.

— Força do hábito — resmungou.

— Entendi. — Sage assentiu e fez um beicinho exagerado enquanto passava por ele para sentar-se à beira do penhasco. Mesmo à distância, o brilho do fogo iluminava o contorno das suas maçãs do rosto.

— Eu não estou bravo com *você* — disse ele, agachando-se, meio sem jeito, para sentar-se ao lado dela. — Meus guardas me avisaram que meus funcionários estavam aqui. Eu sabia que não era coincidência, mas em momento algum deixei de confiar em você. — O Vilão não sabia por que era tão importante que ela soubesse aquilo, mas era.

Ela pareceu acreditar nele, observando a faixa dourada do redor do mindinho. Ele desviou o olhar, dominado pela culpa.

— Fico feliz que você confie em mim — disse ela, sem emoção.

— Ah, sim. Você parece feliz mesmo — retrucou ele, cheio de sarcasmo.

Trystan observou as velas que decoravam as árvores ao redor dos dois; pareciam brilhar mais do que quando tinham chegado do outro lado da ponte. A música suave criava uma cena encantadora. O Vilão não sabia como era a sensação de alegria — tinha passado tanto tempo vivendo de modo desconfortável no mundo que começara a se ancorar naquela emoção, sem nunca se dar ao luxo de se acomodar.

Mas, naquele momento, pensou que talvez pudesse se acomodar. Com muita facilidade.

— Uma coisa eu tenho que dizer sobre o meu pai: as festas dele sempre têm música boa.

Sage olhou para Trystan e o rosto dele estava perto o suficiente para que desse para ver o reflexo das velas nos olhos dela.

— Ele faz muito esse tipo de evento?

— Não sei. — Trystan suspirou e, depois, beliscou o dorso do nariz com o indicador e o dedo médio. — Faz anos que não falo com ele.

Verdade seja dita, Trystan tinha passado a maior parte da vida sem falar com Arthur. Não era apenas por Arthur ter passado quase toda a infância de Trystan viajando para um monte de lugares, usando as suas habilidades de cura primordial onde era necessário. A mãe de Trystan, Amara, dissera a Trystan e aos irmãos que era egoísmo querer Arthur só para eles quando havia tanta gente que precisava da ajuda dele. No momento, Trystan pensou em como era engraçado que aquela tal necessidade nunca parecia ter importância quando vinha dos filhos de Arthur.

Com o nascimento de Clare, Arthur começara a diminuir o ritmo, passando mais tempo em casa, na aldeia à beira-mar. Trystan era mais velho, então Arthur dedicava boa parte da sua atenção aos irmãos mais novos.

Amara Maverine não era uma mulher fria, mas também não era afetuosa. Não via sentido em abraços ou conforto quando o mundo era muito mais cruel do que aquilo. Trystan era grato por tal atitude — acabou o salvando do sentimento de rejeição.

Arthur assumira uma atitude mais gentil com Clare e Malcolm ao retornar, mas devia ter presumido que era tarde demais para Trystan. No começo, doera quando Trystan tentava criar um vínculo com Arthur e só recebia desinteresse em resposta. Mas Trystan rapidamente voltara aos padrões com os quais tinha sido criado, quase como uma maneira de se preservar. Ele não precisava de afeto; não precisava que as pessoas lhe demonstrassem amor. Aquilo era perda de tempo. Era um desperdício para ele.

No fim das contas, não tivera importância. Quando Arthur tentara timidamente construir uma relação com Trystan, já era tarde demais. Mas aquilo não tinha impedido Arthur de tentar, ao longo dos anos, enviar cartas, propor encontros. Trystan ignorara tudo.

Ao menos a esperança da redenção de Trystan que os irmãos tinham enfim havia morrido, e a convivência com eles se tornara bem mais tolerável. As esperanças da mãe, como ele sabia, também tinham morrido, mas aquele era todo um outro tipo de tortura à qual se submeter; mais tarde, quem sabe. Não, naquele momento ele se permitiria sentir aquele pingo de felicidade, se era mesmo aquilo que significava o calor que invadia seu peito.

Na verdade, ele ia aproveitar aquele momento com toda a alegria que pudesse.

Trystan se levantou às pressas e, logo em seguida, viu Sage virar o rosto na direção dele e arquear as sobrancelhas, confusa.

— O que você está fazendo? — Ela arregalou os olhos ao vê-lo estender a mão.

— Gostaria de dançar?

Ela arregalou ainda mais os olhos, mas um sorriso discreto se abriu nos lábios vermelhos.

— Com quem? — Sage olhou ao redor como se estivesse numa peça de teatro.

Trystan deu um sorrisinho, porque, verdade seja dita, ela era muito engraçada.

— Comigo.

Sage segurou a mão dele e deixou que ele a levantasse. Quando inclinou o pescoço para olhá-la, Trystan ficou sem fôlego com o tamanho da felicidade que ela lhe transmitia. Era estranho demais ver alguém tão feliz na presença dele, ou até mesmo *por causa* da presença dele, o que quase fez Trystan tropeçar.

— Não sei direito como se dança com outra pessoa. — Sage franziu o nariz e olhou para as mãos entrelaçadas. — Normalmente, eu só fico girando até ficar tonta.

— Bom... — Ele não tinha calculado bem a situação. A música, até então animada, tinha ficado de repente mais lenta, mais íntima. Ele já tinha torturado um monte de homens ao longo dos dez anos de carreira. Por informações, por raiva, por tentativas de assassiná-lo e, por mais que relutasse em admitir... até mesmo por ter visto um homem ser cruel com um pato.

Tinha sido um bônus descobrir que o tal homem era um Guarda Valente aposentado, mas não vinha ao caso.

Aquilo era uma tortura diferente, algo que nunca tinha experimentado antes. Ele tinha se tornado especialista em não desejar ter nada que estivesse fora do seu alcance, mas Evie não era uma posse, algo para se ter. Era uma pessoa que Trystan admirava e respeitava muito. Alguém em quem confiava mais do que imaginou ser possível.

Alguém para quem ele jamais admitiria aquilo.

Você já tem esse momento de felicidade, lembrou a si mesmo.

Sem hesitar, pôs a outra mão na base das costas dela, guiando-a para os braços dele. Sage prendeu a respiração e Trystan sentiu o calor de sua pele por baixo da seda do vestido. A seguir, limpou a garganta e ergueu as mãos entrelaçadas, conduzindo-os em passos lentos.

— E aí, você sabe dançar? — perguntou Sage, inclinando o rosto em direção ao dele. Ele notou que estava mais perto do que imaginava e, ao olhar para baixo, entendeu o motivo: Sage estava dançando na ponta dos pés.

— Aprendi anos atrás, quando trabalhava para… — Então, ele parou de falar. Não porque não queria concluir a frase, mas porque, naquele momento, Trystan viu um rosto bem familiar em meio à multidão do outro lado da ponte.

— O que minha irmã está fazendo aqui? — perguntou o Vilão, confuso.

— A Clare está aqui? — Sage virou a cabeça na direção em que ele olhava, mas nenhum dos dois parou de dançar nem se soltou. As engrenagens da mente dela estavam girando a mil por hora, Trystan percebia pelo seu jeito de olhar. — Você não acha que a traidora pode ser…

Ele a interrompeu antes que Sage pudesse concluir:

— Mandei que meus guardas ficassem na cola dos meus irmãos desde o incidente com a bomba. Eles têm sido levados em conta a cada passo do traidor. Com certeza me odeiam, mas não é nenhum dos dois que está tentando me derrubar.

— Não acho que eles odeiem você — comentou Sage em voz baixa enquanto Trystan os girava bem de leve.

— Você não pode ter certeza disso. — Ele não a olhava. Em vez disso, mantinha o olhar fixo em uma das lanternas atrás deles.

— Mas tenho. — Ela pressionou a ponta do sapato no dele até que Trystan a olhasse. — Eu conheço aquele amor entre irmãos. Eles sentem isso por você; é bem óbvio.

— Não é igual ao que você tem com a Lyssa — disse ele, girando-a de novo.

Ela deu uma gargalhada antes de girar de volta para os braços dele.

— Nossa relação é um pouco diferente, sim, mas os princípios são os mesmos. Eu vivia irritando meu irmão quando éramos pequenos, muitas vezes de propósito. Só que, no final das contas, faríamos de tudo um pelo outro.

— Não sabia que você tinha um irmão — disse Trystan em voz baixa, ciente de que Sage era a única provedora da família.

— Ele morreu. — O vazio na voz de Sage o assustou.

— Deve ter sido muito difícil para você. — A dança havia desacelerado, mas eles ainda se moviam, ainda giravam.

— Foi mais por ter sido muito abrupto. — Sage não tirou os olhos dele, mas o olhar estava vazio. — Foi um acidente... com a magia da minha mãe. A vida mudou demais depois disso. O Gideon se foi, depois minha mãe. Eu saí da escola para cuidar da Lyssa e depois tive que parar os estudos para começar a trabalhar quando meu pai ficou doente. Eu sinto que minha vida é uma sucessão de imprevistos, mal consigo aproveitá-la.

Era uma história triste; Trystan já tinha ouvido várias. Mas não era aquilo que o afetava. Era a forma como ela dizia cada palavra, olhando diretamente para ele. O olhar aberto e sincero enquanto expunha as próprias fraquezas, como se fossem dignas da atenção de Trystan.

E Sage tinha mesmo, a atenção dele por completo.

— Também já me senti assim. — Trystan fez uma pausa. — Como se a vida fosse uma sucessão de imprevistos. Muitas vezes.

Ao ouvir aquela declaração, Sage foi dominada por um olhar de surpresa que quase o fez parar, mas ele seguiu em frente.

— Eu não estava preparado para ver o meu pai hoje à noite.

— Foi minha culpa. Eu sinto muito, muito... — Mas ela parou quando ele lhe lançou um olhar de censura fingida. Queria arrancar aquela expressão maldita do vocabulário dela.

— Tenho dificuldade de estar perto dele. Acabo me lembrando da minha infância. Ele... ele não era um pai muito presente. Ser curandeiro primordial envolve muitas viagens. Sempre havia alguém que precisava mais dele, o que fazia com que eu me sentisse... desimportante.

Por enquanto, aquilo era tudo que Trystan podia oferecer. Mas já era suficiente, a julgar pela cumplicidade no olhar de Sage — algo que ele não sabia que estava esperando.

— Eu entendo — disse ela, abrindo um sorriso discreto porque, de fato, o entendia; dava para sentir naquele momento. — A vida às vezes é simplesmente... exaustiva.

Ainda meio comovido, ele permaneceu em silêncio.

Sage arregalou os olhos diante do silêncio de Trystan e as bochechas ficaram vermelhas.

— Não que trabalhar para você seja exaustivo... Está mais para...

— Uma atividade que está te roubando anos de vida? — completou ele, tentando ajudar.

— Eu não ia dizer isso. — Ela franziu a testa para ele. — Não em voz alta.

Ele deixou escapar uma risada rouca.

— Se o trabalho não é cansativo o suficiente, eu poderia fazer você se juntar ao Dia da Debandada com os estagiários. — Ele deu passos mais largos e a conduziu num giro longo.

— Como a perseguidora? — perguntou ela, com uma expressão um tanto assustadora.

— Eu não sou *tão* mau assim. — Ele arqueou a sobrancelha e congelou quando percebeu um brilho no olhar dela. — Por que está sorrindo agora, Sage?

— Eu só estava pensando que nós somos dignos de uma dramatização.

— Até parece que alguém ia querer ver nós dois discutindo — zombou o Vilão.

— Não sei, não… — disse Sage com um brilho nos olhos.

Ele balançou a cabeça e os girou mais uma vez.

Era um momento praticamente perfeito.

Mas então a gritaria começou.

CAPÍTULO 43
Evie

— **Mas o que raios é isso?** — murmurou o Vilão, levantando os olhos escuros para o céu noturno, na direção do que quer que estivesse gritando alto o suficiente para praticamente arrebentar os tímpanos de Evie.

— Corre! — gritou ela ao reconhecer o guincho no céu e o tom roxo da nuvem de fumaça que descia em direção a eles.

O chefe desviou os dois da rota de fumaça e soltou um suspiro pesado quando caíram no chão. Em seguida, arregalou os olhos ao se dar conta do que estava acontecendo e os rolou para longe de outra nuvem venenosa vinda dos...

— Ele fugiu? — Evie olhou por cima do ombro do chefe e avistou a figura escura em forma de guvre que pairava no céu. Porque, é claro, o que mais aquela noite pedia se não uma fera perversamente perigosa entrando de penetra na reunião de família mais constrangedora de todos os tempos?

E interrompendo a dança mais mágica da vida dela.

Ela nem tinha mexido os pés; simplesmente deslizava enquanto ele...

Mais um guincho ecoou pelo ar, acompanhado pelos gritos de uma multidão desesperada. *Verdade. Talvez não seja o melhor momento para ficar relembrando disso, Evie.*

A terra se amontoou em seus calcanhares enquanto o chefe a levantava e praguejava ao olhar para o outro lado da ponte. Metade do Pico da Roseira tinha desaparecido, derretido diante do sopro venenoso do guvre. Ela se encolheu e sentiu ânsia de vômito ao ver o rápido processo de decomposição do corpo de um homem ainda vivo, ainda gritando de pura agonia. A pele se desmanchava dos ossos.

— Eca, que nojo. — Evie cobriu a boca com a mão.

— Com certeza você já viu coisas muito mais grotescas desde que começou a trabalhar para mim — disse o Vilão, com um excesso de naturalidade, sem tirar os olhos do guvre.

— Não deixa de ser grotesco — rebateu Evie, incrédula, antes de balançar a cabeça. Uma sensação terrível formigou na sua pele. — O guvre, senhor. Não deveríamos...?

— Sim! É óbvio — disse o Vilão, aparentemente surpreso e irritado por seu momento de distração. Então, pegou Evie pelo braço e a empurrou para a frente dele, gritando para que ela seguisse em frente. — Anda logo!

— Tá bom! — gritou Evie de volta, revirando os olhos. Ela tinha senso de direção, apesar do que diziam por aí. — Como foi que um deles fugiu? — Ela tentou ver qual era a cor da fera, mas era impossível distinguir o macho da fêmea na escuridão.

E se *os dois* tivessem fugido?

Dava para sentir o Vilão a seguindo de perto enquanto gritava para que ela andasse mais rápido. No momento em que ouviu os estalos crepitantes da madeira velha, entendeu o motivo. O sopro do guvre estava consumindo a ponte atrás dos dois, tábua por tábua. No fim das contas, a estrutura inteira rangeu e eles caíram.

Agarrando-se à tábua como se fosse uma escada, Evie sentiu lascas se soltando enquanto despencavam, até bater com força no que restava do penhasco e ver as cordas daquele lado penduradas por um fio. Evie olhou para baixo e soltou um suspiro de alívio ao ver o chefe agarrado a uma tábua mais abaixo, ainda ali.

— Você está bem? — gritou Evie, tentando não se encolher quando sentiu que as feridas recém-cicatrizadas tinham reaberto em alguns pontos.

— Estou fantástico. Acho até que vou fazer um piquenique enquanto estou aqui embaixo — retrucou ele, com o sarcasmo de sempre.

Ah, sim, ele estava ótimo.

Evie assentiu e virou-se para escalar o restante do caminho. Quando chegou ao topo, seu sorriso desapareceu ao sentir o cheiro pútrido de carne em decomposição que pairava no ar.

Que massacre.

Corpos espalhados, cadáveres apodrecendo até os ossos. Os poucos ainda vivos gritavam enquanto a pele derretia. Evie se forçou a olhar, implorando para que um dos rostos não fosse de Blade, ou... Tá bom, ela também preferiria que um daqueles rostos não fosse o de Rebecka Erring.

— É o macho — avisou o Vilão perto do ombro dela, olhando para o céu com uma raiva silenciosa e semicerrando os olhos quando algo grande caiu no chão com um estrondo. Então, ele avançou em direção ao objeto prateado caído. Era a algema de tornozelo do guvre; a quebra da corrente em uma linha retinha indicava que o metal havia sido cortado, não arrebentado. — Alguém o libertou.

— A pessoa que nos trouxe até aqui. — Evie suspirou.

— Foi uma armadilha. — O Vilão abriu um sorriso sarcástico.

Mas não havia tempo para especular sobre quem poderia ter feito aquilo, já que primeiro tinham que capturar a criatura.

— Por que o macho não ficou com a fêmea? — perguntou Evie, buscando abrigo debaixo de uma árvore caída com uma das pontas presa nos galhos de outra árvore.

O chefe se juntou a ela sem titubear.

— As fêmeas são mais inteligentes, mais estratégicas. Os machos muitas vezes agem por puro instinto. Agora, ele só sabe que estava enjaulado. As coisas vão piorar mais se a parceira dele ainda estiver enjaulada. — Ele pareceu reconsiderar o que dissera, porque acrescentou: — Piorar é relativo. Dois guvres também são tão ruins quanto um macho enfurecido.

— Então destruir tudo é a solução dele? — Evie revirou os olhos e afastou as mechas de cabelos soltas do rosto. — Homens… — comentou com desdém.

— Sim, podemos discutir os óbvios pontos fracos do meu gênero mais tarde. — Os olhos do Vilão brilharam. A camisa preta estava rasgada na altura do ombro, o que lhe dava um toque de desleixo e malandragem que fez Evie sentir um frio na barriga.

Em um momento claramente inoportuno.

— Gushiken! — gritou ele, com uma autoridade tão intensa que Evie endireitou as costas automaticamente, quase batendo a cabeça no tronco da árvore sob a qual estavam escondidos.

Blade surgiu da escuridão e se enfiou debaixo da árvore com eles. O sangue escorria pelo braço e o pânico dominava seus olhos cor de âmbar.

— Oi, chefe. Quando foi que você chegou? — perguntou ele casualmente, em contraste com o caos à volta deles.

— Será que poderíamos pular a conversa fiada? Alguma ideia de como recapturá-lo?

— E eu tive alguma utilidade na primeira vez? — perguntou Blade abertamente.

Mais um guincho e uma série de gritos os fizeram pular de susto.

— Nenhuma — resmungou o Vilão.

— Então acredito que já tenha a sua resposta, senhor. — A confiança com que Blade se portava vacilou quando os olhos dele se concentraram em um movimento que Evie captou pela visão periférica.

— Falei pra você ficar escondida! — disse Blade, com uma firmeza incomum na voz.

Rebecka Erring surgiu ao lado de Evie sob a árvore, dando-lhe um susto tão intenso que ela acabou esbarrando no peito do chefe.

— Pelo amor dos deuses, aprende a fazer barulho enquanto anda! — Evie levou a mão ao peito enquanto esperava os batimentos cardíacos desacelerarem, só que não demorou muito a perceber que aquilo não aconteceria enquanto o guvre pairasse sobre eles.

— Eu não estava mais segura atrás das árvores, onde você me deixou — murmurou Becky, então acenou com a cabeça educadamente para o Vilão e, em seguida, lançou um olhar furioso para Blade.

Mas o Vilão nem percebeu, já que não parava de olhar para os convidados que passavam por eles aos berros.

— Minha irmã. Minha irmã estava aqui. Antes do ataque — disse ele, então saiu correndo e deixou a proteção do esconderijo.

— Senhor! — gritou Evie, fazendo menção de ir atrás dele, mas foi puxada de volta por Becky, que a segurou com força pelos ombros.

— Senta aí, sua tonta. Ele não precisa da preocupação de você acabar morrendo enquanto ele procura a irmã. Fica aqui e não atrapalha.

As palavras doíam como o sopro quente do guvre na pele nua, mas Evie sabia que eram verdadeiras. A menos que ela encontrasse uma maneira de se fazer útil, rapidamente se tornaria um estorvo. Talvez até já fosse.

Evie não podia se dar ao luxo de ser autodepreciativa naquele momento. Quando enfim chegasse em casa mais tarde, de preferência sã e salva, iria conferir como Lyssa estava, sentindo-se culpada por tê-la deixado sozinha outra vez, e depois desabaria quase sem vida na cama. Só então se permitiria mergulhar em todas as coisas que sua mente gostava de dizer que ela fazia mal ou errado.

— Temos que pegar o guvre — disse Blade, determinado, tirando uma corda de couro do bolso. — Encontrei isso aqui no meio de algumas lanternas caídas... acho que vai funcionar!

— Como raios ele fez para capturá-lo da primeira vez? — perguntou Evie com ceticismo, arqueando a sobrancelha enquanto Blade fazia um grande laço na ponta. — Isso foi usado para pendurar lamparinas. Você acha que vai dar conta de prender um animal selvagem gigante?

— Você tem alguma ideia melhor? — perguntou Blade, com um sorriso malandro. — O chefe mandou os guardas rastrearem o macho por dias antes de pedir à Tati que preparasse um sonífero. Eles penaram, mas conseguiram derrubá-lo instantaneamente depois de despejarem a poção na boca da criatura, pelo que Keeley me contou.

— Então, faça as honras! — Evie gesticulou exageradamente para o céu depois que outro guincho ecoou pelo ar e derreteu lentamente a árvore ao lado deles. As asas da criatura batiam acima de todos, e uma rajada de vento os jogou para trás enquanto a criatura voava para o outro lado, o que lhes deu uma pausa para recuperarem o fôlego.

— Não estou com o sonífero! — gritou Blade, e os três recuaram enquanto um grupo de pessoas passava correndo por eles, aos berros, muitos deles sangrando ou feridos. Evie recuara até o vestido enganchar em algo atrás dela. Ao se virar rapidamente, deu de cara com um corpo jogado contra a árvore, o rosto coberto por um capuz.

Blade parecia confuso.

— Esse cara... está tirando um cochilo?

— Ou está morto! — disse Becky, dando um tapa no braço de Blade. — Dá uma cutucada para ver se ele se mexe.

Blade franziu a testa e se abaixou. Depois, pegou um graveto e estendeu a mão em direção à figura prostrada.

Ele aproximou a cabeça do ombro do sujeito e, em seguida, deu um pulo quando a figura se mexeu antes que o graveto chegasse nela. Uma risada rouca ecoou das sombras que escondiam o rosto do homem.

— Não estou morto, só um pouquinho menos vivo. — A voz soou familiar no momento em que Evie a ouviu. Portanto, não se surpreendeu quando a figura retirou o capuz e revelou o rosto ensanguentado de Arthur, com a barba vermelha e grudenta. — Vou ficar bem. Cadê o Trystan?

— Quem é esse? — perguntou Blade, parecendo desconfortável. — Ah, e quem é você?

— Ele é o anfitrião da festa. — Evie revirou os olhos.

Blade franziu a testa, solidário.

— Ah, bom, tirando as pessoas derretidas, acho que tudo está indo muito bem.

— Blade — disse Evie, agachando-se ao lado de Arthur, arrancando um pedaço da saia brilhante e enrolando o tecido em volta da cabeça dele. — Que tal calar a boca?

— Claro, claro — murmurou Blade atrás deles. — Vou tentar, hm, pegar o... Bom, você sabe — disse ele, antes de sair correndo e partir para a ação.

Arthur tossiu de leve e um filete de sangue escorreu do canto dos lábios. O pânico tomou conta de Evie ao presenciar a cena; estava preocupada com um homem que um dia já havia se importado com Trystan e que claramente ainda se importava. E ele era importante para o chefe, quer Trystan soubesse ou não.

Rasgando mais um pedaço limpo de tecido do vestido, Evie o segurou delicadamente no canto da boca de Arthur, torcendo para que o que quer que o afligisse pudesse ser curado.

— Você é corajosa. — Arthur abriu um sorriso fraco para ela. A terra se misturava com o sangue nas bochechas.

Evie bufou.

— Imagina.

Ela era impulsiva e teimosa nos melhores dias, mas corajosa? Parecia uma palavra pesada demais para a imagem que tinha de si mesma.

— Você deve ser, para trabalhar para o... — Arthur fez uma pausa e os olhos se voltaram para Becky, que estava atrás dela. Pareceu ponderar algo com muito cuidado antes de se voltar para Evie com um novo raciocínio. — Para trabalhar para *o Vilão*.

Arthur se encolheu ao dizer as duas últimas palavras, como se chamar o filho de algo tão sinistro fosse mais doloroso do que qualquer ferimento que ele tivesse sofrido.

— Ele não é tão assustador. — Evie sorriu, sentindo uma espécie de calorzinho no peito ao pensar nos momentos mais ternos de Trystan.

— Ah, mas ele é. — Arthur se encolheu de novo, mas sorriu. Estava encontrando humor em meio à dor. — Eu nunca senti tanto medo de ninguém na vida.

Mas ela sabia identificar os sentimentos por trás daquelas palavras. O medo dele não era de Trystan, mas de onde a vida que ele havia escolhido o levaria.

Arthur sentia medo *por* ele, e Evie ficou tão tocada que jurou que manteria aquele homem vivo, não importava o que tivesse que fazer.

Naquele momento, Becky arfou e, quando Evie se virou para ver...

Congelou.

Eles estavam rodeados de Guardas Valentes impiedosamente determinados, com espadas em punho.

E não pareciam nem um pouco heroicos...

CAPITULO 44
Vilão

Após uma corrida ensandecida pelas ruínas da festa, desviando de corpos irreconhecíveis, alguns ainda grunhindo, Trystan avistou Clare. Então, puxou-a com força pelo braço e a levou junto com ele para as sombras com um movimento amplo e rápido.

Ela estava tremendo, o vestido rasgado e o ombro esquerdo descoberto onde a alça tinha se perdido. Aquilo o fez se lembrar da infância deles, quando Clare era inconsequente e Trystan sentia um aperto no peito só de pensar no que poderia acontecer com ela.

Mas já eram adultos. Ele tinha aprendido rapidamente que nenhum dos irmãos precisava da preocupação ou da consideração dele.

— Tryst? — A voz de Clare saiu trêmula, como se ela não tivesse certeza de que o irmão estava mesmo ali para resgatá-la. Mas então ela pareceu se recompor e gritou: — O pai. Temos que encontrar o pai!

— Que raios você está fazendo aqui, Clare? — Ele estava sentindo muitas coisas, coisas demais. Trystan nunca tivera facilidade de processar sentimentos na escuridão da sua mente.

Ele estava preocupado com Evie e com a irmã, estava furioso com quem quer que tivesse causado aquela confusão e não havia palavras para descrever a raiva que sentia do rei Benedict.

— O pai me convidou! — gritou Clare. O pavio curto de sempre explodiu e acabou com qualquer resquício de medo que ele imaginou ter visto nos olhos dela. — O que raios *você* está fazendo aqui? — De repente, ela pareceu assustada. — Você é o responsável por isso?

— Claro que não — resmungou, congelando quando Blade passou correndo por ele. — Gushiken!

O treinador de dragões parou de repente, balançando uma corda laçada enquanto o suor escorria pelo rosto.

— Eu quase o peguei... só preciso de um pouco mais de altura. — Blade olhou de relance para Clare e sorriu como se estivessem se conhecendo num brunch. — Prazer em conhecê-la.

— Minha irmã. — Trystan a identificou, mesmo sabendo que era imprudente. Ninguém no escritório, a não ser Tatianna e, agora, Sage, sabia das conexões familiares dele. Não sabiam nem da identidade de Trystan.

— Ah. — O domador de dragões arregalou os olhos ao se dar conta de alguma coisa. — Ah, você é... Olá. — O homem obviamente sabia de algo que não deveria, pois parecia um gato que tinha encontrado um rato para brincar.

Trystan, como de costume, estava sem paciência.

— Clare. Eu vou encontrar o Arthur... só saia do caminho.

— Eu não obedeço a ordens suas. — Ela revirou os olhos e se virou para Blade. — Você precisa de um sonífero para derrubar aquilo, não?

— Eu... — Blade olhou para Trystan, desconfortável ao se ver no meio de uma briga de irmãos. — Seria bom. Você sabe fazer?

Clare sorriu de lado para o treinador.

— Consigo, sim. Tem algumas ervas que posso usar aqui perto... me dá cinco minutos.

Os dois se viraram na direção dos arbustos, mas um grito familiar ecoou pelo ar e uma sensação terrível perfurou o coração dele.

Sage.

— Eu tenho que... — Mas uma dor aguda cruzou a cabeça dele. Ele viu manchas escuras enquanto caía de joelhos, e a última imagem que visualizou foi a de Sage esperando que Trystan a salvasse, mas ele jamais chegaria a tempo.

CAPÍTULO 45
Evie

— **Coloque-os com os outros** — gritou um Guarda Valente para o que arrastava Evie até um grupo de pessoas, algumas agarrando-se umas às outras aos prantos enquanto eram reunidas em uma clareira não muito longe do local original da festa. Arthur tropeçou e grunhiu atrás dela, e Evie se virou no mesmo instante para ajudá-lo.

— Não saia da fila!

— Ele está machucado! — gritou ela de volta, rugindo de dor quando o cavaleiro maior a segurou pelo ombro com força.

— Dayton! — advertiu um dos outros. — Controle seu temperamento; essas pessoas são inocentes. — A voz era gentil e, apesar do elmo que estava usando, Evie ficou mais calma.

Mas então ela avistou mais um grupo de pessoas e o homem inconsciente deitado ao lado delas. Ao observar a camisa preta rasgada e o rosto imóvel, Evie conteve um grito com a ideia de que ele pudesse estar morto. Mas logo viu o sangue escorrer da testa enquanto ele se virava e quase desmaiou de alívio. Não estava morto, só inconsciente.

Evie abriu caminho em meio à multidão, ignorando as advertências de um cavaleiro para que ficasse onde haviam mandado. Ela se agachou ao lado de Trystan e afastou uma mecha de cabelo ensopada de sangue da testa do chefe.

— Senhor? — sussurrou. — Você está bem?

Ele grunhiu de leve ao toque de Evie e as pálpebras tremularam antes de ficarem imóveis mais uma vez.

Pela primeira vez, a aparição de Becky foi um alívio.

— Ele está bem? — Ela estava de olhos arregalados e respirava com dificuldade. — Cadê o Blade? — perguntou, girando a cabeça para olhar as poucas pessoas que estavam ali. Nenhum sinal dele.

— Como vamos sair dessa? — Evie se encolheu quando um cavaleiro jogou outra mulher aos berros em direção ao grupo. — O que eles estão fazendo aqui?

— Só pode ter sido uma armadilha — sibilou Becky. — Não é coincidência eles estarem aqui. O informante do rei Benedict, seja lá quem for, queria todos nós aqui para isso.

— Então por que não estão levando a gente embora? — perguntou Evie, olhando ao redor do grupo. Os guardas ostentavam a armadura prateada nos ombros e peitorais. Quase todos os rostos estavam escondidos por trás de elmos pintados, cada um com a insígnia do rei Benedict. Mas havia confusão entre eles. Quem quer que os tivesse organizado ali aparentemente os havia abandonado e, com o guvre pairando tão perto, os cavaleiros não paravam de se remexer de nervoso.

Evie sabia lidar com homens nervosos; existiam aos montes por aí.

Arthur mancou até ela, agachou-se ao seu lado e tirou um fio de cabelo do rosto do Vilão.

— Eles não sabem como é a cara do Vilão e, quem quer que soubesse, não está mais aqui — sussurrou. — Estou fraco demais para curar alguém, mas... — Sentindo o pulso de Trystan, Arthur olhou para Evie com ternura. — Ele vai ficar bem. A linha da vida dele ainda está forte. Você tem algum plano?

Becky também estava olhando para ela. As outras pessoas que ainda estavam conscientes se remexiam ansiosamente, sem prestar tanta atenção neles quanto os guardas. Evie se viu em pânico — a pessoa que ditava as regras estava inconsciente. A função de Evie era seguir ordens e segui-las direitinho. O que é que uma assistente deveria fazer quando o chefe implacável está desacordado?

Era óbvio, na verdade. Ela deveria incorporar toda crueldade que a situação exigia. Evie teria que se transformar numa vilã, porque eles não iriam morrer ali. Não naquele dia.

Evie se levantou às pressas e forçou um grito dramático.

— Por favor — disse aos soluços. — Me ajudem.

Um dos Guardas Valentes se materializou ao lado dela na mesma hora e a segurou pelo antebraço. Dava para ver os olhos verdes pela fresta do elmo; pareciam desconfortáveis.

— O que a aflige, senhorita? Não há nada a temer de nós.

— Ah, sei disso. — Evie abriu um sorriso choroso enquanto apontava para o Vilão, ainda inconsciente nas mãos do pai. — Mas meu ma-marido. — Evie fez a palavra parecer forçada, como se estivesse prestes a despedaçar.

O desconforto nos olhos do cavaleiro se multiplicou por dez.

Um homem apavorado com as lágrimas de uma mulher? Que surpresa.

— Ele está ferido. Temo pela vida dele; preciso levá-lo a um curandeiro imediatamente. — Ela enxugou uma lágrima da bochecha e agarrou a armadura do cavaleiro. — Eu implo-ro... nos deixe ir.

O cavaleiro tirou a mão de Evie da armadura lentamente e deu um passo para trás, como se a histeria dela fosse contagiosa.

— Meus cavaleiros foram instruídos a trazer todos os civis aqui ilesos. Encontramos seu marido já inconsciente, minha senhora.

Evie queria lhe lançar um olhar desconfiado, mas se segurou. Ficou bem claro que ele a considerava ingênua a ponto de acreditar que os cavaleiros simplesmente encontraram o chefe dela com um cortezinho na parte de trás da cabeça — se o guvre tivesse feito aquilo, ela estava certa de que ele não teria mais cabeça nenhuma.

— É claro. — Ela fungou. — Todos vocês são valentes e corajosos. Eu deveria ter mais noção. Sabe como é, estou naqueles dias.

Um dos cavaleiros se engasgou e Evie tinha quase certeza de que outro deixou a espada cair no pé.

As lágrimas das mulheres assustavam os homens, sim, mas as funções do corpo feminino claramente os faziam entrar em parafuso. Ela continuou, segurando-se para não rir.

— Veja bem, eu e o meu marido estamos tentando ter um filho. — O Vilão grunhiu atrás dela, mas Evie ignorou e manteve os olhos fixos à frente. — Foi por isso que viemos encontrar o curandeiro primordial. E aí meu marido ouviu falar que o Vilão tinha chegado para aterrorizar o bom trabalho do curandeiro.

Então, de repente, todos os cavaleiros perto dela entraram em estado de alerta e lançaram olhares nervosos para todos os capturados, claramente tentando descobrir se o Vilão estava ali, entre eles.

— Ah, aquele terrível malfeitor não está aqui, nobres senhores — insistiu Evie, piscando os olhos para o soldado. — Ele fugiu após o primeiro ataque da serpente voadora, como o grande covarde que é.

Os cavaleiros deram risadinhas nervosas e se viraram para o homem que estava falando com Evie em busca de orientação.

— Por favor, senhor, eu não tenho os suprimentos necessários para o meu *fluxo*... e meu vestido é branco.

Todos os homens dentro do raio de alcance da voz dela se encolheram. O guarda diante de Evie assentiu rapidamente, decidido.

— Muito bem. Suponho que vocês possam...

Um grunhido alto ecoou pelo ar, paralisando tudo e todos ao redor. Evie virou lentamente a cabeça na direção do som e o horror cresceu dentro dela como um sol ardente.

O Vilão estava acordando. Quando visse os cavaleiros ao redor, sua reação seria arruinar tudo e, por arruinar, Evie definitivamente queria dizer começar a assassinar seus captores. Em vez de serem soltos e deixados em paz, estariam em desvantagem, e os guardas capturariam o Vilão.

Ou pior, eles o *matariam*.

Ela precisava fazer alguma coisa...

Seu coração batia tão intensamente que a força quase a derrubou enquanto ela se dirigia ao *marido* com pernas bambas. Olhos escuros iam surgindo à medida que as pálpebras dele se abriam, e as sobrancelhas se franziam de dor e confusão enquanto ele começava a se sentar.

Então, o olhar dele se fixou no grupo à frente apenas por um segundo, tempo o suficiente para que Evie reconhecesse a fúria assassina que começava a se instalar naqueles olhos. Ela se lançou na frente dele e o pegou pela gola. Viu o Vilão piscar duas vezes antes de arregalar os olhos.

Foi a última coisa que viu antes de colar os lábios nos dele.

CAPÍTULO 46
Vilão

Trystan estava sonhando.

Coisa que o surpreendeu, pois achou que tivesse perdido a capacidade de sonhar dez anos antes. Mas ali estava ele, no meio de um sonho, e era um sonho agradável.

Só viu o rosto de Evie por um segundo antes de sentir aqueles lábios suaves tocando os dele. Sua imaginação lhe dizia que tinham gosto de baunilha. Provavelmente era por conta da quantidade absurda de balas de baunilha que ela comia ao longo do dia.

Chegava a ser engraçado que uma característica que antes o fazia rir por dentro agora o excitasse de uma forma inacreditável. Tanto que seus olhos se fecharam lentamente e todos os tipos de pensamentos ruins se dissiparam.

Já que é só um sonho mesmo...

Ele se sentou na mesma hora e a envolveu com os braços, puxando suavemente os cachos macios. Em seguida, aproximou-a com delicadeza e quase gemeu quando um suspiro escapou dos lábios dela. Por fim, inclinou sua cabeça para que pudesse saboreá-la por completo.

Trystan passou a língua pelos lábios dela enquanto uma das mãos descia até a cintura e a apertava, tentando desesperadamente trazê-la para mais perto. Os sons que saíam do fundo da garganta de Sage quase o derreteram. Ele nunca tinha se considerado um homem de imaginação fértil, mas a forma como ela o segurava, com uma mistura de delicadeza e determinação, e a paixão por trás de cada beijo... Aquilo estava acabando com ele.

Como a realidade de beijá-la poderia superar a euforia que corria por suas veias pelo que sua própria imaginação havia criado?

Em um momento devastador, os lábios dela se afastaram dos dele só um centímetro antes que a Evie do Sonho sussurrasse:

— Senhor, eles acham...

— Shhhh — sussurrou, puxando-a para mais um beijo suave. Ela resistiu por um segundo antes de se entregar mais uma vez à boca de Trystan e segurar as bochechas dele com as mãos.

Ele pensou ter ouvido alguém tossir, o que foi bem rude da parte de seu subconsciente, mas recuou de qualquer maneira e viu os lábios dela se aproximarem cada vez mais, querendo trazê-la de volta para ele.

— O que você ia dizer, meu amor? — sussurrou Trystan, sorrindo de lado enquanto deslizava a mão pela bochecha macia de Evie.

Ela arregalou os olhos, aparentemente... esperançosa? Mas, então, pareceu ter entendido alguma coisa.

— Ah — sussurrou. — Então você ouviu a mentira que eu contei para os cavaleiros sobre sermos casados? É por isso que você...

— O quê? — Trystan inclinou a cabeça. O sonho não fazia mais sentido. Ele não queria, mas acabou olhando para trás de Evie e viu a multidão em volta deles. Havia Guardas Valentes em posição de sentido, observando-os com extrema atenção. Havia também civis reunidos ali, e Arthur estava encostado no canto, todo ensanguentado.

Tudo parecia tão...

Caramba, era real.

Antes que pudesse pensar, Trystan se levantou e trouxe Sage consigo, empurrando-a para trás dele. Seu poder fervilhava debaixo da pele e clamava por destruição, necessitava eviscerá-los. Mas, antes que tivesse a chance de atacar, um dos cavaleiros deu um passo à frente.

— Não queremos causar nenhum mal a você ou a sua esposa. Ela explicou tudo.

Minha esposa? Ele olhou para Sage e leu o recado silencioso que ela tentava transmitir com os olhos.

— Falei com eles da nossa dificuldade de concepção, meu bem.

O Vilão tinha quase certeza de que, se tivesse ocorrido uma tentativa de concepção com Sage, ele se lembraria. Com riqueza de detalhes.

— Claro. Entendi.

Sage parecia aliviada ao segurar a mão dele. Ele se recusou a gostar daquilo.

— Todos podem ir. — O cavaleiro de voz gentil surgiu em meio à multidão. — Pedimos desculpas por assustá-los ainda mais. E garanto a todos que estamos dando nosso melhor para pegar o guvre e capturar o Vilão.

A multidão aplaudiu discretamente o belo discurso, e Trystan se juntou ao coro. Ele ia se divertir vendo os homens tentarem.

Conforme a multidão se dispersava, Trystan notou, pela primeira vez desde que acordara, que não ouvia mais os gritos do guvre acima de todos. Das duas, uma: ou Blade e a irmã tinham conseguido, ou o rei Benedict tinha vencido mais uma batalha entre eles.

Trystan estava determinado a descobrir, mas foi pego de surpresa por um Guarda Valente mais baixo, que erguia Arthur pelos ombros.

— Você precisa ver um curandeiro o mais rápido possível, meu senhor. Por favor, venha comigo por aqui.

Rebecka também o acompanhou, ao lado de Arthur, segurando um pedaço de tecido que era suspeitamente parecido com o vestido de Evie. Tanto Rebecka quanto Arthur sumiram bem depressa na escuridão das árvores, e Trystan resolveu ir atrás, pois desconfiava de qualquer um que obedecesse ao rei.

Mas foi interrompido pelo cavaleiro que havia dispensado a multidão. Ele estava falando com Evie.

— Como é seu nome mesmo, minha senhora?

Trystan se juntou aos dois no mesmo instante e envolveu os ombros dela com os braços, aninhando-a ao seu lado.

— Ela já é comprometida — disse categoricamente.

O cavaleiro riu e começou a levantar o elmo, mas parou quando dois outros cavaleiros se aproximaram.

Um dos recém-chegados retirou o velho elmo, revelando um tufo de cabelos ruivos.

— Posso levá-lo ao outro curandeiro também, meu senhor, para examinar sua cabeça.

— Não preciso…

— Eu insisto — respondeu o ruivo, calmamente. — Vou mostrar o caminho a você e sua esposa.

Então, o homem se virou em direção à escuridão da floresta, em um sentido diferente do que Arthur estava seguindo. Trystan esperaria até estarem quase chegando ao curandeiro, e aí daria um jeito naquele sujeito.

Com relutância, ele o seguiu e manteve Sage por perto, sentindo até aquele momento o formigamento dos lábios dela nos dele. Trystan queria tocá-los para acalmar as sensações, mas aquilo seria revelador demais, e ele já estava horrorizado por ter tido os próprios sentimentos expostos tão publicamente.

O burburinho das pessoas deixando o pico foi desaparecendo na noite e Sage não parava de olhar ao redor como um animal encurralado, em busca de qualquer forma de escapar. Outro cavaleiro surgiu da escuridão e se aproximou deles.

Ele também estava sem elmo e o rosto era envelhecido, com fios grisalhos salpicando o cabelo.

— Aí está você — disse o homem com um sorriso. — O curandeiro fica por aqui, senhor. Deixe-me ajudá-lo. — Trystan não ia permitir aquilo, mas o cavaleiro foi aproximando o braço de fininho até algo duro atingir as costas dele e derrubá-lo no chão.

— Não! — berrou Sage. Trystan reagiu violentamente ao som, virando-se e tentando se levantar, mas congelou ao sentir a ponta da espada do cavaleiro ruivo. O Vilão quase avançou mesmo assim quando viu outro cavaleiro segurar Sage por trás, tapando sua boca com a mão.

— Solte-a — disse Trystan com uma voz sombria, sentindo o poder começar a borbulhar.

O ruivo pressionou a ponta da espada no peito de Trystan, o que fez um pouco de sangue escorrer.

— Erix! — ele advertiu o outro cavaleiro. — Seja gentil com a dama. — Mas disse aquilo com um sorrisinho malicioso.

Trystan ficou sem fôlego ao ver Erix se inclinar em direção ao ouvido de Sage e sussurrar:

— Sim, bem gentil, é claro. — Ele fez um som de beijo na bochecha de Sage, e Trystan cerrou os dentes com tanta força que quase quebraram. Mas Sage não se encolheu nem chorou diante das palavras; ela começou a se debater violentamente. Gritos abafados e furiosos saíam da boca coberta.

Erix a apertou ainda mais, lutando para segurá-la.

— Fica quieta, rapariga! Eu e o Fredrick só queremos fazer algumas perguntas a vocês.

— E como é que você espera que ela faça isso com sua mão nojenta lhe tapando a boca? — Trystan já estava farto daquela palhaçada; seu poder não aguentava mais esperar. Já era hora de exterminar aqueles idiotas, mas Trystan parou assim que Fredrick disse algo que gelou seu sangue.

— O curandeiro primordial está detido. Sua esposinha estava com ele quando o achamos. Só queremos ter certeza de que vocês não são cúmplices.

— Quais são as acusações contra ele? — perguntou Trystan, voltando a olhar para Sage, que não tinha parado de se debater e de tentar se soltar por um segundo. A lâmina que Fredrick segurava ainda pressionava a pele dele, mas o Vilão permitiria, deixaria os cavaleiros acharem que estavam em vantagem.

Fredrick abriu um sorriso de desdém e pressionou ainda mais a espada na pele de Trystan.

— Não é da sua... — Mas parou de falar quando Erix começou a gritar atrás dele.

— Vagabunda! Ela me mordeu, porra! — O cavaleiro sacudia a mão com marcas suaves de dentes na pele. Todos os olhares se voltaram para Sage, que aproveitou a liberdade para dar um chute entre as pernas de Erix... com força. O homem gritou e caiu no chão.

O outro guarda virou lentamente a cabeça para olhar para Trystan, sem afrouxar a espada que o segurava.

O Vilão sorriu para o homem, divertindo-se ao ver o cavaleiro vacilar quando ele pegou a lâmina e a espremeu com a mão. O corte afiado na sua palma não fazia nem cócegas.

O sangue escorria pela mão de Trystan enquanto ele usava toda a sua força para empurrar a espada na outra direção. Graças à surpresa e à fraqueza do outro homem, Trystan conseguiu desviar totalmente a espada e se levantar às pressas, dando um soco ensanguentado na cara do cavaleiro. Ele caiu no chão com um baque e Trystan partiu para cima dele.

Ele nunca entendeu por que as pessoas diziam que a visão ficava vermelha em momentos de raiva. Trystan costumava ver tudo com muito mais clareza quando era dominado pela fúria.

Ele desferiu um soco que jogou a cabeça de Fredrick para trás com um estalo nauseante, e então viu o sangue jorrar do nariz e da boca do homem em uma mancha vermelha satisfatória. O cavaleiro caiu de costas, desacordado antes mesmo de chegar ao chão.

O Vilão alongou o pescoço de um lado e do outro e desembainhou a espada enquanto se levantava para olhar para Sage e o outro cavaleiro, que ainda estava de quatro.

Erix ergueu os olhos, olhou para o rosto ensanguentado do companheiro e depois alternou o olhar entre o homem e Trystan.

— Nós... Nos disseram que tínhamos capturado o Vilão. O curandeiro primordial! Nós só estávamos... seguindo ordens, meu senhor! — O homem gaguejava a cada palavra e tremia enquanto Trystan se aproximava. — Não! Não, meu senhor. Só queríamos uma recompensa! Por termos capturado o Vilão.

Trystan deu uma risadinha enquanto levava a ponta da espada ao peito tenso do homem.

— Ah, mas infelizmente vocês não pegaram o Vilão.

Ele sussurrou as palavras seguintes tão baixinho que nem mesmo Sage conseguiria ouvir:

— *O Vilão pegou vocês.*

Erix arregalou os olhos e implorou:

— Não, não, senhor, não era nossa intenção machucá-lo. Por favor, por favor, nos solte.

— Era intenção de vocês *machucá-la* — disparou Trystan, sentindo o poder pulsar. — E isso já é mais do que suficiente para mim.

E então, ele cravou a lâmina no peito do homem, perfurando seu coração e matando-o no mesmo instante.

Trystan observou o corpo inerte do homem desmoronar no chão. Arfando, o Vilão sentia o poder latejar debaixo da pele, desejando ser usado, e a onda de adrenalina corria pelas veias.

Mas, quando enfim ergueu os olhos, notou que Sage olhava fixamente para o corpo sobre o qual Trystan pairava e, depois, para o homem desacordado a alguns metros de distância. Ele deu um passo para o lado e de repente se viu muito consciente do sangue que cobria suas roupas e das gotículas vermelhas espalhadas pelo vestido antes imaculado.

Havia uma metáfora ali em algum lugar, mas ele não tinha a menor vontade de encontrá-la.

— Evie... — O nome dela soou áspero e esquisito nos lábios dele, em vez do tom suave que desejava transmitir. A última coisa que queria era assustá-la ainda mais.

Mas ela o surpreendeu quando o abraçou e afundou o rosto em seu pescoço.

— Obrigada — murmurou Evie no ombro dele, sem se soltar do corpo de Trystan.

Ele não sabia ao certo o que fazer. Da última vez que alguém o abraçara... bem, verdade seja dita, ele não se lembrava da última vez que alguém o abraçara.

Trystan tinha se esquecido de como era desconcertante.

— Hm — murmurou o Vilão, todo sem jeito. — Não sei o que fazer agora.

Ele se referia ao perigo que estavam enfrentando, mas ela, por sua vez, moveu as mãos dele para que ele lhe envolvesse.

Desarmá-lo completamente com um mal-entendido era a especialidade da sua assistente.

— É só me abraçar — instruiu ela, levando as mãos de volta ao pescoço dele. — Não é difícil. —A respiração de Evie estava acelerada. — Você destruiu meu vestido.

— Eu compro outro para você — disse ele, levantando lentamente os braços para sentir melhor o calor do corpo dela e sentindo-se frustrado e meio envergonhado pela insegurança do gesto. Trystan era uma pessoa inteligente; desvendar a mecânica dos toques afetuosos não deveria ser tão difícil.

— Ótimo. — Ela expirou no pescoço de Trystan, sem dúvida encharcando ainda mais o vestido na vermelhidão que escorria da camisa dele. Sage se afastou para olhar a roupa que ele estava usando e sorriu com o nariz franzido. — Eu acho que você também vai precisar de uma camisa nova, senhor.

Ele a encarou, completamente impassível com a brutalidade que os cercava. Agindo como se Trystan tivesse acabado de fechar um negócio, não assassinado um homem diante dela.

E estava sorrindo para ele.

Foi naquele instante que o Vilão chegou a uma conclusão não solicitada, tão trágica que a mente tentou rejeitar as palavras. Mas elas estavam ali, tão óbvias que quase parecia cômico:

Ele estava apaixonado por ela.

De todas as coisas tolas e horríveis que ele já havia feito na vida, apaixonar-se por uma mulher que ele claramente não merecia estava no topo da lista.

Mas Trystan realmente a amava. Não era uma pergunta, nem mesmo algo que ele acabara de perceber naquele momento. Ele já sabia, não? Sabia desde o momento em que ela tinha dito que ele era bonito. Era como se houvesse um laço entre eles, enrolado diretamente no coração dele, e Sage tinha o poder de puxá-lo e soltá-lo à vontade.

Evangelina Celia Sage era parte integrante dele: estava no seu piscar de olhos, na covinha de seu sorriso, na risada enferrujada devido ao pouco uso. Desde quando a conhecera, ele a considerava o sol. Brilhante e vibrante, intocável.

Mas estava errado.

Ela não era luz; era cor. Cada uma delas, dançando com um brilho sobrenatural diante dos seus olhos indignos. Ela era a explosão dos brilhos vívidos e fulgurantes do mundo à volta dele, como um arco-íris constante que reluzia não depois da chuva, mas durante.

Sage era tudo que ele nunca mereceu, mas desejava mesmo assim.

Trystan se lembrou do sangue nas roupas dela, do ex-chefe que a machucara, do modo injusto como ela fora tratada, e o último prego no caixão proverbial foi aquela palavra agonizante que não parava de ecoar.

Ele estava arruinado.

Mas a amava mesmo assim.

Ele sabia que talvez ela sentisse o mesmo, pelo jeito como reagia a ele, mas Trystan não podia incentivar aquilo, não podia lhe dar nenhum indício de que tinham algum tipo de futuro. Pelo menos não juntos. O futuro dele, provavelmente, seria a sete palmos do chão, e ele se recusava a arrastar Sage para lá consigo.

Mas, apenas por enquanto...

Trystan se permitiu, só por um instante, inclinar a cabeça na curva do pescoço dela antes de fazer uma promessa.

Jamais contaria nada daquilo a ela.

CAPÍTULO 47
Evie

Trystan soltou os braços e recuou um passo. Tanto ele quanto ela pareciam incapazes de fazer mais do que se encarar. Estavam mancando e exaustos, cobertos de sangue.

— Ahh, eca. — Evie franziu o nariz, desviando o olhar do sangue no próprio vestido. — Eu não sabia que você era capaz de matar com tanta... eficiência. — Ela deu uma batidinha no queixo, pensativa. — Achei que você fosse preferir um toque mais dramático... tipo a pequena coleção de cabeças no saguão da mansão.

O Vilão sorriu, balançou a cabeça e se virou para ela com um brilho diabólico no olhar.

— A maldade é uma forma de arte.

Então, ele deu meia-volta e seguiu em direção à clareira da festa, pegou uma das luzinhas cintilantes e a fixou na ponta de um galho caído, criando uma tocha improvisada.

— Vamos? — perguntou.

Evie passou o braço pelo dele e o segurou firme.

— Sim, vamos. Temos que encontrar seu pai. — O bíceps do Vilão se flexionou ao toque dela, e ele parou por um instante antes de se recompor e seguir em frente.

Evie sempre tivera uma maneira muito física de se comunicar. Abraços eram a sua coisa favorita no mundo, ou dar as mãos, ou até mesmo um tapinha amigável no ombro. Evie sempre tinha se sentido muito diferente das pessoas por conta das idas e vindas da própria mente, mas no quesito toque ela nunca errava. Abraçar significava que você se importava com alguém, dar as mãos significava que você queria a pessoa por perto, e...

Ela fizera praticamente tudo aquilo com o chefe... inclusive beijar.

Ele devia ter ficado horrorizado por ter tido que participar de uma farsa tão vergonhosa. A culpa que ela sentia por ter se jogado em cima dele e o desconforto que ela devia ter causado lhe deram uma sensação de embrulho no estômago.

Mas, apesar do horror, Evie tinha que aceitar e simplesmente se permitir relembrar por um momento... O Vilão fingia *muito* bem. Se ela desviasse a atenção do constrangimento por um segundo e se concentrasse apenas no beijo em si, começava a dobrar os dedos dentro dos sapatos.

Ele beijava bem, mas aquilo era muito óbvio. Assassinos atraentes sempre beijavam bem. Ou talvez Evie tenha só imaginado, em um dos muitos devaneios nos quais visualizava aquilo acontecendo.

Não tenha devaneios envolvendo beijar seu chefe, Evie!

Ela também prometeu não refletir sobre o fato de quase ter desmaiado de emoção como uma donzela de contos de fadas ao vê-lo aniquilar aqueles cavaleiros nojentos, e tinha até curtido um pouco.

Já fazia quase seis meses que Evie trabalhava para Trystan, mas só tinha tido pequenos vislumbres da violência de que ele era capaz, que ele continha tão bem.

Porém, mesmo depois de ter quase literalmente tomado um banho daquela violência, com o perdão da piadinha infame, ela não o via com outros olhos.

Talvez devesse, mas não foi o que aconteceu. E era ridículo fazer alguma coisa só porque achávamos que deveríamos. Então, ela se agarrou ao braço dele e ficou esperando que o Vilão se desvencilhasse, enquanto tentava desesperadamente descobrir para onde os outros cavaleiros tinham levado Arthur.

Os dois avançaram em meio às árvores, mas ele não tentou tirar o braço.

— Estamos perdidos.

— Não estamos perdidos.

— Eu sou um homem. Não posso pedir informações. — Evie engrossou a voz e jogou os ombros para trás para parecer mais alta.

O Vilão arqueou a sobrancelha, parecendo que um parafuso estava prestes a se soltar de sua cabeça.

— Você tem razão, furacãozinho. Eu simplesmente deveria chegar para o indivíduo mais próximo na Floresta das Nogueiras, no meio da noite, e dizer: "Saudações! Minha assistente e eu estamos procurando meu pai, com quem não tenho contato há séculos, porque ele foi detido pelos Guardas Valentes. Veja bem, eles acham que meu pai é o Vilão. Só que, na verdade… o Vilão sou eu."

Evie abriu a boca para rebater com um comentário sarcástico, mas ele continuou:

— "Ah, e por acaso você viu por aí uma fera rara e fatalmente perigosa conhecida como guvre? Nós perdemos um desses."

Evie riu e apertou o braço dele, e o Vilão, por sua vez, parou de andar abruptamente. Ele se virou para encará-la, com o rosto iluminado pela luz da tocha que segurava, e Evie sentiu o estômago afundar. Ele começou a dizer algo — pela forma como não conseguia fazer contato visual, Evie sabia que as palavras tinham a ver com o beijo —, mas ela ainda não estava pronta para ouvir que ele tinha se arrependido.

Assim, ela se apressou e disse:

— Por acaso seus pais matricularam você em algum curso de teatro na infância? Você é bem *teatral* quando quer ser.

Naquele momento, ele pareceu pasmo enquanto Evie estalava a língua e seguia em frente.

— Seu cavalo deve ter escapado... já deveríamos tê-lo encontrado a essa altura.

— Ele não iria embora sem mim.

— É um cavalo. Cavalos gostam de comida e água. — Evie sentiu uma irregularidade no solo e rapidamente tirou a tocha da mão do Vilão. — Pegadas de cascos. — Havia várias delas, ou seja: mais de um cavalo. Havia pegadas humanas também.

— Eles pegaram a porra do meu cavalo. — O Vilão beliscou o dorso do nariz.

— Está tudo bem, senhor. — Evie disse aquilo pois sabia que não se tratava só do cavalo, pelo menos não completamente. Ela o viu se abaixar e pegar um pedaço das vestes de Arthur. — Nós vamos trazê-lo de volta e eles vão nos pagar por isso.

— Acho que deveríamos nos preocupar com a srta. Erring, já que ela também estava com eles.

— Ah, ela vai ficar bem. — Evie dispensou o comentário com um gesto de desdém. — Vaso ruim não quebra.

O Vilão deu uma risada pelo nariz e, assim, os dois avançaram floresta adentro.

— Que os deuses te ouçam, Sage — disse.

Um farfalhar nos arbustos à frente os interrompeu. O Vilão sacou a espada e a ergueu em posição defensiva.

— Fica atrás de mim.

— Provavelmente é um roedor ou algo do tipo — sussurrou Evie.

De repente, os galhos se abriram e revelaram Becky, que chegou toda desgrenhada e aos tropeços, com um semblante desesperado.

— Ora, vejam só. Eu estava certa — disse Evie com sarcasmo, mas depois arfou quando percebeu o estado em que a mulher se encontrava. Então, correu até Becky e, com cuidado, pôs o braço em volta dos seus ombros trêmulos. — O que raios aconteceu? Você está bem?

Becky agarrou a mão de Evie, o que a apavorou ainda mais. O que tinham feito com ela? E por que a ideia de alguém machucando Becky a fazia querer quebrar coisas?

Que dia estranho.

— Eles... — Ela engoliu em seco. — Eles ouviram o guvre e fugiram com o curandeiro primordial em dois dos cavalos. O cavalo em que me colocaram não estava correndo rápido o suficiente, então o cavaleiro que me segurava simplesmente me largou.

Evie arregalou os olhos ao entender a sujeira de terra e as lágrimas no vestido de Becky, além dos hematomas no rosto.

— Com o cavalo em movimento? — gritou.

Ela se abaixou e pegou a faca presa no tornozelo, depois seguiu na direção de onde Becky tinha surgido. Evie deu uns três passos antes que um dos braços do chefe envolvesse sua cintura e a puxasse para trás.

— Acho que uma assistente contra vários guardas reais bem-treinados é um pouquinho de desvantagem, não acha?

— Eu sei me virar muito bem sozinha. — Evie semicerrou os olhos enquanto ele a girava para encará-lo.

Um brilho iluminou a escuridão no olhar de Trystan.

— Eu não estava preocupado com *você*.

Evie bufou, mas foi impossível evitar um sorriso discreto enquanto sustentava o olhar de Trystan. Quando Becky tossiu, Evie notou que sua meio que arqui-inimiga a estava vendo olhar para o chefe com olhinhos apaixonados.

O calor subiu pelas bochechas de Evie enquanto eles encaravam Becky, que estava com um misto de diversão e desgosto estampado no rosto.

— O que está acontecendo entre vocês dois… — Logo em seguida, ela arfou e arqueou as sobrancelhas. — Pelo amor dos deuses. Isso é por causa daquele *beijinho*?

Evie e o Vilão se engasgaram, atrapalharam-se com as palavras, negaram a acusação.

— Claro que não! — disparou Evie.

— Aquilo foi tudo parte de um plano em andamento, estratégico e brilhante. — Os dois se esbarraram de tanto que agitavam os braços.

Becky permaneceu impassível enquanto mancava até uma árvore e se apoiava nela.

— Acho que já cansei de vocês dois.

O Vilão arqueou uma sobrancelha imperiosa.

— Como é, srta. Erring?

Becky suspirou ao se deixar cair no chão, apoiando a cabeça nas mãos.

— Eles foram embora com o curandeiro primordial. Os cavalos deles eram rápidos, então já devem estar bem longe a essa altura. Provavelmente já voltaram para o Palácio de Luz, acho.

— Você está cheia de boas notícias hoje — disse Evie sem sarcasmo, olhando à sua volta para ver se encontrava algo para aquecer os braços nus de Becky. — Precisamos levar você até a Tatianna e precisamos também encontrar o Blade.

Os arbustos voltaram a farfalhar e todos se endireitaram. Em seguida, uma cabeça escura com olhos escuros igualmente familiares apareceu. Clare. Ela parecia assustada e, como todos eles, completamente desgrenhada.

— Bom, conseguimos capturá-lo.

O Vilão ficou boquiaberto.

— Mas como...

— Não nos dê tanto crédito assim — disse Clare, que soava exausta. — Ele ficou preso numa árvore, então ficou mais fácil. As folhas que eu encontrei ficam mais poderosas quando instilo minha magia nelas. — Ela esticou os dedos magros e compridos e afastou uma mecha de cabelo do rosto.

Ele tirou o cristal de chamada do bolso e esperou que o aparelho brilhasse nas mãos antes de falar.

— Traga a carroça, e faça isso rápido!

— Cadê o Blade? — perguntou Becky.

— Ele está de olho no guvre, bem ali. — Clare apontou para o lado. Quando se virou de volta, olhou intrigada para os três. — Você sabe onde o pai está?

O rosto de Trystan permaneceu impassível, a não ser pelo músculo da mandíbula, que se contraiu levemente.

— Cadê ele, Tryst? — perguntou Clare, com um pânico palpável nas palavras.

Alguns momentos dolorosos se passaram antes que o chefe finalmente dissesse:

— Ele foi levado, presumiram que fosse… o Vilão.

— Seu babaca! — gritou Clare, correndo na direção dele e lhe dando socos no peito. — Como você pôde deixar isso acontecer? Nosso pai pode ser *morto*, e vai ser tudo culpa sua!

Evie ficou arrasada ao vê-lo se contrair e aceitar cada soco que a irmã lhe dava no peito. Os braços permaneceram colados nas laterais do corpo enquanto ele esperava Clare se acalmar. Ela foi afrouxando os punhos até desabar com a cabeça no peito do irmão.

— E se ele morrer, Trystan? — A voz de Clare falhou. — E se ele morrer?

— Ele não vai morrer. — Não falou aquilo só para tranquilizá-la; era uma promessa.

Clare se afastou, com os lábios ainda trêmulos e os olhos ainda cheios de lágrimas. Como ela permaneceu em silêncio, o Vilão acenou com a cabeça para todos eles, mas não olhou nos olhos de ninguém. E então disse:

— Vou ver se consigo arranjar alguns cavalos. Vou ficar com o Blade até que os Guardas Malevolentes cheguem.

O Vilão reapareceu dez minutos mais tarde com dois cavalos.

— Vocês todos vão passar a noite na mansão — falou. Evie percebeu que Clare nem tentou discutir, simplesmente subiu no cavalo mecanicamente e estendeu as mãos para Becky, erguida pelo Vilão para ficar ao lado da irmã.

— Ela vai ficar bem? — perguntou Evie, tentando parecer indiferente.

— Ela vai ficar ótima, Sage — disse ele com sinceridade.

Evie assentiu. Desejava ir com eles para a mansão, queria ficar perto de Trystan enquanto ele quebrava a cabeça para descobrir como resgatar o pai. Aqueles desejos foram rapidamente seguidos por uma sensação de culpa que lhe partia o peito. Sua própria família precisava mais dela.

— Tenho que ir para casa. — Evie suspirou.

O chefe franziu a testa por um segundo.

— Faça como quiser, Sage. Só... — Ele engoliu em seco e, depois, a ergueu e a colocou na parte de trás do segundo cavalo com um movimento rápido e forte. — Só toma cuidado.

Evie fez que sim, de repente sem saber o que fazer com as mãos. Então, começou a mexer nervosamente nas rédeas.

— Pode deixar. E não se preocupe, senhor. Nós vamos salvar seu pai.

Quando os olhos dos dois se encontraram, ele parecia decepcionado.

— Sage, vilões não são particularmente especialistas em salvar pessoas.

— Você me salvou — sussurrou, mas ele já tinha ido embora, caminhando noite adentro, desaparecendo em meio às sombras como se elas fossem sua casa. Evie sentiu um aperto no peito e murmurou para si mesma: — Imagino que ele não tenha gostado da ideia de dividir um cavalo comigo.

Enquanto Evie conduzia o cavalo pela estrada que levava até sua casa, pensou ter ouvido Becky resmungar baixinho:

— Tolos. Todos vocês.

A mulher era nada menos que sincera.

Enquanto voltava para casa, para a família, ela sentiu algo a puxar na direção de Trystan e imaginou se aquela ligação entre seus dois mundos acabaria sendo o motivo do seu colapso.

CAPÍTULO 48
Evie

O travesseiro não estava mais debaixo da cabeça de Evie.

Os passarinhos que cantavam na janela anunciavam que o amanhecer havia chegado, mas ela não estava na própria cama. As lembranças da noite anterior voltaram de uma vez só, junto com o fato de que Evie tinha desmaiado no sofazinho da aconchegante sala de estar da família, com uma manta fina e um travesseiro que em algum momento da noite tinha decidido que não queria mais ficar debaixo da cabeça dela.

Evie grunhiu, tateou o sofá em busca do travesseiro e quase berrou ao tocar uma cabeça humana.

De olhos arregalados, Evie viu a irmã ao lado dela e uma caneca de um líquido fumegante entre as duas.

— Preparei um chá para você — disse ela, tão orgulhosa que partiu o coração de Evie.

Evie se sentou devagar e o corpo quase gritou em protesto. Os músculos da coxa doíam do curto trajeto a cavalo até chegar em casa, pois não estavam acostumados com o movimento de cavalgar. No momento em que tinha chegado, o chalé estava silencioso e a vizinha tricotava no sofá. Após ter agradecido à senhora e tê-la mandado para casa com um quarto do pagamento que Evie recebera na semana anterior, não lhe restara mais nenhuma energia para ir até a cama.

Ela desabara no sofá sem sequer trocar o vestido da noite anterior, todo rasgado e coberto de sangue seco. Evie ficou vermelha ao se dar conta daquilo e tentou puxar o cobertor, mas era tarde demais. A manta havia escorregado o suficiente para que Lyssa desse um pulo e agitasse os cachos escuros com o movimento.

— O que aconteceu com seu vestido, Evie? — A irmã arregalou os olhos, horrorizada.

— Tive um probleminha ontem à noite, mas estou bem, e todo mundo que importa está bem também — respondeu, torcendo para que fosse suficiente.

Lyssa ainda parecia preocupada, o que fez Evie se encolher, mas ela assentiu e entregou a caneca fumegante para Evie.

— Tudo bem? — perguntou Evie, com medo. Porque, verdade seja dita, ela estava fazendo o melhor que podia para ser a única figura materna e paterna da irmãzinha, e não tinha certeza se estava se saindo bem ou não, para início de conversa. Ela sabia que o pai tentava, mas tinha se envolvido muito pouco na criação de Lyssa antes de adoecer, e agora parecia ser apenas uma figura que entrava e saía de cena para entretê-la.

— Sim, tudo bem — disse Lyssa com olhos límpidos.

Evie sorriu enquanto tomava um gole do chá — e imediatamente cuspiu.

— Lyssa, isso está horrível — disse, tossindo e tentando tirar o gosto amargo de vinagre da língua.

— Ah! É que eu limpei a chaleira ontem. Será que é por isso? — comentou a irmã, com falsa inocência.

— E você usou vinagre? — Evie semicerrou os olhos e levantou as mãos como se fosse atacar, e Lyssa começou a rir.

— Não! — ela berrou enquanto Evie se inclinava para lhe fazer cócegas. As duas riram até chorar e rolaram no chão, uma tentando dominar a outra. Evie era maior, mas Lyssa tinha a determinação incansável de uma criança que acreditava poder fazer qualquer coisa; aquilo já era o suficiente para Evie se entregar.

— Tudo bem, eu me rendo! Você venceu! — Ela estava rouca de felicidade e se sentou, mas o sorriso desapareceu ao ver Lyssa olhando mais uma vez para o sangue no vestido.

— Você jura que ninguém se machucou? — perguntou Lyssa, sem acreditar muito.

— Ninguém com quem você se importe. — Aquilo foi o mais próximo da verdade que ela pôde admitir, pois várias pessoas tinham morrido na noite anterior... mas era desnecessário contar a Lyssa. Evie jamais permitiria que a irmã se aproximasse daquele tipo de perigo. Ela pensou no traidor que deixara o bilhete na sua casa, dentro do seu quarto, e estremeceu.

Lyssa percebeu o movimento sutil e franziu a testa, perguntando:

— O que houve?

Evie mordeu o lábio e tentou encontrar as palavras certas.

— Tem um rato à solta na mansão onde eu trabalho, e é horrível. Está comendo a comida, quebrando várias coisas, irritando o gato e, por mais que eu tente, não consigo pegá-lo.

Lyssa deu tapinhas no queixo com a ponta do dedo, pensativa.

— Você procurou nos lugares certos?

— Em todos os possíveis — respondeu Evie, assentindo.

— E nos *impossíveis*?

As palavras acenderam uma luz dentro de Evie.

Será que Lyssa tinha razão? Será que Evie estava focada demais em olhar só nos lugares óbvios? Concentrada demais em fazer listas e, assim, deixando passar batido o que estava bem diante dos seus olhos?

— Acho que você tem que parar de ir à escola. Você está ficando inteligente demais. Não estou gostando disso. — Evie deu uma batidinha com o ombro no de Lyssa. — Você já foi ver o papai hoje de manhã?

Lyssa pegou a caneca de líquido desagradável e Evie a seguiu até a cozinha, onde a irmã despejou o conteúdo pela janela.

— Ele saiu para dar uma volta há uns dez minutos. Disse que estava se sentindo novo… ou seria renovado? Enfim, ele não quis acordar você.

Evie se sentiu mais leve com aquela notícia.

— Que bom. — Em seguida, virou a cabeça e arregalou os olhos ao ver que horas eram. — Já são dez horas! — gritou Evie, lembrando que, por mais que o restante do escritório tivesse ganhado o dia de folga para que o Vilão pudesse investigar quem era o traidor, Evie certamente não estava de folga. — Estou atrasada para o trabalho! — berrou, disparando até o quarto para trocar de roupa. Evie já estava quase cruzando a porta quando olhou para a irmã. — E você aí está atrasada para a escola — cantarolou, o que fez Lyssa grunhir.

Evie sorriu. Talvez estivesse se saindo bem no papel de mãe substituta, afinal de contas.

Mas o sorriso vacilou quando ela tirou o vestido sujo e esfarrapado, expondo um enorme hematoma no braço. Evie estremeceu ao pensar naqueles que haviam sucumbido ao veneno do guvre na noite anterior — aquelas pessoas não sofreram simples hematomas; a carne delas foi derretida.

Ela sentiu embrulho no estômago enquanto se vestia às pressas, inquieta pelo fato de que o traidor continuava em vantagem e não dava para saber que tipo de estrago causaria a seguir.

CAPÍTULO 49
Evie

Quando Evie entrou no escritório aos tropeços, toda descabelada, Becky já estava sentada à mesa dela, escrevendo e escrevendo como se não houvesse amanhã, provavelmente assinando a sentença de morte de uma ninhada de filhotinhos. Ela lançou o cotovelo para a frente e então se encolheu de dor, segurando a barriga, e Evie sentiu uma rápida pontada de compaixão.

Ao se aproximar da mesa de Becky, balançou os dedos até que a mulher de óculos olhasse para cima.

— Que foi? — perguntou Becky.

— Você está bem?

— Estou — disse Becky, voltando a atenção para a pilha de cheques que estava assinando para a folha de pagamento. — A Tatianna deu um jeito.

— É o que ela normalmente faz — disse Evie, meio trêmula.

— Sempre. — A voz calorosa de Tatianna ecoou pelo recinto enquanto ela se aproximava até abraçar Evie. A curandeira parecia um doce: um vestido rosa-claro abraçava suas curvas e caía em babados esvoaçantes abaixo da cintura. As tranças estavam presas pelo maior laço rosa que Evie já tinha visto.

— Você está... — Evie começou a dizer.

— Rosa. — Mas foi Becky quem concluiu.

Tatianna franziu a testa.

— Eu sempre uso rosa.

— E muito bonita — acrescentou Evie, com um sorriso solidário.

— E *muito* rosa — comentou Becky, encarando o vestido de Tatianna como se fosse uma doença contagiosa que se espalharia por suas roupassem graça.

— Será que agora não posso mais nem me arrumar sem vocês acharem estranho? — Tatianna franziu a testa e se retesou quando Clare saiu do escritório do chefe, cabisbaixa.

Evie e Becky acompanharam o olhar de Tatianna se voltando para a mulher magricela.

— *Aaaaah* — disse Evie, prolongando a palavra e analisando mais uma vez as roupas de Tatianna. — Agora faz sentido.

A curandeira encarou as duas e semicerrou os olhos.

— Nada faz sentido quando aquela mulher está aqui. Quero que ela vá embora.

Quando Clare olhou de relance na direção delas, Tatianna murmurou rápido e sem pensar muito:

— Meu laço está retinho?

Evie riu e Becky teve que contrair os lábios para não sorrir. Quando a curandeira se deu conta do que tinha dito, olhou para ambas com raiva.

— Bico fechado.

Clare deslizou na direção delas — seu vestido azul-claro lhe dava um ar etéreo e realçava os olhos e cabelos escuros. Ela parou em frente a elas, deu uma olhadela em Tatianna e depois desviou o olhar, como se não estivesse interessada. Mas Evie viu o leve rubor nas bochechas de Clare.

— Olá — disse Clare com a voz suave. — Eu estava querendo falar com vocês duas. — Ela gesticulou para Evie e Tatianna com a mão pálida. — Talvez nos seus aposentos, Tati? — Clare olhou para ela com uma expressão firme e resoluta.

Tatianna arregalou os olhos como se estivesse se dando conta de alguma coisa e disse:

— Ah, claro! Vamos lá, Evie.

De repente, um clima tenso pairou no ar e deixou Evie inquieta, como se talvez elas duas devessem se acertar sozinhas...

— Tem certeza de que quer que eu...

Tatianna agarrou o braço de Evie e a mensagem que seus olhos tentavam transmitir ficou bem clara: "Se esse barco afundar, você vai afundar comigo."

Evie arregalou os olhos em resposta. *Malditos barcos*. Em seguida, disse em voz alta:

— Tá bom... vamos.

Tatianna seguiu em frente de braços dados com Evie enquanto o trio caminhava rumo ao corredor que levava aos aposentos da curandeira.

Clare entrou no quarto antes das duas, como se fosse a dona, como se aquele espaço fosse dela. A reação de Tatianna foi exatamente o que Evie esperava: uma raiva abrasadora.

A curandeira revirou os olhos, passou por Clare e seguiu até uma caixinha retangular no canto do quarto.

Evie olhou para as duas sem entender nada.

— O que... O que tem aí dentro?

Tatianna sorriu para ela, mas foi um sorriso sombrio.

— Infelizmente vai doer, querida.

E doeu mesmo.

CAPÍTULO 50
Vilão

Bem, a busca pelo escritório acabou sendo inútil, mas aquele era o menor dos problemas naquele momento. Trystan encarou os nomes riscados e arregalou os olhos. Só podia estar errado.

Ao longo do último mês, ele removeu com frequência nomes da lista completa de funcionários. Primeiro, cortou qualquer um dos Guardas Malevolentes, depois Sage, depois Blade, seguido rapidamente por Rebecka. Ele sabia desde o início que não poderia ser ela, mas não era um homem propenso a confiar facilmente em alguém. A não ser em Sage.

O couro da cadeira rangeu enquanto o Vilão se inclinava sobre a mesa preta.

Os irmãos, incluídos em uma curta seção da lista intitulada "conhecidos e não inimigos", também foram riscados. Alguns dos guardas tinham ficado de olho nos dois desde a explosão, e nenhum deles tinha cometido atos suspeitos. Malcolm aparentemente não havia saído do bar desde aquela noite, a não ser para cambalear até os arbustos e esvaziar o estômago. A lista tinha se reduzido ainda mais quando um carregamento confidencial foi comprometido. Todas as dez pessoas que souberam foram levadas em conta, exceto uma. E, quando o guvre escapou, todos na lista foram levados em conta. Todos, exceto o mesmo nome.

Tatianna.

Não, ela não. Não podia ser ela, uma das poucas lembranças do passado de Trystan que ele não se importava de ter por perto.

Tatianna conhecia vários segredos, mas quantos daqueles segredos pertenciam a ela?

Trystan não ia ficar ali remoendo aquele assunto. Ele *conhecia* Tatianna. Simplesmente perguntaria onde ela estava durante a fuga do guvre, o que já teria feito, se não tivesse passado boa parte da noite consolando a irmã.

Ele abriu a porta do escritório e saiu, acompanhado pelo eco das botas, enquanto tentava afastar as dúvidas. Estava falando de Tatianna, afinal — não existia nenhuma possibilidade de ela ser uma espécie de traidora.

Quando quase chegou à porta, respirou fundo e se assegurou de que não havia nada com que se preocupar.

Um grito familiar cortou o ar, causando uma pontada no peito de Trystan que o fez perder o fôlego.

Evie.

Trystan passou voando pelos últimos degraus até o quarto de Tatianna e tentou girar a maçaneta — que não se mexeu. Então, começou a bater na porta com tanta força que chegava a tremer.

A dor de Sage o envolvia como se fosse sua. Ardia em sua pele e o queimava tão profundamente que Trystan ficou tonto. Ele tentou arrombar a porta de madeira maciça com o ombro, mas ela não cedeu.

— Abre a porta, Tatianna!

Mais um grito.

Alucinado. Ele estava alucinado. Era quase como se pudesse ver a dor de Evie diante dos seus olhos, Evie caída no chão. A agonia dela.

— ABRE A PORTA! — A madeira estava se despedaçando sob seus punhos, pequenas farpas se cravavam dolorosamente na pele. Ele não se importava.

A magia de Trystan pulsava, mas havia algo bloqueando seu poder: um selo. Clare tinha pintado um selo na porta. Trystan socava com a fúria de mil tempestades, sufocado pelo medo.

Uma voz fraca o chamou, a voz de Sage:

— Trystan.

Foi então que ele ficou cego de raiva e pânico e só de pensar nas mil coisas que poderiam estar acontecendo com Evie... Depois daquilo, bastou mais um golpe antes que as dobradiças voassem e a porta desabasse com um estrondo no chão.

O Vilão atravessou a soleira lentamente, sem fôlego, de punhos cerrados. A névoa cinza de seu poder serpenteou pelo quarto e pousou em Clare e Tatianna, que pareciam horrorizadas, cheias de medo. Respirando com dificuldade, ele absorveu o resto da cena.

O quarto estava como sempre, cada erva em seu devido lugar. Clare e Tatianna estavam próximas uma da outra e Tatianna segurava uma caixinha na direção de Sage...

Os olhos de Trystan suavizaram assim que a viram, e uma onda de alívio o dominou ao constatar que ela estava inteira. Mas estava deitada no chão, de lado, e o encarava com olhos doces, suplicantes.

Quando outro grito escapou dos lábios dela, Trystan endireitou os ombros e liberou o seu poder para descobrir quem a estava machucando, preparando-se para dilacerar a carne de quem quer que fosse responsável.

A névoa cinza de sua magia pulsou, só que, em vez de girar em volta de Tatianna e Clare, rodeou Sage. Ela fechara os olhos, forçando as mãos delicadas no chão, e uma agonia colorida iluminava seu corpo inteiro. Trystan não hesitou. Correu na direção dela, ajoelhou-se e aninhou a cabeça dela nos seus braços. Ela levantou os punhos, agarrou a camisa dele e deixou as lágrimas escorrerem.

Então, Trystan falou, sem tirar os olhos do rosto de Sage:

— Tatianna, seja lá o que estiver fazendo com ela, PARE AGORA. — A voz grave a fez se apressar e fechar a caixa que estava segurando, deixando-a de lado.

Em um segundo, Sage já estava mole nos braços dele, os punhos afrouxaram e um suspiro escapou dos seus lábios.

— Furacãozinho? — chamou Trystan, tentando com todas as forças afastar a preocupação do tom de voz.

— Presente — murmurou Sage no peito dele, fazendo-o se contrair. Ela estava bem. Ele a levantou com delicadeza nos braços, levou-a até a mesa de exames e, então, virou-se para as mulheres com expressões culpadas que estavam do outro lado do cômodo.

— Vou dar às duas uma cortesia de dez segundos para se explicarem antes de eu rasgar a garganta de vocês — disse o Vilão, dominado pela raiva.

— Não faz isso, por favor — murmurou Evie ao lado dele, quase sem voz. — Eu já estou passando mal.

Houve uma breve pausa silenciosa antes que o Vilão reformulasse as palavras.

— Tudo bem. As duas têm dez segundos para explicar agora e, *mais tarde*, eu arranco a garganta de vocês.

— Não tire conclusões precipitadas, Tryst. — Clare teve a audácia de parecer irritada, e Trystan sentiu vontade de torcer o pescoço da irmã. — Estávamos ajudando ela.

— Através da tortura? — disse ele, em tom sombrio, e olhou para Sage, que estava com falta de ar. A pele normalmente vibrante estava pálida, gotas de suor se acumulavam na pele e o rosto estava encharcado de lágrimas.

Mas a voz suave de Sage cortou a tensão volátil no ar:

— Elas estão dizendo a verdade.

Todos eles se viraram para olhá-la enquanto ela se sentava lentamente. Trystan estendeu a mão para equilibrá-la e ela sorriu em agradecimento. Ele sentiu o rosto esquentar.

— A adaga está dentro da caixa. — Ela apontou com o queixo para a caixa em cima da mesa. Era feita de madeira simples, mais ou menos do tamanho do antebraço de Trystan.

— Não estou entendendo. — Ele balançou a cabeça.

— Bom, se você parasse de ficar tirando conclusões precipitadas, eu poderia contar. — Clare revirou os olhos e pôs a mão na cintura. — A adaga está impregnada de um tipo raro de magia de ligação. Absorveu o sangue dela quando a cortou. É por isso que ela sente dor sempre que se aproxima.

— E? — perguntou Trystan, sentindo a pulsação acelerar outra vez.

— A Clare disse que a única forma de quebrar a ligação era me expor à dor até não doer mais — disse Sage com a voz ainda fraca. Ele se sentiu enjoado.

— Então, você... você queria que elas fizessem isso? — Ele franziu a testa, a cabeça não parava de girar.

Sage flexionou as mãos após apertá-las.

— Eu queria me livrar da dor.

Ele entreabriu os lábios ao olhá-la, incapaz de afastar o medo do olhar.

— Muito corajoso da sua parte — comentou em voz baixa.

Clare e Tatianna encaravam os dois, mas, quando se olharam, desviaram rapidamente os olhos. Continuavam teimosas como sempre.

Clare limpou a garganta.

— A Tatianna me deixou dar uma olhada na lâmina hoje porque o aço foi feito com uma tinta muito parecida com a minha — comentou ela, sem olhar para Tatianna. — A lâmina é quase senciente por causa disso e, quando entra em contato com o sangue, acaba roubando um pouco da essência da pessoa.

Trystan fez que sim; já tinha ouvido falar daquilo.

— Não é incomum. Guerreiros em batalha podem se beneficiar muito de ter uma lâmina conectada a eles, como se fosse uma extensão do próprio ser. — Ele sorriu para si mesmo.

"Guerreira" parecia uma descrição adequada para a mulher à sua frente, que já estava se levantando.

— Eu quero continuar — disse Sage, e ele percebeu que a cor voltava às bochechas dela. — A Clare disse que existe alguma coisa perigosa e imprevisível nessa magia. Prefiro não ter nenhuma magia descontrolada cravada em meu ombro, aguardando o momento de me derrubar, tipo uma bomba-relógio. — Ela fez uma pausa e, então, acrescentou: — Já tive minha experiência com bombas e não preciso de mais.

Trystan queria dizer não, queria insistir para que ela não seguisse em frente com aquilo. Mas e se a irmã estivesse certa? E se a magia da ferida pudesse prejudicá-la sem aviso?

— Se é isso que você quer, tenho certeza de que Tatianna e minha irmã não se importariam de trabalhar juntas para ajudá-la.

Ele lançou um olhar sugestivo para as duas, e elas se encararam antes de assentirem para Trystan.

— Claro — disse Tatianna.

— Fico feliz em ajudar. — Clare assentiu modestamente.

A lista.

— Tatianna, onde você estava quando o guvre escapou?

A curandeira arregalou os olhos antes de recuar um passo. Então, o encarou e se pôs a gargalhar.

— Você achou que fui eu? A espiã!

Clare também deu uma risadinha e Evie pôs a mão na boca.

Aquelas mulheres estavam lhe roubando anos de vida.

— Pode até rir, mas você é a única pessoa que eu ainda não pude descartar como suspeita.

— Se eu fosse a traidora, você já estaria morto, Tryst. — Tatianna beliscou as bochechas dele e ele a afastou. — Na noite em que o guvre fugiu, eu estava lá na Taverna Evergreen. Pode perguntar ao taverneiro.

A cabeça de Trystan latejava de dor, aquela dor profunda que havia se instalado ali desde que o traidor começou a complicar sua vida.

— Então estou sem opções — disse ele, derrotado.

— O que, hm… O que aconteceu com a porta? — Mais uma voz ecoou da porta aberta. Gushiken entrou no cômodo, sorrindo de orelha a orelha.

— O que você quer, Gushiken? — Aquele dia estava indo de mal a pior.

— Os guvres estão fazendo uma coisa — disse Gushiken, lançando um olhar sugestivo para o Vilão. — Parece que precisavam de um pouquinho de privacidade.

— Que tipo de coisa? — perguntou Clare.

— Ah, hm... eles estavam se refamiliarizando — explicou o outro homem, acenando com a mão num pequeno círculo

— Ah — disse Sage naturalmente. — Eles estão fornicando.

Trystan deixou escapar um som abafado enquanto voltava os olhos para Evie, arqueando tanto as sobrancelhas que quase se confundiam com a linha do cabelo. Ela curvou os lábios em um sorriso suave e astuto...

Experimente pensar nisso. E morra, ameaçou a mente dele.

— Fantástico — disse Trystan sarcasticamente, desviando os olhos de Sage. — E você precisa que eu vá até lá para isso... por quê?

— Pensei que você poderia usar sua magia para impedir que o escritório desmorone. Eles estão bem... hm... entusiasmados.

Ele fechou bem os olhos.

— Já vou lá.

Gushiken cumprimentou as três com um aceno de cabeça e sorriu novamente antes de sumir atrás da porta arruinada.

Trystan começou a segui-lo, mas parou abruptamente. Sem se virar, disse:

— Minha assistente ainda vai estar de pé quando eu voltar?

— Ela está a salvo com a gente — garantiu Tatianna.

Ele assentiu e seguiu em frente. Mas, quando Sage voltou a gritar, ele não teve mais tanta certeza de que conseguiria controlar o próprio poder e não eviscerar *alguém* até que ela parasse. Só esperava que não fosse um guvre. Ou Gushiken.

O treinador de dragões escolheu justo aquele momento para dar um joinha encorajador a Trystan, que foi seguido por outro grito de Sage.

Na verdade, ele esperava que fosse Gushiken, sim.

CAPÍTULO 51
Evie

— **Chega.**

— Só mais uma tentativa — implorou Evie. Parecia que fazia horas que estavam naquilo, mas ela estava tão perto de conseguir ficar de pé com a adaga a poucos centímetros. Uma grande melhora, levando-se em conta que, no início do exercício, ela só sabia ficar em posição fetal no chão, quase engolindo a própria língua.

— Podemos tentar de novo amanhã. Você precisa descansar — insistiu Tatianna. A luz do dia já estava começando a diminuir e o chefe ainda não tinha voltado.

— Sim, pode ser. — Evie abriu um sorriso triste. — Melhor eu ir para casa. Minha irmã vai precisar de jantar e quero ver como meu pai está.

— Ah! Falando nisso... — Tatianna entrou em ação e começou a retirar frascos e tônicos dos pequenos compartimentos do armário. — Eu achei um novo tipo de poção para dor em um dos meus livros antigos! Vou prepará-la para você antes de você sair. Agora, senta aí e descansa um pouco.

Tatianna girou um botão e acendeu o fogãozinho que ficava no canto; o cheiro de ervas medicinais começou a preencher o espaço apertado.

E Evie sorriu levemente, enxugando o suor da testa com o dorso da mão. Estava perto de superar a dor o suficiente para usar a adaga para o seu propósito, como arma.

Massageando um ponto de tensão no pescoço, Evie sorriu quando Clare sentou-se ao seu lado. A mulher torcia as mãos de leve enquanto arrastava o pé no chão.

— Sinto muito que você tenha que passar por isso.

— Ah, tudo bem — disse Evie com sinceridade. — Coisas ruins acontecem com pessoas boas, às vezes.

Clare fez que sim e ficou em silêncio por alguns segundos antes de voltar a falar:

— Sou bem teimosa.

— E, ao que parece, também não sabe muito bem mudar de assunto sutilmente — brincou Evie.

Clare fez que sim outra vez e riu.

— Precisamente. — A risada dela tinha o som dos sininhos que Evie imaginava nas fadas quando era mais nova. — Também peço desculpas se não fui muito cordial quando a gente se conheceu. Não sei lidar direito com pessoas novas.

— Ah. — *Sempre tão eloquente, Evie.*

— Fiquei muito envergonhada. De ter ajudado o rei Benedict sem querer. — Clare ergueu os olhos e espiou Tatianna, que estava concentradíssima na sua tarefa. — Não aprovo a forma como o Trystan conduz os negócios ou a vingança dele. Mas odeio o rei.

Aquelas palavras fizeram Evie sentir uma espécie de afinidade com Clare. Ela entendia dinâmicas familiares complicadas melhor do que a maioria das pessoas.

— Como é que você ia saber?

— Só fui perceber que o homem era um Guarda Valente depois que ele assinou o registro de compra. Nem pensei direito no assunto. Eu estava distraída aquele dia. — Clare esfregou os olhos. — Um dos meus clientes regulares, um amor de pessoa, foi deixado pela esposa. A tinta azul era a favorita dela, então ele sempre fazia questão de encomendá-la. Ele estava devastado quando veio buscar seu pedido de sempre, e o cavaleiro apareceu logo depois.

— Estou quase acabando — avisou Tatianna, justo quando algo começou a queimar. — Merda. Tá, ainda não.

Clare sorriu quando Tatianna virou as costas, formando rugas em volta dos olhos iguais às do Vilão.

— Que tipo de propriedades a tinta azul tem, afinal? Por que alguém escolheria essa cor especificamente? — perguntou Evie.

— Nada de espetacular, para dizer a verdade — disse Clare, dando de ombros. — Meus clientes que a preferem geralmente a usam para ler o que os outros escrevem com ela.

— Como é que funciona isso? — Evie inclinou a cabeça.

— Quando você usa a tinta do mesmo frasco, com uma gota, qualquer palavra que tenha sido escrita com aquele tinteiro pode aparecer na página à sua frente.

— Qualquer palavra? — Então, de repente, o coração de Evie começou a acelerar, como se ela estivesse caindo lentamente da beira de um penhasco.

— Qualquer palavra que tenha sido escrita com a mesma tinta, sim. Quando eu a encanto, ela vira uma espécie de corpo. Mesmo quando as gotas são separadas, elas podem ser reunidas pelas palavras. É só imaginar que um dos seus dedos foi cortado, mas você ainda pode mexê-lo. Porque ele já fez parte de você.

— Então a tinta sempre revela a verdade?

— Até acabar.

Evie fez que sim. A mente estava a mil por hora.

Clare bufou e olhou ao redor do cômodo.

— Na verdade, é mais útil em escritórios. Sempre que você escreve com essa tinta, basta uma gota para copiar o que você escreveu.

— Melhor não contar isso para as fadinhas. Elas ficariam desempregadas. — Evie sorriu e pressionou um dedo na têmpora, expirando devagar. — Tinta mágica, cicatriz mágica, adaga mágica. A magia realmente está em tudo, né?

— Sinto muito. — Clare sorriu. — Ter magia é uma coisa, mas eu sei que estar ao redor dela sem entendê-la completamente pode ser confuso, até mesmo frustrante.

— Quando você descobriu a sua? — perguntou Evie baixinho.

— Quando o Trystan virou o Vilão — disse Clare, com um olhar apreensivo e distante. — Foi… um dia difícil.

Evie não sabia o que dizer, o que por si só já era motivo de preocupação. Era muito raro que as palavras falhassem com ela dessa maneira; eram as que escapuliam que geralmente faziam isso.

— Terminei! — Tatianna foi até elas e olhou para as duas como se soubesse que era uma interrupção bem-vinda. — Pronto. Depois me avisa como o pobrezinho vai reagir… qualquer coisa, posso voltar para a outra mistura.

Evie ficou na ponta dos pés e beijou a bochecha da curandeira.

— Obrigada, amiga. — Em seguida, virou-se e sorriu para Clare. — E obrigada a você também.

A irmã do Vilão olhou para o frasco na mão dela com uma expressão solidária.

— Seu pai tem a Doença Mística?

Evie fez que sim e pôs o remédio no bolso da saia antes de se dirigir à mesa para pegar a capa. As últimas horas tinham sido uma mistura tão confusa de dor e alívio que ela era incapaz de lembrar como a capa tinha saído do gancho ao lado da escrivaninha e ido parar ali.

— Evangelina, deixa eu falar uma coisa antes de você ir! — gritou Clare, e Evie se virou para olhá-la nos olhos. — Vou fazer outro lote de tintas diferentes hoje à tarde. Quer alguma?

Evie deu de ombros e abriu um sorriso discreto.

— Por que não? Tenho certeza de que posso encontrar uma utilidade para a azul.

— Ótimo! — exclamou Clare. — Eu já ia preparar mais um pedido para a Calêndula do Leste, de qualquer maneira.

De repente, ela parou e sentiu o sangue gelar.

— Que belo nome. Seu cliente é uma flor? — Tatianna bufou.

De alguma forma, Evie sustentou o sorriso enquanto se virava e saía dos aposentos, com passos resolutos e mais de um frasco no bolso.

De todas as garrafinhas sofisticadas nas prateleiras perto da porta… Sim, Evie faria bom uso daquela.

CAPÍTULO 52
Evie

Era tarde quando Evie finalmente chegou em casa aquela noite. A luz do quarto de Lyssa já estava apagada, mas, ao entrar na cozinha, se deparou com o pai parado diante de uma panela, murmurando sozinho. O ar estava impregnado pelo cheiro pungente de duas especiarias que claramente jamais deveriam ter sido misturadas.

Ela tentou manter o coração tranquilo, a respiração equilibrada, tentou agir normalmente. Engolindo em seco, forçou um sorriso.

— Boa noite, papai. Está fazendo o quê? — perguntou Evie.

— Por que é tão difícil? — respondeu o pai em voz baixa, soando angustiado e frustrado. Evie sabia que ele tinha boas intenções, e sentiu uma pontada dolorosa de culpa por ter perdido o jantar, por não ter botado Lyssa na cama. Ela tirou o frasco de Tatianna do bolso e o entregou ao pai, torcendo para que ele não visse suas mãos trêmulas.

— Por favor, pelo menos experimente essa poção aqui, pai — disse Evie. — Minha amiga curandeira disse que é um novo tipo de tônico para dor e tem se mostrado muito eficaz.

Ele repousou a mão grande no rosto de Evie.

— Você sempre cuida de mim. — A pontada no peito se transformou em um buraco. — Tão parecida com sua mãe.

Excelente. Justo naquele momento, quando estava à beira de um colapso emocional, era certamente revigorante também ser lembrada de seu maior medo.

— É — disse Evie com a voz firme. — Com a diferença de que eu ainda estou *aqui*.

O pai tirou a mão do rosto dela e, de repente, o ambiente ficou gelado.

— Sim. — Ele tossiu. — É claro. — Em seguida, com cara de quem precisava fazer algo com as mãos, o pai de Evie tirou a tampa do frasco e bebeu a poção de uma só vez. Ao menos naquilo ela sentiu algum alívio.

— A Lyssa foi dormir cedo hoje — comentou Evie, sem mencionar que estava feliz por não ter que se preocupar com a irmã naquele momento.

— Ela se cansou brincando com as vizinhas. Como foi o trabalho hoje?

Os dois se sentaram à mesa e Evie pressionou de leve as palmas na madeira familiar antes de juntá-las nervosamente à frente do corpo.

— Foi... produtivo — disse ela, na falta de palavra melhor.

— Como todo trabalho deve ser — comentou o pai, sorrindo para ela. — É bom que você se mantenha ocupada. Mãos ociosas só trazem problemas. — Ela sabia que ele estava pensando na mãe dela de novo, a julgar pela forma como a outra mão segurou o medalhão no pescoço.

— Papai… Você sabia o quanto a mamãe estava sofrendo com a magia dela, tantos anos atrás? Você entendia a dificuldade dela? Ou foi tudo um choque no final? — perguntou Evie, sem saber por que precisava saber a resposta ou por que aquilo importava.

Ele pareceu surpreso com a pergunta, mas, em defesa do pai, acabou respondendo mesmo assim, e ela sabia que era verdade:

— Só entendi quando já era tarde demais.

Evie deixou o pai "cozinhar" a sós e foi para o quarto. Deu uma olhadinha em Lyssa, que dormia em paz na própria cama. Em seguida, ao passar pelo escritório do pai, viu uma luz acesa pela fresta abaixo da porta. Será que ele já tinha abandonado aquele desastre culinário?

Mas, quando abriu a porta, o espaço estava vazio.

Evie entrou devagarinho, sentindo-se errada. Aquele cômodo sempre tinha sido proibido para ela quando criança e, apesar da rápida entrada na vida adulta, ainda parecia uma infração entrar ali sem permissão.

O crepitar do fogo estava diminuindo, oferecendo ao espaço os últimos resquícios de luz. Havia uma pequena estante de livros encostada na parede, com alguns volumes grossos e outros mais finos — claramente livros infantis que Evie amava quando criança.

Ao inclinar o pescoço de leve para ver o corredor, Evie arriscou entrar mais um pouco e avançou lentamente, avaliando a área.

Uma vela tremulava e a cera pingava sobre um pedaço de pergaminho jogado de lado. O pergaminho parecia ter sido amassado em uma bola e desamassado umas boas dez vezes antes de ter sido esticado novamente.

Evie puxou um grampo do cabelo e o jogou o mais perto possível da escrivaninha.

— Ops — murmurou baixinho.

Depois de se aproximar rapidamente e se abaixar para pegar o grampo, Evie se endireitou apenas o suficiente para dar uma espiadinha nas palavras no papel. Parte da tinta estava borrada, mas dava para ver nitidamente o que estava escrito no final, e Evie sentiu um arrepio de horror.

Era uma carta — bem grande.

E, assinado "com amor"... havia o nome da última pessoa que ela esperava.

Nura Sage. Sua mãe.

CAPÍTULO 53
Vilão

— **Acho que eles acabaram** — sussurrou Gushiken em meio ao silêncio do porão, apenas um andar acima das câmaras de tortura. Àquela hora do dia, os prisioneiros faziam mais barulho do que o normal, gemendo dramaticamente de dor.

Trystan não sabia como os guvres dormiam tão pesado com todo aquele barulho. Parecia que a agonia alheia embalava o sono deles. Para ser justo, aquilo também acontecia com Trystan com frequência.

— Enquanto estiverem satisfeitos, a magia deles deve permanecer suave o suficiente para que permaneçam em cativeiro — disse Trystan. Os pensamentos não estavam nem de longe tão focados quanto as palavras dele. A mente estava um caos, ele não parava de repassar os acontecimentos das semanas anteriores e toda a confusão que haviam causado.

Mas pelo menos ambos os guvres estavam de volta ao controle de Trystan. As cordas de couro de Gushiken tinham se mostrado surpreendentemente úteis... por mais que o próprio homem não fosse.

Trystan não fazia a menor ideia de como um dia pôde ter achado que aquele homem era um treinador de animais certificado. Ele realmente precisava checar as informações que havia nos currículos antes de contratar alguém da próxima vez.

— Foi por isso que você me pediu para remover a parede ali dentro? — perguntou Gushiken, dando tapinhas no queixo e apontando para a jaula com um gesto de cabeça.

— Por que mais seria? — retrucou Trystan, sem paciência.

— Não sei. — O treinador de dragões ajeitou o colete. — Achei que talvez você estivesse com pena deles.

— Eu não sinto pena. Nunca — disse ele, tentando soar autoritário, mas sabia que soava apenas infantil.

O guvre macho se aninhou mais perto da fêmea e, juntos, ambos suspiraram baixinho.

— Eu só… — Trystan hesitou.

Na noite anterior, ele tinha ouvido o macho soltar um grito grave e o viu erguer a garra e arranhar de leve a parede que o separava da companheira. Era como se soubesse que qualquer tentativa de chegar até ela seria inútil, mas não conseguia deixar de tentar.

O Vilão ainda negava ter um coração, mas, caso tivesse… talvez tenha se partido. Só um pouquinho.

— Como está a srta. Erring? — perguntou Trystan, mudando de assunto enquanto ia até a escada que levava de volta ao escritório.

— Está bem. Já voltou a cuspir fogo melhor do que ninguém.

— E isso foi uma piada? — Trystan estava fazendo de tudo para apreciar o humor alheio, em vez de se opor.

— Sim, senhor. — Gushiken sorriu enquanto subia a escada ao lado dele.

— Muito boa.

— Obrigado? — perguntou o treinador de dragões, hesitante.

Trystan entrou no escritório, que estava totalmente vazio. Não havia nada na escrivaninha de Sage, a capa e a bolsa não estavam ali.

O sol já tinha se posto atrás das árvores e os últimos feixes de luz reluziam do outro lado da janela, pintando a sala com um brilho acolhedor. Não parecia tão certo quando ela não estava sentada ali.

Tatianna apareceu no escritório, seguida de perto pela irmã de Trystan, e de repente todas as lembranças voltaram de uma vez.

Ele do outro lado da porta, ouvindo os gritos de Sage. Era o som dos pesadelos, de todos os seus medos se juntando para massacrá-lo.

E era aí que estava o problema. Ele era o Vilão. Não podia se dar ao luxo de temer nada. Muito menos temer *por* alguém. Seus sentimentos por Evie certamente sumiriam com o tempo, como acontecia com a maioria das coisas. O coração de Trystan começou a bater mais rápido, como se lhe dissesse que aquilo era uma mentira deslavada.

— Ela foi para casa — disse Tatianna. — Precisava descansar.

Mais uma vez, seu medo explodiu como uma bomba.

— Ela estava bem? O que…

— Ela estava bem. Não tivemos muito progresso, mas ela não parecia desanimada. Eu a mandei para casa com a adaga.

— O quê? — vociferou ele.

— Dentro da caixa! — acrescentou Clare, revirando os olhos. — Você está pior do que quando éramos crianças, querendo bancar o pai coruja.

— Eu não sou… um pai coruja — retrucou ele, cerrando os dentes.

Gushiken pareceu estar ouvindo com atenção até demais, mas logo se distraiu quando a srta. Erring apareceu e cruzou o escritório até chegar à própria escrivaninha, com seu coque esticado puxando o rosto.

— A Evie estava bem. — Clare pôs a mão no braço de Trystan. A ternura da infância se materializou naquele gesto e atravessou a pele e os ossos do Vilão, atingindo diretamente a sua alma.

Por mais carcomida que estivesse.

Caramba, ele estava virando um palerma.

— Você deveria contar a ela o que é a marca dourada, Trystan — murmurou Clare.

É, a alma estava carcomida mesmo.

— Não é certo fazê-la concordar com algo assim sem que ela entenda o que é.

— Isso não a afeta de forma nenhuma — rebateu ele, temendo que a primeira coisa boa que tinha feito em anos fosse uma interferência atroz.

Ele sinceramente tivera a intenção de lhe oferecer o pacto de emprego, que se infiltraria no corpo dela como um veneno caso ela traísse a confiança de Trystan. Na época, fazia só um dia que ele a conhecera, então não havia motivo para escolher outra alternativa… até olhar nos olhos dela.

Eram olhos tão sinceros e transparentes que ele sentiu… *medo*. Muitas coisas poderiam acontecer com ela, muita gente em quem confiava poderia se voltar contra ela e destruí-la. Ele detestou, na época, perceber o quanto aquilo importava, não conseguia entender por que aquela mulher, que falava alto e tinha uma energia infinita, poderia evocar um sentimento de proteção tão forte.

Assim, em vez da tinta verde usada nos pactos de emprego, ele usara a dourada, porque, as pessoas podiam até não saber, mas o principal propósito daquele tipo de tinta era a proteção. Ela protegia contra os maiores males e, quando Sage os enfrentasse, ele saberia. Trystan tinha mandado gravar a mesma faixa dourada ao redor do bíceps, de modo que, quando ela se visse diante de qualquer ameaça real de morte, ele saberia de uma forma ou de outra. A tinta dourada era um tipo instável de magia; funcionava conforme o próprio ritmo, avisando-o de diferentes maneiras quando ela precisava dele. A imprevisibilidade era inconveniente, mas era melhor do que nada.

A faixa dourada de Trystan o queimara nas duas vezes em que Sage fora exposta à adaga, quando eles estavam sob a ameaça do guvre e quando ela estava no parapeito com a bomba em contagem regressiva, embora daquela vez o efeito tenha demorado a se manifestar — a magia do encantamento ficou mais inconstante depois de Trystan ter usado tanto da própria magia ali. A magia de proteção não era lá muito fã dele. Tratava-se de uma opinião popular. A cada perigo que Evie sofria, seu braço ardia tanto que ele sentia a dor junto com ela.

Trystan tinha justificado aquela escolha de maneira prática, dizendo a si mesmo que saber quando a assistente estava em apuros era essencial.

E ele insistiria naquela negação, se pudesse.

— Não, não tem nenhum efeito negativo nela, mas é parte permanente do corpo dela. — Clare arqueou a sobrancelha, esperando que Trystan entendesse seu argumento.

Mas ele já tinha entendido, e sabia que era um babaca.

— Mudando de assunto. — Tatianna se aproximou. — Você está mais perto de descobrir quem aqui está te traindo?

— Não é ninguém que esteja na mansão — disse ele categoricamente, sentindo-se mais perdido e mais frustrado do que nunca.

Os guardas, que tinham o melhor tipo de lealdade — a forçada — não haviam descoberto um único traço de culpa entre os cento e dois funcionários. Não havia muito mais o que fazer, a não ser recorrer à outra conclusão: alguém estava entrando e saindo da mansão bem debaixo de seu nariz. E não tinha passado despercebido o fato de que a pessoa que vinha fazendo aquilo sempre atacava com tudo quando ele não estava ali para senti-la, encontrá-la e eviscerá-la.

Havia variáveis demais e elas não chegavam nem perto de indicar respostas.

— Vou simplesmente matar o rei Benedict, aí não vou mais precisar me preocupar com isso. — Nos últimos tempos, Trystan parecia estar sofrendo de uma dor de cabeça crônica, e a única pessoa que ajudava a aliviar aquele sintoma já tinha ido embora para casa.

— Por mim, tudo bem — disse Tatianna cinicamente, e revirou os olhos quando Clare a olhou feio.

— Matar alguém nunca é a resposta — comentou Clare, franzindo a testa.

— Admiro seu coração tão ético, irmãzinha — disse ele. — Mas matar muitas vezes é a minha resposta favorita.

Clare ficou quieta por um instante, analisando-o com aqueles olhos tão familiares.

— Fiquei surpresa ao ver o quanto você se importa com seus... *funcionários*. — Ela usou o plural, mas os dois sabiam que Clare estava se referindo a apenas uma pessoa. — No início, achei que o Malcolm estivesse exagerando.

— Não estava. — Trystan era incapaz de mentir. — Na verdade, tenho certeza de que ele minimizou a situação.

Clare fez que sim.

— Bom, eu espero que… — Então, parou de falar abruptamente.

— Senhor! — Marvin (o favorito de Trystan, se é que ele tinha favoritos, e claro que não tinha, já que era malvado), seu guarda *não* favorito, entrou às pressas, suando em bicas por ter corrido escada acima. — Chegou uma carta! Keeley me disse para entregá-la ao senhor com urgência! — Marvin estendeu a mão para entregar a mensagem, mas se dobrou, ofegante, a fim de recuperar o fôlego.

— Pois é. — Gushiken se aproximou e deu um tapinha nas costas de Marvin. — Essa escada é uma tortura à parte.

— Engraçado — disse o Vilão em tom seco, e então pegou a mensagem, abriu o envelope rapidamente e passou os olhos pela folha. As palavras ali gravadas congelaram cada músculo do corpo dele.

— Que foi? — insistiu Clare. — O que descobriram?

— Clare… — Ele fez uma pausa, desorientado. — O cavaleiro que comprou a tinta azul e que comprou o relógio do Malcolm…

— Sim? — disse Clare, soando nervosa. Todos os presentes estavam em alerta, inclusive Marvin.

— Ele morreu.

— O quê? — Clare cambaleou e passou a mão pelos cabelos curtos e escuros, talvez até arrancando um pedaço. — Então alguém chegou até ele primeiro?

— Não, você não está entendendo — disse o Vilão. — O cavaleiro, Lark Moray, morreu um dia após ter comprado sua tinta. Não poderia ter sido ele o homem que pegou o relógio de Malcolm. Ele já estava morto àquela altura.

A sensação de Trystan era a de estar fora do próprio corpo, como se tivesse se separado em dois enquanto a mente processava o que aquilo significava.

— Passamos esse tempo todo seguindo a pista errada.

— Então não foi ele que plantou a bomba — disse Clare, incrédula. — Mas então... — Clare cobriu a boca com as mãos, chocada. — Calêndula do Leste.

— Quem? — o Vilão quis saber.

— Ele sempre fez várias perguntas sobre mim, sobre a minha família. Mas era tão gentil que eu nunca suspeitei. — Os olhos de Clare se encheram de lágrimas.

— Eu não estou entendendo — interrompeu Gushiken. — É outro homem, então? Qual é o problema?

— Tem mais alguma coisa, não tem? — o Vilão pressionou ainda mais, sentindo que um desastre estava prestes a desabar sobre eles.

— T-tem. — Clare contraiu os lábios com um olhar apreensivo. — O homem que sempre me visita, ele usa um nome falso. Quer dizer, todos nós sabíamos que Calêndula do Leste só podia ser um pseudônimo. É ridículo. Mas uma noite ele apareceu bêbado e acabou revelando o nome verdadeiro sem querer. Depois que foi embora, conferi o registro da cidade para ter certeza de que ele não era nenhum tipo de criminoso, e lá estava.

O silêncio na sala era tamanho que um fio de cabelo poderia cair da cabeça dele e todos o ouviriam chegar ao chão.

— E... — Trystan não reconhecia a própria voz; estava mais aguda do que ele imaginava ser possível.

— Eu... Eu. — Clare olhou para ele, visivelmente se contendo para não tremer. — Não achei que tivesse importância, juro!

— Desembucha, Clare! — disse Tatianna, exasperada.

— O nome dele era Griffin Sage — revelou ela por fim.

Sage.

Não.

Mas ali estava Reinaldo aos pés dele, segurando uma plaquinha: PAI.

De repente, a ficha caiu com força. Que horror.

Tatianna concluiu o raciocínio para ele.

— Ele é... Pelo amor dos deuses, é o pai da Evie.

— Ah, meus... — Rebecka, que estava na própria mesa, levantou a cabeça de supetão. — O caderno dela. — Ela se levantou e marchou até a mesa de Evie. — Cadê? — Em seguida, abaixou-se e revirou as gavetas.

— Ela sempre leva o caderno para casa — disse Tatianna, confusa.

Becky pegou um frasco de tinta com um movimento decidido e quase o quebrou.

— Eu e a Evie estávamos tendo uma das nossas... conversas amigáveis. Posso ter falado alguma coisa sobre ela encomendar materiais de escritório de baixa qualidade, e aí ela se gabou dizendo que o pai tinha lhe dado essa tinta especial.

O frasco era de um roxo vibrante, quase artificial.

— Quando foi isso, Rebecka? — O Vilão se aproximou, tirou o frasco das mãos dela e o passou para Clare.

— Mais ou menos uma semana depois de ter começado a trabalhar aqui, senhor.

— Quando a tinta foi comprada — confirmou Clare, cobrindo a boca com a mão de novo e arregalando os olhos de surpresa. Ela virou o frasco e fez que sim, lacrimejando. — Essa tinta foi tingida. Alguém misturou algumas gotas de tinta vermelha aqui para que parecesse roxa, só que é azul e contém todas as propriedades mágicas.

Becky fez que sim e olhou diretamente para Trystan. Os olhos cor de avelã estavam sérios e resignados.

— O pai dela conseguia ver tudo o que a Evie escrevia no caderno. Nossos planos, nossos refúgios, até mesmo como entrar e sair da mansão sem ser detectado. Ela vivia anotando tudo.

— O pai dela a enganou — disse Trystan, sem nenhum tipo de emoção na voz, por mais que, lá no fundo, tivesse um resquício de esperança de que Evie não soubesse das maquinações do próprio pai. — Ele sabia desde sempre que ela trabalhava aqui e a usou.

Desde que o Vilão conhecera Evie, sentia que estava mudando formas diferentes, talvez até melhores. Mas, no momento, não se sentia melhor. Sentia-se destrutivo.

— Vamos nos acalmar — disse Clare, colocando a mão no braço tenso do irmão. — Ele é o pai dela, Trystan. Talvez haja outra explicação.

— Ele pôs uma bomba *na minha mesa.* — Trystan tentou manter um tom de voz neutro, mas acabou vociferando as últimas três palavras. — Ele quase a matou… *Ele a teria matado.*

E agora ela estava lá, sozinha com ele.

— Merda — rosnou o Vilão, disparando em direção às escadas justo quando um trovão estourou lá fora. Ele parou por um momento e ouviu a chuva bater na janela. — Um de vocês, vá conferir se isso não está acontecendo porque um guvre saiu da jaula de novo. Tatianna, vem comigo.

Às pressas, ele seguiu em direção à saída enquanto Tatianna gritava atrás dele:

— E o que você vai fazer?

O Vilão segurou firme a porta e respirou fundo, a ponto de doer.

— Ainda não sei. — Em seguida, ele a abriu com força, saiu com passos determinados e sussurrou: — Mas sei quem eu quero matar.

CAPÍTULO 54
Evie

Evie ficou petrificada diante do pergaminho, piscando os olhos a cada palavra. Mas não importava quantas vezes os olhos fechassem e reabrissem, o nome da mãe dela continuava ali. *Nura Sage*.

Ela pegou o pergaminho com os dedos trêmulos e o segurou com tanta força que o papel amassou. A tinta estava borrada, então havia poucas palavras legíveis, mas aquelas poucas já eram devastadoras.

Sinto muito. Por favor. Sinto falta delas.

Quando viu o nome de Gideon, ela jogou o papel longe, pois não aguentava mais. Acabou derrubando o tinteiro do pai e despejando o conteúdo sobre a mesa.

Evie xingou baixinho enquanto recolhia as duas tintas que haviam vazado: uma vermelha e a outra...

Azul?

— O que está fazendo aqui, Evangelina? — A voz suave do pai ecoou de fora da porta.

Ela congelou com a cabeça inclinada sobre a mesa e os dedos manchados de tinta. Tinha sido pega com a boca na botija.

— O que é isso? — sussurrou Evie, pegando a carta e o tinteiro quase vazio.

— É tinta para as minhas cartas — disse ele categoricamente. — Você não deveria estar aqui.

Alguma coisa no tom de voz dele havia mudado e, quando a grande figura do pai entrou no escritório, Evie se sentiu nervosa na presença dele pela primeira vez na vida.

— Mas é tinta azul — insistiu Evie, de repente sentindo o cômodo girar. — É bem rara; por que você ia querer?

— É útil para ler documentos. — Havia uma frieza naquelas palavras e, por mais que sua boca estivesse curvada no sorriso amigável de sempre, Evie viu um brilho sem vida nos olhos do pai que gelou o sangue dela. — O que está tentando dizer, querida?

— Se eu mexer nessa mesa — disse Evie, levando a mão à gaveta —, o que é que eu vou encontrar? — Mesmo enquanto fazia a pergunta, tentava revirar a mente em busca de qualquer outra explicação. Aquele era seu *pai*. Tinha que haver uma explicação.

— Evie. — Griffin Sage riu, mas era um som que ela nunca tinha ouvido sair dele. Uma risada sem humor.

— O. Que. Eu. Vou. Encontrar? — insistiu.

Os dois voltaram os olhos para a mão dela na gaveta superior. Evie agiu rapidamente.

Ela escancarou a gaveta no instante em que Griffin avançou na direção dela, esbarrando nos móveis pelo caminho. Evie empurrou a grande cadeira para a frente dele enquanto enfiava a mão ali dentro para retirar os papéis. Então, correu para a porta, mas só conseguiu chegar até a metade do caminho.

O pai puxou o cabelo da filha e uma dor aguda se espalhou pelo couro cabeludo enquanto ela gritava.

— Solta isso — ele sibilou no ouvido dela. — Não me faça machucar você, filha.

— Já está me machucando — gritou Evie, mas a dor não era nada se comparada à traição. Ela enfiou o salto da bota na canela dele com toda a força que pôde, acertando o osso e fazendo um estalo satisfatório. O pai a soltou com um uivo de dor enquanto se encolhia no chão, e Evie voou em direção à porta mais uma vez. Ela conseguiu bloqueá-la com uma cadeira no corredor bem a tempo de o pai tentar abri-la.

— Me solta. Agora! — ordenou.

— Shhhh — disse Evie, dominada por uma raiva crescente. — Assim você vai acordar a Lyssa. E eu sei bem que você nunca ia querer machucar uma das suas filhas, não é, papai? — Ela engoliu a dor e a traição e se concentrou nos papéis que tinha em mãos.

Mas eram os papéis *dela*, a caligrafia *dela*, de seu próprio caderno.

— Você tem usado a tinta para me espionar — disse Evie, sentindo os olhos arderem com lágrimas enquanto olhava cada evidência condenatória. Então, ela folheou as páginas recheadas de palavras suas, escritas com tanto cuidado. Não fazia a menor ideia de que o pai estava lendo cada uma delas.

Mas ela congelou de novo ao encontrar outra carta no meio. Daquela vez, a caligrafia era desconhecida, mas o nome… ah, o nome ela conhecia.

— Rei Benedict — sussurrou Evie, sentindo o coração afundar, o rosto esquentar e umas manchas pretas embaçarem sua visão. — Você tem trabalhado para o rei? — Aquilo a afogaria. Aquela verdade terrível a enterraria em um mar de desespero com uma correnteza tão forte que a afogaria brutalmente.

O outro lado da porta ficou em silêncio por um momento antes que o pai dissesse:

— Abre a porta, Evangelina, e eu explico.

Evie hesitou por um segundo, mas precisava investigar o rosto do pai quando ele, a única pessoa em quem confiava acima de tudo para mantê-la segura e protegida, dissesse que a havia condenado.

Ela fez apenas uma pergunta depois de tirar a cadeira e abrir a porta com cuidado.

— Foi você que plantou aquela bomba?

Ele pareceu levar um susto com a pergunta antes de recuar lentamente para o escritório, encontrar a cadeira empurrada e se sentar.

Evie entrou atrás dele pisando firme, e então se encaminhou para o canto mais próximo da porta.

— Vou perguntar outra vez. Caso você não tenha me ouvido — disse friamente. — Foi você que plantou a bomba que quase me matou?

As palavras eram duras, feitas para matar, e o pai sabia disso. Ele olhou para a filha como se não a reconhecesse — bom, então eram dois.

Ele suspirou profundamente antes de pressionar as mãos nas têmporas.

— Sim. Fui eu.

— Como...

— Você tinha anotado os pontos de entrada no maldito diário. Eu relatei ao rei Benedict onde atacar quando necessário, para garantir que seu... empregador... não interferisse.

— Com o meu assassinato! — berrou ela.

— Silêncio! — o homem que ela começava a não reconhecer mais sibilou enquanto fazia menção de se levantar, mas parou quando viu o lampejo de medo nos olhos dela. — *Você* que vai acabar acordando sua irmã.

— Está com medo de que ela veja o monstro que você virou? — perguntou Evie, exalando desprezo em cada palavra.

O pai começou a tremer. Era como se cada emoção o atingisse tão depressa que seu corpo não dava conta de contê-las ou administrá-las.

— Eu... que sou o monstro? — Ele tinha voltado a sussurrar, mas disse aquelas palavras com surpresa antes de um sorriso de desdém se formar. — Aquele ser humano repugnante com quem você se envolveu... ele é o monstro, não eu.

— Aquele "monstro" é o motivo de ainda estarmos na nossa casa! Ele provavelmente é o motivo de você ainda estar vivo, graças às poções dele. — Ela tentou controlar o tom de voz, mas percebeu que ainda as jogava na cara do pai como se fossem facas. — E ele... tem motivos para fazer o que faz. E eu também. Eu fiz o que precisava ser feito. Por essa família. — Então, balançou a cabeça, jogou os ombros para trás e se empertigou. — Não tenho vergonha.

— Você não precisaria fazer *nada* disso se tivesse simplesmente aceitado a oferta do sr. Warsen! — Os ombros do pai subiam e desciam e os olhos estavam vidrados, sem ver nada.

Mas Evie sentiu os próprios olhos se arregalarem ao ouvir o que o pai estava dizendo, o que ele estava admitindo. Ela estava caindo em um abismo escuro e profundo e nada a seguraria.

— Você sabia. — A voz dela falhou e Evie odiou aquilo. — Você sabia que o sr. Warsen ia me atacar?

— Não foi tão dramático assim, Evangelina — retrucou o pai dela com um aceno de mão, enojado. — Ele me procurou e ofereceu um pouco mais de dinheiro em troca de algumas noites por semana em sua companhia.

— Você por acaso está ouvindo o que está dizendo? — Àquela altura, as lágrimas fluíam livremente. Ao enxugar uma com a mão, Evie notou que os dedos estavam dormentes. — Você liga a mínima para o fato de que aquele homem quase me violentou?

— Você sempre faz isso.

Já houve muitas vezes na vida em que Evie se sentiu menosprezada, tratada de uma forma que a fazia se sentir infantil, boba ou leviana em relação aos sentimentos e pensamentos que se insinuavam na sua cabeça — a ponto de, por mais que se sentisse completamente forte e válida no que tinha a dizer, acabar sendo ignorada.

*In*validada.

— Você exagera as coisas na sua cabeça para fazer com que todo mundo seja mau. — O pai cuspiu na brasa que ainda queimava. — Sua mãe era igualzinha.

— Não fala dela — disse Evie, mal conseguindo ouvir a própria voz.

— Ah, então agora sua mãe é uma santa? — Griffin Sage riu, parou por um momento e, depois, voltou a rir. — Ela matou seu irmão.

Evie se encolheu.

— Ela abandonou você e a Lyssa. — Evie o viu sorrir, satisfeito em defender seu ponto de vista.

— Aquela foi a primeira carta que ela enviou desde que foi embora? — perguntou Evie, olhando nos olhos do pai.

Ele congelou.

— Foi o que imaginei. — Aquilo fez Evie rir, apesar do sorriso triste que se seguiu. — E, agora, você conseguiu afastar não só sua esposa, mas também sua filha mais velha. — Evie bateu palmas lentamente. — Parabéns. — Ela andou até a janela, ouviu o som suave da chuva que caía e se permitiu um momento de silêncio agradável. Ou melhor, de silêncio desagradável, já que queria arrancar a cabeça do pai.

Mas sabia que aquilo deixaria Lyssa transtornada, então decidiu não causar mais trauma à irmãzinha do que ela já havia sofrido até então.

— Não foi minha intenção.

— Sério mesmo? — disse Evie, dando de ombros. — Se alguém está disposto a me trocar por favores sexuais sem o meu consentimento e ainda planta uma bomba no meu ambiente de trabalho, sabendo muito bem que poderia me matar… Não acho que essas sejam as mais puras das intenções, né?

O pai se aproximou e ela deixou. A sombra dele cobriu o rosto de Evie enquanto os olhos claros, tão parecidos com os dela, a encaravam com raiva.

— Eu te perdi no instante em que você se envolveu com aquele homem. O que acontecer com você agora, por mais devastador que seja, está fora do meu alcance.

Evie fungou e voltou a rir.

— Você não só me traiu como de alguma forma deu um jeito de me culpar por isso. Só fiz o que fiz para te ajudar, porque você estava doente! — explodiu.

— Eu nunca estive doente! — ele gritou de volta com sangue nos olhos.

Evie congelou. As palavras invadiram lentamente seu cérebro enquanto ela as assimilava. Cada uma delas doía. Cada uma delas tinha gosto de veneno.

— Como assim… você nunca esteve doente? — O crepitar do fogo parecia ensurdecedor enquanto Evie dava mais um passo na direção dele, notando um toque de vergonha, só por um momento, no rosto cansado do pai.

— Eu nunca tive a Doença Mística. *Eu menti.*

Ela sentiu um aperto no peito, como se uma chama estivesse tentando queimar sua pele. A fumaça invadia seus pulmões, dificultava a respiração. Não era possível que o tivesse ouvido direito.

— Como é que você poderia…? Eu vi você doente. O curandeiro veio te examinar. — A alma de Evie estava começando a se desvencilhar do corpo, talvez para preservar o que restava. Porque, se aquela era a nova realidade, uma realidade em que seu pai tinha fingido uma doença que devastava famílias por todo o reino, que havia devastado a família deles pelos últimos três anos…

— O curandeiro foi pago para dizer a você e ao restante da aldeia que eu tinha a doença, para que eu tivesse um álibi. — Ele levou as mãos às costas e Evie deu um passo para trás. — O açougue deveria ser só uma fachada, mas estava começando a interferir na minha *verdadeira* profissão.

— E que profissão é essa? — A voz de Evie era um sussurro esganiçado.

Griffin se afastou dela ainda mais até ficar atrás da mesa. Depois, agachou-se em direção a um compartimento na parte de baixo e removeu uma placa falsa. Quando voltou a se levantar, estava segurando um elmo. Um elmo de cavaleiro.

Um elmo prateado e reluzente.

— Isso é…

— Eu era, e ainda sou, um dos Guardas Valentes do rei Benedict. — Ele falava cheio de orgulho, segurando o elmo como se fosse a posse mais preciosa do mundo. Do mundo *dele*.

— Como você foi capaz? — A voz dela falhava, Evie olhava para o pai em meio a um borrão de lágrimas não derramadas. — Você fez a Lyssa e eu acreditarmos que estava sofrendo. Jogou todo o fardo financeiro da nossa casa nas minhas costas.

— A gente nunca sofreu por dinheiro. Eu tinha bastante. — O pai dela não demonstrava um pingo de remorso.

— Que você guardou para si mesmo! — Evie sentiu as lágrimas quentes escorrerem pelas bochechas, a dor rasgar o peito enquanto as palavras jorravam. — Por que você faria isso? Por que tentaria me oferecer ao Otto Warsen? Por quê?

— Meu tipo de trabalho para o rei sempre foi secreto, disfarçado. Por isso tive que mentir sobre a minha aposentadoria. Ninguém podia saber que eu era um Guarda Valente. Eu precisava permanecer anônimo no mundo, mas ainda assim poder desaparecer quando fosse necessário. Precisava de alguma coisa que pudesse me confinar por longos períodos de tempo, sem que ninguém desconfiasse. Quando vi um dos nossos vizinhos pegar a doença, acabei me inspirando.

— Você é seboso — disparou Evie.

O pai levantou a cabeça de supetão e a encarou.

— Vê lá como fala.

— Não.

Griffin arregalou os olhos ao perceber a amargura na voz dela e, depois, os semicerrou.

— Você deveria estar implorando o meu perdão. Otto Warsen queria se casar com você, e você o rejeitou.

Evie deu uma risada seca e desprovida de humor.

— Imagino que você nunca tenha pensado em perguntar o que *eu* queria, né?

— Acho que você provou muito bem que não tem condições de tomar esse tipo de decisão sozinha. — O pai abriu um sorriso cheio de desdém. — Assim como sua mãe.

— O que você fez com ela? — Tantas mentiras... mentiras demais. Era como peneirar areia em busca de um grão de verdade.

— Quando o poder dela se manifestou, era para ela trabalhar para o rei. Mas ela estragou tudo por conta própria. — Ele avaliou Evie de cima a baixo. — E agora você se arruinou junto com ela.

— Você está escondendo alguma coisa de mim. — O crepitar do fogo atraiu o olhar dela enquanto Evie observava uma brasa saltar e cair no chão antes de se desmanchar.

O elmo fez um som metálico quando o pai o colocou cuidadosamente em cima da mesa.

— Você deveria ter se casado com o Otto para que eu tivesse uma preocupação a menos. Mais para a frente, vocês não seriam mais minha responsabilidade e eu poderia me aposentar, depois de falar com todo mundo da minha cura milagrosa.

— Não existe cura. — Ela soltou o ar pela boca.

O pai fez uma pausa e sorriu.

— Ainda não.

— E o Vilão? — perguntou Evie, e o nome a fez se lembrar do horror que sentia por todo aquele estrago ter sido culpa dela. O pai era o responsável, mas Evie o tinha levado direto para os aposentos do chefe. — Quando foi que você descobriu que eu estava trabalhando para ele? — Evie tinha sido incrivelmente cuidadosa, ainda mais no início.

— No começo, eu não sabia. Estava trabalhando em uma espécie de projeto para o rei. — Ele se virou e segurou o friso da lareira enquanto as chamas dançantes iluminavam seu rosto. — Mas, quando a Lyssa estava na escola e você estava *lá*, o rei Benedict mandou entregar uma carta que detalhava um incidente observado por alguns dos outros guardas. Um incidente que envolvia uma jovem passeando pela floresta com o Vilão antes de sumirem. Uma garota que eles identificaram como minha filha mais velha.

A decepção do pai era infundada, mas palpável, impossível de ignorar.

— Comecei a reportar tudo ao rei naquele mesmo dia, e você se tornou a chave para a queda do Vilão.

Evie sentiu enjoo.

— Não. — Ela estava se partindo em mil pedaços.

— Sim. — As lembranças dos sorrisos gentis do pai seriam para sempre manchadas pelo sorriso que ele esboçava naquele momento, pelo que significava. — E agora você vai me ajudar a recuperar o casal de guvres para o rei.

— Para que o rei precisa deles? — Evie semicerrou os olhos e reparou que o rosto do pai empalideceu, uma camada de suor se formou na testa.

— Para o bem maior.

Com um sorrisinho determinado, Evie reuniu o que restava da própria força.

— Não quero ser boa. — Aquela última palavra foi pronunciada com uma malevolência que Evie não sabia que tinha. Mas era agradável ouvi-la.

Mais do que isso, era *certo*.

Griffin Sage mancou na direção dela e apertou seus ombros com força, a ponto de doer, de ferir. Só que Evie não saiu do lugar — ficou simplesmente parada ali, encarando um homem em quem já havia confiado, em quem já tinha acreditado. Um homem que Evie sempre achara que acreditasse nela. Ela se perguntou se algum dia se acostumaria com aquela nova realidade. Uma realidade em que o homem que lhe contava histórias sobre um herói de mentira chamado Calêndula do Leste, que conferia se não havia monstros embaixo da cama da filha, jogava seu amor e sua lealdade fora como se fosse lixo.

— Você nem se importa de ter arruinado minha vida. — A voz dele falhou e Evie se deu conta de que o pai estava genuinamente devastado.

— Não, não arruinei — sussurrou Evie, sentindo pena daquele homem destruído. — Se alguém arruinou alguma coisa — disse ela, aproximando-se —, esse alguém foi você.

Ele afrouxou a mão que apertava o ombro dela e o olhar perdeu o foco.

— Eu queria estar errada. — Evie engoliu em seco enquanto ele a soltava e tropeçava na mesa, derrubando algumas coisas no chão. — Mas eu entendi que não estava no momento em que ouvi aquele nome.

O pai dela começou a arfar e a abrir a boca, mas segurava o pescoço. Como se as palavras estivessem presas na garganta.

— Eu não me liguei com a tinta, nem com o convite para visitar o curandeiro primordial deixado lá no meu quarto, nem com o caderno que você me deu na minha primeira semana. — A voz de Evie falhou e ela se virou para enxugar os olhos. — Mas, assim que ouvi o nome de uma história que você inventou como um dos clientes da Clare, percebi que era você.

Então, o pai desabou e encarou o teto com os olhos vidrados em choque. Ela se ajoelhou ao lado dele e segurou sua mão mole.

— Sabe o remédio para dor que eu te dei mais cedo, o que a Tatianna fez? Não tinha um gosto diferente por ser uma nova versão. O gosto era diferente porque era um sedativo de ação lenta. — A voz de Evie soava doce feito mel, pingando de forma nauseante.

O pai dela só teve forças para murmurar uma palavra.

— Você.

— Sim, eu sabia. Eu já sabia antes mesmo de passar por aquela porta. — Ela balançou a cabeça. — Esperava estar errada.

Evie tremeu quando o pai estendeu a mão sem forças para ela.

— Mas eu não estava, papai. — Ela enxugou a lágrima indesejada da própria bochecha enquanto o rosto permanecia impassível. — Não existe espaço no meu mundo para uma pessoa que me machucou do jeito que você machucou. Você não merece pisar no mesmo chão que eu ou respirar o mesmo ar. Você não tem o direito de seguir em frente e ser redimido. Sua história acabou. O que quer que aconteça com você agora não é mais da minha conta.

Ela parecia mais forte do que de fato se sentia ao ver o pai abrir a boca pela última vez.

— Ele é... um... monstro — disse, quase sem voz.

Ela sabia de quem ele estava falando.

Evie soltou a mão de Griffin e tocou o rosto dele.

— Todos nós somos monstros, no fim das contas. Pelo menos o meu vive às claras.

E, então, o pai de Evie, o traidor, fechou os olhos.

CAPÍTULO 55
Vilão

Trystan estava completamente encharcado.

Ele cavalgava furiosamente pela floresta, pulando riachos e pedras, e mal conseguia ver alguma coisa debaixo da chuva torrencial. A bifurcação familiar na estrada apareceu e ele ficou aliviado ao ver a casinha iluminada, a luz que vazava suavemente de cada canto. Nada de ruim poderia acontecer em um lar que parecia tão acolhedor.

Pelo amor dos deuses, será que ele vai matá-la?

Ele não faria aquilo; não poderia. Mas o homem literalmente tinha plantado uma bomba, sabendo que poderia facilmente atingir a filha. Com aquele pensamento cravado na mente, o Vilão saltou do cavalo, abrigou-o rapidamente debaixo do pavilhão no fim da trilha e depois abriu a porta da frente com um chute.

— Evie! — chamou, percebendo que, se ainda restasse algum segredo naquela casa, Trystan estaria prestes a desvendá-lo em detalhes sinistros. Mas não houve resposta, apenas um choro baixinho vindo do corredor. Ele correu naquela direção e parou bruscamente quando viu quem estava ali.

Lyssa Sage era pequena e tinha cabelos bagunçados que apontavam para todos os lados. Trystan tinha certeza de que não havia ninguém no mundo com quem tivesse menos coisas em comum, mas ela o olhou como se confiasse nele ao lamentar:

— Sr. Maverine, acho que meu papai está machucando minha irmã.

Ele se ajoelhou rapidamente e se inclinou para trás para não a assustar. O movimento lhe pareceu estranho, já que muitas vezes aquele era justamente seu objetivo, ainda mais ao tentar obter respostas.

— Cadê eles, Lyssa? — perguntou o Vilão, afastando o cabelo molhado do próprio rosto.

— No escritório dele. — Ela apontou para uma porta à direita, fechada e silenciosa. — Eu ouvi uns gritos, e aí a Evie começou a chorar, e parecia que alguém tinha caído.

Trystan limpou a garganta, tentando não deixar o pânico transparecer.

— Tenho certeza de que foi só um desentendimento. — Então, virou-se para Tatianna, que se arrastava atrás dele e sacudia a chuva da capa e das tranças.

— Leve Lady Lyssa para a mansão — disse ele, estendendo a mão para a garotinha, que a aceitou prontamente. As mulheres da família Sage pareciam ter coragem de sobra.

— Mas e... — Tatianna poderia ter dito uma centena de coisas diferentes. E a Evie? E o sequestro? E o fato de levar uma criança a um lugar que lida com roubo, assassinato e tortura? Sem falar de criaturas letais e companhias lascivas... com cabeças decepadas logo na entrada.

— Leve-a pela entrada dos fundos. Certifique-se de que ela esteja protegida da chuva — disse ele.

Tatianna envolveu a capa impermeável em Lyssa, que instintivamente se aconchegou ao lado dela.

— Sou amiga da sua irmã. Você vai ficar com a gente por um tempinho — disse Tatianna gentilmente, levando-a para fora em meio aos relâmpagos e à chuva.

— A Evie não trabalha como criada lá, né? — Por incrível que parecesse, a voz da criança fez Trystan esboçar um sorrisinho, como a irmã dela fazia tantas vezes. Mas o sorriso durou só um segundo antes que ele se lembrasse da missão que tinha a cumprir e chegar mais perto da porta do escritório.

Ele encostou o ouvido ali, mas não havia nenhum ruído. O silêncio fez seu coração bater mais forte.

Trystan pôs a mão na maçaneta e a girou lentamente, abrindo-a com um rangido. Quando pôde avaliar a cena completa, ele parou, boquiaberto.

Evie estava ali, e viva. Ele soltou um profundo suspiro de alívio antes de assimilar os demais detalhes. O corpo de um homem, que Trystan presumiu ser o do pai dela, jazia inerte no chão.

Os olhos de Evie encontraram os dele, vermelhos por causa das lágrimas. As mãos dela tremiam.

— Eu descobri.

Ele relaxou o corpo inteiro de tanto alívio.

Evie respirou fundo.

— Ele não está morto. Mas eu dei a ele um sedativo, então deve ficar desacordado por… sei lá, quanto tempo dura um sedativo? Talvez eu o tenha matado. — Ela soava robótica, como se estivesse justificando tudo para si mesma, mais do que para ele.

Trystan começou a caminhar na direção dela, mas ela se levantou e foi até ele, estendendo a mão antes que ele pudesse falar. Após respirar fundo, Sage disse rapidamente:

— Eu sei que ele era o traidor. Quer dizer, eu não sabia antes de hoje à noite…

— Eu sei que você não sabia — interrompeu Trystan.

— Shhhh — ela o repreendeu.

Ele obedeceu, sentindo as costas se endireitarem sob o olhar atento dela.

— Eu não sabia antes, descobri mais cedo quando saí. E sabia que você ia querer detê-lo, torturá-lo por informações. Mas também sabia que você ficaria dividido por ele ser meu pai.

Bom, *aquilo* ele precisava rebater, sério.

— Sage, longe de mim querer estourar qualquer tipo de bolha de ambiguidade moral em que você me pôs. Mas esse homem sabotou remessas e a minha vingança, sem falar que é por causa dele que muitos dos meus guardas morreram. Eu não teria problema em machucar esse tipo de sujeito.

— Mas você não teria feito isso, não. — Ela parecia tão certa que ele começou a duvidar de si mesmo. — Você teria me dado a escolha.

E ele sabia que ela estava certa. Teria sido uma agonia não o capturar, não o matar, mas ele teria deixado a decisão nas mãos dela. Aquela traição não pertencia mais somente a Trystan — era um peso compartilhado que os unia, e ele acataria os desejos dela. Pois o que ela queria importava para Trystan.

— Não haveria muitas opções — resmungou ele.

Os lábios dela se curvaram para cima; não era exatamente um sorriso, mas aquele brilho no olhar de Sage ainda estava ali.

Graças a tudo que existe.

— Eu não tinha certeza de quanto tempo o sedativo levaria para fazer efeito, então acho que dei sorte.

Sage suspirou, seguiu em direção à porta aberta do escritório e foi até a cozinha. Depois, tirou a rolha de uma garrafa de vinho e tomou um gole demorado, e mais um, e mais um.

— O que você faz depois de sedar o pai, que por acaso também te traiu de todas as formas possíveis? Qual é o protocolo? — Sage franziu o nariz de um jeito adorável, e ele odiou o fato de achar qualquer coisa adorável. Ainda mais quando Sage parecia tão distante de si mesma.

— Não sei. Nunca tive o prazer — disse ele em tom seco. — Acho que você vai ter que improvisar nessa.

Trystan a observou segurar as laterais da cabeça e cumprimentar dois dos seus melhores guardas, que entraram totalmente uniformizados pela porta da frente ainda aberta. Ele fez um gesto em direção ao escritório.

— Tirem o sr. Sage pela janela, se puderem. Ela não deveria ter que vê-lo novamente. E levem-no para as celas. Uma limpa, por gentileza.

— Não precisa ser limpa — avisou Sage, dando mais um gole generoso. — Eu me senti suja por semanas depois que o sr. Warsen me atacou. Às vezes ainda me sinto. — Ela desviou os olhos para algum lugar distante, e aquilo o assustou.

— Sr. Warsen? — Ele inclinou a cabeça em direção à garrafa, curioso para saber o teor alcoólico.

— Meu pai me "ofereceu" a ele. — Ela começou a rir e, conforme absorvia as palavras, ele percebeu lentamente o que significavam.

Trystan falou com cuidado:

— Você está dizendo que foi por causa do seu pai que o sr. Warsen te machucou?

A história saiu dos lábios dela em ondas lentas. Ela falou como Otto Warsen deixara bem claro que a desejava e ela deixara bem claro que não queria nada com ele. Falou que ele se jogara em cima dela mesmo assim e, na tentativa de fugir, ele rasgara a manga dela, depois enfiara a adaga em suas costas. Ela relembrou o momento em que havia roubado uma capa de um varal para se cobrir quando foi para casa.

Evie fungou e contou que tinha subido as escadas sem fazer barulho para lavar o sangue.

Enquanto Sage falava, Trystan ouvia e mantinha a própria fúria sob controle, já que não queria assustá-la. Aquilo não dizia respeito a ele.

Quando finalmente olhou para ele, os lindos olhos de Sage estavam vidrados de dor e de ceticismo.

— Ele não conseguiu fazer o que planejava, já que eu consegui escapar. Mas ainda sinto breves momentos de medo.

Ela mencionou os papéis e o tinteiro que o pai usara para enganá-la, as cartas do rei que mostravam como ele manipulara Griffin e ela como peões e o desespero que ele sentia. Trystan assentiu enquanto ouvia, absorvendo as informações com uma gentileza tranquila da qual ele mal sabia que era capaz.

— E agora eu o prendi. Meu próprio pai. — Ela voltou para a cozinha com passos firmes e um olhar maníaco nos olhos enquanto tomava mais um gole demorado de vinho. — Isso quer dizer que eu sou má agora?

Trystan balançou a cabeça, incapaz de acompanhá-la, mas Sage continuou:

— Ah, meus deuses… Meu pai é um monstro e minha mãe me abandonou. Claro que eu sou má agora! Essa é, tipo, a história de origem de todo vilão, né?

Ele balançou a cabeça, querendo apenas tranquilizá-la.

— Você não é má, Sage — disse ele categoricamente. — Você fez uma escolha difícil.

Mais um gole.

— Hm… — ele a interrompeu. — Talvez seja melhor eu pegar isso…

— Quer um pouco? — Parte da tristeza estava sumindo do rosto dela, e os olhos pareciam até mais brilhantes… mas mesmo assim ele provavelmente deveria tentar…

— Evie! — disse ele, perplexo, pois ela parecia ter tomado metade da garrafa.

Ela parou, congelada de choque ou descrença, ao ouvir o seu nome.

— Sage. — Desconfortável, Trystan limpou a garganta e afrouxou a gola, tentando trazer mais ar para o próprio corpo. — Entendo que a situação tem sido… estressante.

Ela o olhou como se ele tivesse três cabeças, e quem poderia culpá-la? Ele tinha acabado de se referir ao fato de ela ter nocauteado o próprio pai e de ele tê-la traído como um dia pesado de trabalho, ou talvez como Trystan se sentia depois de um corte de cabelo ruim.

— Mais do que estressante — ele logo emendou. — O que você está passando deve ser devastador e confuso e… — Caramba, ele era péssimo em consolar as pessoas e Evie sabia disso, também notava aquela fraqueza fundamental nele.

Mas ela sorriu e, por isso, Trystan pensou: *Não posso ser tão ruim assim, então.*

Mas, em seguida, o sorriso desapareceu e um olhar de acusação tomou conta do rosto de Evie.

— Eu perguntei a ele, mas ele não quis me contar. Você sabe?

— Sei o quê? — perguntou o Vilão, sentindo naquele instante que lhe daria qualquer coisa e confessaria qualquer coisa só para ver aquele sorriso de volta no rosto dela.

— O que o rei quer com o casal de guvres?

Merda.

CAPÍTULO 56
Evie

Os dois se sentaram no sofá desgastado e Evie ficou mexendo nervosamente as próprias mãos, apertando e soltando, apertando e soltando.

O silêncio pairava no ar, o único ruído eram os rangidos dos velhos alicerces da casa.

Ela não sabia ao certo por que o coração estava tão acelerado, mas sentia que algo grande estava prestes a acontecer.

O chefe parecia estar sofrendo, o semblante tenso fazia o peito de Evie doer. Ele cruzou os braços, depois os descruzou e finalmente os apoiou na coxa. Ela não se importaria de colocar as mãos ali também.

Concentre-se, sua paspalhona.

Mas, em vez de falar, ele congelou, virando-se rapidamente e pegando algo por cima do ombro de Evie. Ela arfou diante da proximidade, do calor e do perfume dele, mas o corpo logo se afastou e voltou para onde estava no sofá com algo na mão.

— Reinaldo? — Ela não fazia ideia de que o sapo também tinha vindo.

A única resposta do animal foi coaxar enquanto olhava para os dois com uma expressão neutra.

— Um passageirozinho clandestino — rosnou o Vilão. — Ele deve ter entrado de fininho em meu alforje quando eu não estava prestando atenção. Você poderia ter morrido, seu tolo.

Evie se inclinou e ajustou a coroa, que, por algum milagre, nunca parecia sair da cabeça do sapo.

— Ele estava preocupado com a gente, esse queridinho. — Ela mimou Reinaldo e o olho do chefe tremeu.

O Vilão pôs o sapo na mesinha antes de dizer:

— Fique aí, pelo menos *uma vez*.

Aparentemente, Reinaldo não estava com as placas, pois se limitou a assentir. O chefe voltou-se para ela com uma expressão de temor ao começar a falar.

— Descobri a existência dos guvres quando virei estagiário do rei Benedict, há quase dez anos.

Evie ficou sem palavras. Literalmente não conseguia pensar em nada para dizer, algo que não acontecia com ela desde... Bom, aquilo nunca tinha acontecido com ela. Trystan a olhou, mas ela manteve o olhar fixo à frente.

Será que deveria ficar brava por ele não ter contado aquilo antes? Ela não se sentia brava, mas já tinha passado por muita coisa naquele dia, então talvez o cérebro tivesse desligado suas emoções como forma de autodefesa.

Não parecia algo que ele tivesse escondido dela de propósito, mas estava bem claro que era um assunto doloroso para o chefe. Só de falar aquela primeira frase, já parecia que ele tinha acabado de arrancar espinhos de metal da boca.

— Se não quiser... — Evie começou a dizer. Não queria que ele compartilhasse aquilo caso estivesse se sentindo obrigado. Mas ele levantou a mão para detê-la.

— Eu só... Nunca falei disso em voz alta desde que aconteceu, mas para você eu falaria.

— Tá bom — disse Evie gentilmente, e então pôs a mão no ombro dele com cuidado. — Mas só me conta se quiser. Eu não quero que sinta que estou em cima de você com uma faca no seu pescoço. — A intenção era ser solidária, mas, assim que as palavras saíram, Evie notou, tarde demais, como tinham soado explícitas.

Ele franziu as sobrancelhas escuras e contraiu os lábios.

— O que eu quis dizer foi que... Eu quis dizer que não ia te obrigar... Quer saber de uma coisa? — Evie fingiu trancar o canto da boca com uma chave imaginária, abriu a mão do chefe e depositou a chave ali.

A mão dele quase se fechou ao redor dos dedos dela e os olhos se encontraram, mas eles logo voltaram às posições originais no sofá.

— Conheci o rei Benedict quando tinha dezenove anos. — O chefe contraiu a mandíbula e pressionou os dedos no sofá. — Eu tinha considerado ir para a universidade perto da cidade, e em uma das minhas visitas chamei a atenção de um especialista em magia. Minha magia ainda não tinha despertado, mas ele sentiu alguma coisa em mim.

Evie queria perguntar como um especialista em magia podia sentir uma magia que ainda não havia despertado, mas fechou o bico, pois sabia que precisava deixá-lo terminar.

Mas ele olhou para ela e sentiu a dúvida nos olhos de Evie de qualquer maneira.

— Minha magia é muito distinta, o que a torna mais detectável. O especialista, então, me encaminhou para alguém que ele achava que seria capaz de "estimular" minhas habilidades ao máximo.

Mais um momento de silêncio se seguiu e Evie notou que ele estava se preparando para lhe contar a pior parte, a razão pela qual arrastava homens pelo escritório pelo cabelo, a razão pela qual ela era recebida por cabeças decepadas com tanta frequência a caminho do trabalho, a razão pela qual ele parecia desconfortável com qualquer sinal de afeto.

A razão pela qual o chefe tinha se transformado no Vilão.

— No dia seguinte, o rei me encontrou.

Ela não conseguia enxergar o poder dele, mas dava para sentir a atmosfera da sala mudar enquanto ele pulsava debaixo da pele do chefe.

— Ele me ofereceu um emprego na casa de veraneio, como seu aprendiz pessoal. — Ao dizer aquilo, Trystan suspirou, fechou os olhos mais uma vez e coçou a barba por fazer ao redor da mandíbula. — Eu aceitei na mesma hora, rápido demais. Mas o rei sabia exatamente o que dizer... as palavras dele eram como teias e, quando percebi que estava preso, era tarde demais. Ele me disse que eu tinha potencial, que eu era capaz de grandes feitos.

Havia um brilho nos olhos escuros de Trystan enquanto ele encarava o crepitar da lareira.

— Ninguém nunca tinha me falado isso antes. — Ele deu uma risada. — E ninguém disse desde então.

Imaginar um Trystan novinho e vulnerável, em busca de migalhas de elogios porque não estava acostumado com aquilo, enfureceu Evie.

— As primeiras semanas foram… incríveis. Meus pais relutaram em me deixar ir, só que eu não me deixei desanimar. Eu tinha ficado obcecado em agradar o rei, em fazê-lo feliz. Fazia tudo o que ele me pedia. *Tudo.*

Evie se viu impactada pelas palavras dele, pois conhecia muito bem aquele sentimento. O desespero para fazer os outros felizes, para sentir que havia conquistado seu lugar no mundo pelos padrões de outra pessoa.

Eles se olharam e Evie percebeu o conforto que encontrava em cada canto do rosto dele. As rugas na lateral dos olhos; as raras vezes em que sorria; a boca sutilmente expressiva e que chamava a atenção dela muito mais vezes do que deveria.

E, enquanto absorvia as informações que ele lhe contava, ela se deu conta do que o chefe quis dizer com "tudo".

— O guvre?

Ele fez que sim, agitando o cabelo finalmente seco depois da chuva, que formava cachos na testa. Com um suspiro, disse:

— Eu o ajudei a capturar o guvre. Havia teorias de que o veneno de um guvre bebê agia como uma espécie de cura para tudo. Ele vivia me dizendo que os fins justificavam os meios. Eu não sabia o que ele queria dizer com isso na época, e nunca tive a oportunidade de descobrir.

Evie se levantou e as saias se enroscaram nos tornozelos enquanto se afastava do sofá.

— Por quê? O que aconteceu depois?

O Vilão ficou imóvel por um momento antes de dizer:

— Você se importaria de sentar… para a próxima parte? — Ele permaneceu rígido, mas havia uma vulnerabilidade ali que deixou Evie em silêncio. Ela voltou e se sentou devagar ao lado dele, e o chefe expirou profundamente. — O rei me colocou para trabalhar com um especialista em magia no mês em que estive com ele, e a cada sessão o especialista ia ficando cada vez mais acanhado. Fiz de tudo para que ele se sentisse confortável em minha presença, mas algo o estava perturbando e, depois de outra sessão estranha, finalmente minha paciência chegou ao limite.

Evie cerrou as mãos.

— O que aconteceu?

— Eu perguntei ao rei… exigi saber, para dizer a verdade… por que todos os criados da casa de veraneio pareciam se encolher na minha presença, por que os Guardas Valentes davam meia-volta quando me viam no corredor. O que eu tinha feito de errado.

— E? — insistiu ela.

— Ele me disse que minha magia era perigosa. — Então, ele se levantou, dando um susto em Evie, e foi até a lareira para mexer na lenha com o atiçador. — Eu tinha passado semanas e mais semanas com o homem; ele tinha enchido tanto a minha bola que eu me sentia intocável. Quando ele me contou que o que estava dormente dentro de mim poderia machucar as pessoas, fiquei arrasado.

— Mas a sua magia ainda não tinha despertado… por que o rei Benedict faria aquilo? — perguntou Evie, começando a desvendar a história.

— Ele disse que me levou até lá para ver se o problema poderia ser controlado antes que fosse tarde demais. Só que, depois de me observar com atenção, não havia esperança. O rei me disse que, se me deixasse ir, eu seria um perigo para mim mesmo e para todos que eu amava.

Não. Evie se sentiu devastada por aquele rapaz que só queria pertencer a algum lugar.

— Ele me disse que a prioridade dele tinha que ser o resto do reino e que não era pessoal. Era para o meu próprio bem.

— O que era? — perguntou Evie cuidadosamente.

— Os Guardas Valentes me detendo naquele momento. — O Vilão se dirigiu para Evie com a voz firme. — Eu implorei ao rei, disse a ele que tentaria ser melhor, mas ele não escutou. Eles me levaram para as celas lá embaixo e me trancaram no escuro. Não havia nenhuma janela, não havia nenhuma tocha. Eu estava preso com a escuridão e a escuridão estava presa comigo.

Evie segurava o vestido com força.

— Quanto tempo... Por quanto tempo eles prenderam você lá?

— Um mês.

Um mês. Um mês de escuridão sem esperança de acabar, sem saída.

— Eles levaram um mês para te soltar?

— Eles não me soltaram. — O Vilão esboçou um meio sorriso. — Eu me libertei.

CAPÍTULO 57
Vilão

Sage estava com um semblante inusitado. Não era pena, nem horror, mas, o que quer que fosse, o fazia se sentir bem, o que era inacreditável, considerando-se que ele estava revivendo seu pior pesadelo. Trystan voltou na direção dela e retomou seu lugar no sofá.

— Você fugiu? — disse ela, incrédula. Então, balançou a cabeça de um lado para o outro, e os fios sedosos de seu cabelo roçaram o braço dele, causando-lhe arrepios.

— O rei não imaginava que, ao tentar proteger o público, acabaria me jogando contra eles. — Então, ele abriu um sorriso genuíno, e Sage o acompanhou. — Um dia, os guardas ficaram especialmente cansados de mim. Eu tinha passado um tempo vergonhoso implorando para ser solto, e acho que eles ficaram de saco cheio.

— O que eles fizeram com você? — perguntou ela, hesitante, como se não quisesse pedir mais do que ele estava disposto a oferecer. Sage não entendia que tudo o que Trystan tinha já era dela.

Ele lambeu os lábios secos e continuou:

— Eles tinham um jeito de enxergar em meio à escuridão da cela. Eu nunca sabia quando seria a próxima surra. Só sentia os socos no meu corpo, a dor.

Sage respirou fundo, com uma expressão aberta e sincera no rosto. Não se mexeu nenhum centímetro, mas, mesmo assim, ele sentia sua presença física como um calor profundo.

— Espero que você os tenha feito sofrer.

Havia uma disposição perversa que se mesclava com a bondade no coração dela, e aquilo era absurdamente inebriante.

Trystan sentiu os olhos se arregalarem com o sorriso torto que se formou nos lábios dela, exalando uma malevolência encantadora. Pelo amor dos deuses, ela o mataria.

— Minha magia despertou naquele momento. Eu a senti pulsar debaixo da minha pele, e ela iluminou o espaço inteiro, me curou. Dava para ver a porta da cela, a luz vinda dos guardas. E eu os massacrei.

Ela mordeu o lábio e entrelaçou as mãos.

— Ótimo.

— Eu escapei por um túnel que me levou ao primeiro raio de luz que eu via em semanas: o nascer do sol — disse Trystan num tom sombrio. — Então, naquele momento jurei que, se o rei me considerava um vilão... era exatamente isso que eu viraria.

Ele se lembrou de ficar encarando as cores da luz enquanto o sol nascia acima da colina, como se estivesse iluminando seu propósito diante dos seus próprios olhos.

— É um papel que você desempenha muito bem — comentou Sage com uma mistura de gentileza e tristeza. — Mas por que o rei Benedict esperaria tanto tempo para te eliminar, se de fato acreditava que você era tão perigoso?

— Quem disse que ele não tentou?

De repente, tudo fez sentido para Evie.

— Ah, meus… Os homens no calabouço. Aqueles que você tortura. Devem ser mais de trinta, pelo menos.

— Todos eles enviados por nosso benevolente rei para me capturar ou acabar com minha vida. Não consigo entender por que ele se deu ao trabalho de me atacar por meio do seu pai — disse Trystan, e percebeu tarde demais como o comentário tinha sido insensível.

Porque, ao falar do homem, o rosto antes calmo de Evie ficou branco feito cera e os olhos escureceram.

— Sim, *por que* ele faria isso? — Logo em seguida, Sage se levantou, voltou à cozinha e tomou mais um grande gole de vinho. Ele a seguiu, sem forças.

— Sage, eu sinto muito. Eu não deveria ter mencionado…

Ela se curvou, como se estivesse respirando com dificuldade.

— Ah, meus deuses — disse, com a voz embargada. — Você está tentando me contar do seu trauma e eu estou hiperventilando como uma egoísta. — Ela levantou a mão e manteve a cabeça baixa. — Me dá só um segundinho. Já volto.

— Já faz muito tempo, Sage. Eu acredito que você tenha o direito de ficar chateada pela traição do seu pai, que aconteceu há literalmente uma hora.

— Tem coisa demais acontecendo. Meu cérebro não consegue processar. — Ela grunhiu, jogando a cabeça para trás. O cabelo estava bagunçado e arrepiado como se ela tivesse acabado de…

Ele *não* ia concluir aquele raciocínio.

— O que eu posso fazer? — perguntou com sinceridade.

Sage assentiu para si mesma, passou a mão pelos cabelos escuros e os jogou por cima do ombro.

— Acho... acho que preciso de um abraço... por favor.

Foi o "por favor" baixinho no final, mais leve do que as outras palavras, que destruiu de vez qualquer resquício que pudesse ter sobrado dele.

— Sage, não sou bom com abraços. Aquela vez na floresta, você me pegou de surpresa... não posso transformar "abraços" em um hábito regular.

— Mas você abraçou tão bem antes... — O furacãozinho contraiu os olhos de confusão, e ele tentou resistir àquela sensação gratificante: Sage tinha gostado tanto do abraço que achou que outro seria bem-vindo.

— Tudo bem, tudo bem. Um abraço. — Ele arqueou a sobrancelha quando viu que não havia outra solução possível. Então, alisou a frente da capa ainda úmida. — Assim?

Trystan se aproximou de Sage, que arregalou os olhos impetuosos. Em seguida, ela deu um passo na direção dele, e parecia começar a ter dúvidas de como proceder também — o que ele sabia que não era verdade; já tinha visto Sage distribuir abraços para todo mundo no escritório como se fossem saudações. Ele nunca tinha desejado receber um daqueles abraços, mas... Ok, Trystan era um mentiroso.

Não havia mais distância entre eles e, se um dos dois não se mexesse logo, Trystan tinha certeza de que toda a autodisciplina que havia reunido ao longo dos anos evaporaria e ele faria algo verdadeiramente imperdoável.

Era ao mesmo tempo espantosamente horrível e devastadoramente maravilhoso que uma mulher tão delicada tivesse desfeito anos de pilares de proteção construídos ao redor dele. Que ele derrubaria qualquer muro que o separasse dela.

O furação dele, de Trystan... Ele respirou fundo quando ela ergueu os braços e envolveu seu pescoço, esticando-se um pouco por causa da diferença de altura. Ele sempre tinha achado que ser alto e grande era uma vantagem, mas nunca tinha pensado na distância que o separaria do abraço dela.

Ele percebeu que os dedos de Sage roçavam seu cabelo e se inclinou na direção do toque, sentindo-se um gato carente ansiando por carinho. Mas o pior ainda estava por vir. Porque, ao sentir o corpo dela pressionando o dele, concluiu que finalmente tinha entendido o que era uma tortura de verdade. Não do tipo que ele infligia aos homens nas câmaras, mas uma tortura real, que atinge o âmago de uma pessoa e abala todas as estruturas. Ele nunca tinha sentido nada tão intensamente como sentia cada curva dela se aninhando no seu corpo, que respondia na mesma hora.

Por mais sombria e quebrada que a alma dele provavelmente estivesse, Trystan nunca se sentira carente de algo. Não até aquele momento.

O corpo e o poder de Trystan se acalmavam na presença dela. O poder ainda estava ali, ainda era letal, mas a acolhia. Na verdade, ele tinha certeza de que se agitaria e se inflamaria quando, inevitavelmente, os dois se separassem. Pensar naquilo lhe deu a coragem de levantar os braços e envolvê-la cuidadosamente pela cintura.

Ele apoiou o queixo no ombro dela e se permitiu acomodar-se completamente no abraço. Seu corpo soltou um suspiro tão profundo e satisfeito que foi quase um grunhido. Era como se estivesse esperando por ela e, agora que estava ali, viveria apenas metade do que era antes, esperando eternamente se sentir completo outra vez.

Merda.

Bom, agora ele sabia como os guvres se sentiam.

— Você é bom de abraçar. — Evie falou com o rosto colado no pescoço dele, o que lhe causou um arrepio nas costas.

Trystan sentiu uma umidade roçando a pele e percebeu que ela estava chorando, então a abraçou com mais força e pensou que, se alguém ousasse se aproximar dela naquele momento, nada e ninguém poderia impedi-lo de partir a pessoa ao meio.

— Admito que estou meio enferrujado, mas é bom ouvir isso. — A voz de Trystan soava normal? Não queria assustá-la com o desejo que pulsava nas veias dele. Não havia necessidade de atormentá-la com aquela falta de autocontrole.

— Então quer dizer que você não abraça os estagiários depois do Dia da Debandada? — Será que Sage percebia o efeito que seus dedos causavam ao brincar com as mechas de cabelo da nuca dele? Não, não era possível, senão ela se afastaria dele e lhe daria um tapa. Trystan estava a ponto de se dar um tapa também.

— Reduzi para uma vez ao mês.

— Os abraços? — Ela sorriu, ainda colada nele; não dava para ver, mas ele sabia.

— O Dia da Debandada — retrucou ele.

Sage riu baixinho e ele não pôde deixar de afundar ainda mais a cabeça no pescoço dela e apertar os olhos como se fosse quase doloroso — o que, de certa forma, era. Mas, por enquanto, ele curtiria o momento e tentaria guardar aquela lembrança no coração até o dia de sua morte horrível e inevitável, que não o incomodaria, porque Trystan tinha tido a chance de abraçá-la.

— Podemos continuar assim mais um pouquinho? — pediu Evie, quase roçando os lábios no pescoço de Trystan de novo.

Para sempre, pensou ele. Mas, em vez disso, tossiu desconfortavelmente e disse:

— Se é isso que você quer... Com certeza consigo aguentar mais um pouco.

Reinaldo surgiu atrás de Sage, minúsculo diante da porta, mas o leve balançar da cabeça coroada mais parecia um grito direcionado a Trystan.

Conforme se afastavam lentamente, Trystan se viu sem fôlego por estar com o rosto tão próximo ao dela. Evie parecia sentir o mesmo, a julgar pela maneira como arregalou os olhos claros. Mas ela não se afastou, e ele também não. Apesar da noite angustiante que Sage tivera, ela ainda estava dolorosamente linda e exalava o aroma de bala de baunilha.

Ele inspirou profundamente quando o rosto dela chegou mais perto, como se não pudesse evitar, como se houvesse uma atração entre os dois. Ele inclinou a cabeça para baixo e segurou a parte de trás do vestido dela, incentivando-a suavemente a se aproximar. Os lábios estavam tão próximos que quase dava para saboreá-la.

Um estrondo os separou e os deixou sem fôlego enquanto olhavam na direção do barulho. Era Reinaldo, que tinha esbarrado na mesa da cozinha e derrubado um prato.

Eu vou matar aquele sapo.

Mas a raiva foi logo substituída por gratidão, porque, caso ele beijasse Sage de novo, não haveria volta.

Ele a olhou sem graça e ela retribuiu o mesmo tipo de olhar antes de murmurar:

— Eu vou... pegar algumas coisas minhas e de Lyssa. — Em seguida, deu meia-volta às pressas e começou a subir a escada, deixando Trystan e Reinaldo sozinhos.

O Vilão encarou o sapo por uma nova perspectiva e, pela primeira vez em dez anos, ele se sentiu aliviado por Reinaldo ter continuado sendo um sapo... e não o príncipe nobre e gentil que um dia já tinha sido. Porque, se Reinaldo *voltasse* a ser príncipe, o Vilão sabia que as suas próprias inadequações seriam gritantes diante do cavalheirismo benevolente do amigo.

Trystan só queria aproveitar aquele momento com Evie, onde poderia fingir que era bom, que era dela. Ainda dava para sentir o calor dela à sua volta e ele saboreou a lembrança daquela sensação, sabendo que só lhe seria permitido ter aquilo. Porque mulheres como Evie Sage não acabariam junto com o Vilão.

Ela o despertou dos devaneios e apareceu com duas bolsas grandes.

— Pronto para ir? — perguntou ela, hesitante.

— Pronto — disse ele com um sorriso discreto. Sage seguiu em direção à porta primeiro e pegou Reinaldo no meio do caminho. E o Vilão a seguiu, deixando a lembrança para trás.

No lugar em que deveria ficar.

CAPITULO 58
Evie

Meia hora mais tarde, Evie estava descendo do cavalo e o Vilão segurava os quadris dela enquanto a ajudava a pousar no chão. Já tinha sido difícil passar o trajeto inteiro grudada nele, mas agora estava cara a cara com ele enquanto deslizava pelo corpo do chefe.

Evie deveria tê-lo beijado. Queria tê-lo beijado. No minuto em que o tocara, tivera a sensação de que uma chama lenta se acendia debaixo da pele dela, dificultando a respiração, o raciocínio.

Eles tinham se abraçado pelo que parecia uma eternidade, mas ainda assim não tinha sido tempo suficiente.

Ela teve o cuidado de levar todos os brinquedos favoritos da irmã, os papéis de colorir e até um dos travesseiros da cama dela. Talvez aquilo amenizasse um pouco o impacto quando Evie contasse a verdade, toda a verdade, a Lyssa. Algo que Evie nunca tinha recebido.

Mas ela não tinha nenhum arrependimento. Talvez aquilo fizesse dela um monstro, mas Evie estava aprendendo bem depressa que um monstro era feito de muito mais do que um ato monstruoso. Ela não fazia mais ideia de quais eram seus limites, moralmente falando, mas se protegeria de qualquer maneira.

O pai dela acreditava que estava cumprindo seu dever e aquilo não fazia dele um monstro. Mas os meios pelos quais ele fazia aquilo, a forma como a sacrificara em benefício próprio… Evie balançou a cabeça, feliz por saber que Lyssa jamais seria submetida àquela crueldade.

Evie seguiu Trystan a caminho da mansão e tentou ignorar o impulso absurdo de segurar a mão dele, como se ali fosse o lugar da dela.

Eles já estavam quase dentro quando ela sentiu o peso da adaga na bolsa e:

— Ah, não — disse Evie, revirando a bolsa.

— O que houve? — Trystan virou-se para ela. Ainda era cedo para ver os primeiros raios da manhã, mas a noite não estava tão escura naquele momento; o céu parecia mais claro. Mas Evie teria tempo de sobra mais tarde para entrar em pânico com o fato de que o veria a qualquer hora da noite, *todas* as noites, agora que moraria ali.

O verdadeiro horror estava apenas começando.

— Meu caderno. Deixei no escritório do meu pai.

— Eu compro outro para você e, antes que você recuse, considere parte do seu orçamento para suprimentos. — Ele estava sendo gentil.

— Preciso daquele. Tem coisas importantes lá. — Ela sorriu para si mesma, lembrando-se dos corações que tinha desenhado. — Coisas sentimentais.

— Tudo bem. Vamos voltar para pegar esse seu caderno *sentimental*. — Ele balançou a cabeça e arqueou a sobrancelha. — Marv, leve isso para a ala oeste da mansão. — Ele entregou as malas ao guarda e virou-se para tirar Reinaldo da bolsinha de montaria. — E garanta que ele fique no meu escritório. — Reinaldo coaxou indignado, mas foi voluntariamente com o guarda.

— Nós vamos ficar na ala oeste? — O queixo de Evie quase caiu. — O lado em que você mora?

Ele já estava seguindo em direção aos portões abertos, sem o cavalo.

— Vamos a pé?

Trystan avançou rumo a fileira de árvores coloridas a passos largos e Evie o seguiu bem depressa.

— Não, não, espera. Eu vou poder ver onde você mora. Meus deuses. O que você faz no tempo livre? Você tem algum hobby?

— Furacãozinho — resmungou ele, antes de ajustar a voz ao volume de sempre. — Não me faça me arrepender disso, Sage.

— Podemos jogar jogos de tabuleiro? A Lyssa adora jogos de tabuleiro. — Ela assentiu ao lado dele, com cara de quem sabia das coisas. — Talvez um chá da tarde. A Lyssa também adora chá da tarde.

— Por que alguém só tomaria chá à tarde? Por que não a qualquer hora do dia? Qual é a graça disso? — A confusão do chefe fez Evie cair na gargalhada.

— Desculpa. Não é engraçado. — Ela riu pelo nariz e a boca dele se abriu em espanto, o que resultou na aparição graciosa da covinha.

— Pelo que entendi, assim que eu descobrir o que é um chá da tarde, vou achar minha ignorância muito divertida.

Evie franziu o nariz e lhe deu um último sorriso antes de sair dançando à frente dele.

— Na verdade, acho que se cortarmos caminho pelo riacho logo ali, vamos economizar uns dez minutos de caminhada.

Um som baixo e abafado a parou de repente. Evie virou-se rapidamente e arfou ao ver o chefe caído no chão. Ela jogou a bolsa pesada para longe e correu até ele.

— Senhor! — Ele estava de olhos abertos, mas o rosto se contorcia de dor.

O chefe a segurou firme pelo braço.

— Corre — falou, quase sem voz.

— O quê? — Evie balançou a cabeça, confusa, mas então o ruído de cavalos acelerou os seus batimentos cardíacos. Ela pôs a mão no ombro de Trystan e inclinou de leve o corpo sobre o dele para protegê-lo. Seis homens surgiram montados em cavalos grandes e os cercaram; um deles erguia a mão para o Vilão.

— Parem! — gritou Evie, procurando qualquer arma à sua volta. Mas a única coisa que tinha à disposição era a adaga que não estava tão perto assim, isso sem falar que a bolsa estava fora da barreira apertada dentro da qual eles a haviam bloqueado.

— Fiquem onde estão! — um deles gritou. Não dava para ver o rosto de nenhum deles, por conta dos elmos de metal. Uma carruagem se aproximava, com um grande compartimento ligado à traseira, e Evie entrou em pânico. Analisou cada saída, cada forma de suborno ou de trapaça. Mas ela não sabia o que eles queriam e não havia jeito de saber as informações que tinham.

Evie olhou para Trystan, que ainda estava preso pelo poder que o cavaleiro mais próximo a ela estava usando. Não tirou a mão do ombro dele e o apertou com força quando a carruagem chegou ao meio do círculo.

O condutor da carruagem, um homem grande que usava prata e branco, correu em direção à porta do compartimento.

Após abri-la, fez uma reverência profunda. Todos os cavaleiros desceram dos cavalos e se ajoelharam.

— Filho. Da. Puta — resmungou Trystan enquanto se sentava e resistia à dor. Seu rosto estava ficando vermelho e as veias nos olhos e ao redor da testa estavam saltadas.

No mesmo instante, Evie entendeu tudo, por mais que nunca tivesse visto o homem cara a cara. Então, foi tecnicamente apenas um palpite quando ela disse horrorizada, ao vê-lo descer os pequenos degraus da carruagem:

— Rei Benedict.

CAPÍTULO 59
Evie

— **Srta. Sage!**

O rei abriu um sorriso largo e perfeito. Ele certamente tinha quarenta e tantos anos, se não cinquenta e poucos, e havia mechas grisalhas em meio aos grossos cabelos cor de areia.

— Finalmente nos encontramos. — Ele caminhou na direção dela e jogou a capa de pele para trás. — Acorrentem o Vilão, por favor. — O rei acenou para um dos cavaleiros. — Com as algemas *especiais*.

— Não. — Evie se jogou na frente dele.

— Sage, sai da frente — disse Trystan com a voz abafada.

— Não — disse ela, entrando em pânico.

O rei balançou a cabeça compreensivamente e acenou para outro cavaleiro.

— Seria bom não resistir, minha querida. — Quanta bondade no tom de voz... Evie teria confiado naquela bondade, em outro tempo, quando era outra pessoa.

O cavaleiro se abaixou rapidamente, pegando-a pela cintura e erguendo-a para longe de Trystan.

— Não! Me solta! — gritou ela, chutando e se debatendo, tentando soltar as mãos.

O cavaleiro a soltou por um segundo e levantou o braço antes de lhe dar um tapa que a derrubou.

— Pare! — Foi a voz do Vilão, e não a de Trystan, que ecoou pela clareira. Era uma voz fria e letal. — Afaste-se dela! — vociferou, e o tilintar do metal acompanhou seus movimentos enquanto ele forçava as algemas. Evie rolou para o lado e olhou para ele, sentindo uma lágrima escorrer pela bochecha.

Ela se levantou, com sangue no lábio inferior e folhas emaranhadas no cabelo.

— Isso mesmo, pare. A brutalidade é desnecessária. Ele está acorrentado. Não vai poder machucar ninguém e, se você é incapaz de lidar com essa mulher sem machucá-la, talvez nós devêssemos repensar sua posição como um dos meus guardas — disse o rei com firmeza.

Trystan não parecia mais estar sentindo tanta dor, mas estava visivelmente enfraquecido. Por causa daquele minuto de tortura ou por causa das algemas, não dava para saber.

— Não queria que chegasse a esse ponto, de verdade. — O rei fez um sinal de reprovação. — Eu esperava evitar confusões, mas você não me deixou alternativa. Simplesmente interferiu demais. Eu estava disposto a deixar você brincar de conto de fadas pelo tempo que desejasse. — Ele se aproximou do Vilão e o sorriso simpático foi dando lugar à frieza. — Mas agora você está tentando arruinar meus planos. E isso, infelizmente, eu não posso admitir.

Trystan respirava com dificuldade pelas narinas infladas. Os olhos destilavam fúria.

— Do que... você está falando? — disse ele entredentes.

O rei estalou a língua enquanto olhava para o chefe de Evie.

— Tanto potencial, mas que decepção você foi... — Benedict se ajoelhou ao lado dele e pôs a mão na bochecha de Trystan, que tentou se afastar. — Os guvres... preciso muito deles. Para ajudar no... *brilhante* futuro de Rennedawn.

Trystan semicerrou os olhos antes de dizer, ofegante:

— Vai. Se. Foder.

— Concordo plenamente — disse Evie do chão, atraindo a atenção de todos os homens que a rodeavam.

— E isso me leva a você, srta. Sage! — O rei se virou e começou a andar na direção dela.

— Não toque nela, Benedict. — A voz de Trystan estava carregada de emoção enquanto ele puxava as correntes mais uma vez.

— Era para você ser minha doce salvadora, mas, no fim das contas, é tão podre quanto o seu pai dizia mesmo.

Ela olhou feio para o rei.

— Meu pai era um mentiroso. Mas você... — Evie se levantou devagar, tirando as folhas das saias e o sangue do lábio. — Você é um covarde.

O rei sorriu para ela. Não era o sorriso encantador de quando tinha chegado ali, mas um sorriso sinistro, vingativo. Não parecia natural; era quase... vilanesco.

— Sinto dizer que preciso dos meus guvres de volta, srta. Sage — disse ele. — Veja bem, sem o parceiro, minha guvre não conseguiu produzir nenhum veneno enquanto esteve comigo. Mas agora, ao que parece, ela consegue.

— Você só vai conseguir pegar os guvres por cima do meu cadáver — disse ela com um sorriso. — Ou do seu.

— Que bom que tocou no assunto. — A capa do rei flutuou atrás dele enquanto se virava para Trystan, que ainda estava sendo contido por dois cavaleiros. — Receio que você precise vir comigo. Parece que é mais útil do que eu suspeitava inicialmente.

Então o rei se virou para Evie e inclinou a cabeça tristemente.

— Já você, minha cara, não é.

Evie sentiu braços grandes a envolvendo e um cheiro repugnante e familiar invadiu suas narinas.

— Não! Benedict! — Trystan estava indo à loucura e se debatia contra as correntes e os cavaleiros com tanta força que um terceiro teve que ajudar a contê-lo. — Solte-a, Warsen, ou hoje será seu último dia.

— Que lindas ameaças! — Para o seu desgosto, as suspeitas de Evie foram confirmadas quando ouviu a voz de Otto Warsen no ouvido.

— Obrigado pelas algemas, sr. Warsen. Você foi bem útil. — O rei acenou com a cabeça para o ferreiro.

— Vou te matar — prometeu Trystan calmamente. — Vou arrancar seu coração do corpo e assistir à vida se esvair dos seus olhos.

— Acredito que eu vá ver a luz se esvair dos seus olhos primeiro — disse o rei num falso sussurro antes de se virar para Evie e o sr. Warsen. — Pode acabar com ela do jeito que quiser, mas preserve o corpo. Vou ter utilidade para ele depois que ela se for.

Evie começou a tremer de pânico ao se encontrar novamente naquela situação com Otto. Era como ser invadida por um veneno de ação rápida.

— Não, Benedict, não! Por favor. — A voz do Vilão falhou, expondo sua dor e destruindo sua compostura.

Evie sentiu a ardência das lágrimas antes de escorrerem pelo rosto.

— Por favor, eu imploro. Faço tudo o que você pedir, tudo o que você quiser. Qualquer coisa, se você a poupar. Por favor… Eu imploro que a poupe.

Quando Trystan, o Vilão, caiu de joelhos, Evie chorou.

— Eu. *Imploro*.

Pare, Evie queria gritar para Trystan, *não se rebaixe por minha causa. Não ceda. Eu não valho a pena.*

Por um segundo, o rei expressou uma emoção genuína: surpresa. Com olhos arregalados, ele se agachou para olhar Trystan nos olhos.

— Acho que subestimei seu apego a essa mulher. Achei que ela fosse só uma pessoa que trabalhava para você. Mas agora eu entendi. — O rei Benedict sorriu e pôs a mão na bochecha de Trystan. — Não, eu não vou fazer isso. — Ele se levantou e fez sinal para um dos cavaleiros, que trouxe uma grande seringa.

A mão do sr. Warsen cobriu a boca de Evie antes que ela pudesse avisá-lo.

— Não vou fazer você assistir.

Trystan arregalou os olhos ao ouvir aquelas palavras e abriu a boca para gritar, só que a agulha já estava enfiada na pele e o líquido estava sendo injetado no sangue.

Evie gritou por trás da mão enluvada do sr. Warsen e se debateu de todas as formas numa tentativa de se libertar.

Mas Trystan revirou os olhos e caiu no chão com um baque.

— Levem-no para o compartimento de trás e o tranquem lá… ele deve ficar desacordado até voltarmos ao Palácio de Luz. — O rei cumprimentou Otto com um aceno de cabeça e Evie mal pôde acreditar que, minutos antes, estava rindo com Trystan e planejando um chá da tarde no escritório, achando que tudo ia ficar bem.

— Vocês, fiquem aqui. — O rei apontou para dois dos cavaleiros. — Permitam que o sr. Warsen a mate, mas depois certifiquem-se de que ele devolva o corpo para mim prontamente.

— Sim, Vossa Majestade — disse um deles.

Evie observou os outros cavaleiros arrastando Trystan e jogando seu corpo sem o menor cuidado no carro. E então ela compreendeu, com uma certeza que a congelava dos pés à cabeça, que aquela era a última vez que o veria. Que a última lembrança que teria de Trystan seria ele deitado, inerte e derrotado, sozinho numa carruagem.

Era trágico demais, injusto demais. E tudo isso porque ela queria aquele caderno ridículo, com seus sonhos ridículos registrados. Sonhos que nunca virariam realidade.

A carruagem partiu e Evie se despediu silenciosamente do homem que se tornara o centro de seu coração. Aquele que havia revolucionado seu mundo — um mundo do qual ela não faria mais parte.

Quando restaram apenas ela, os cavaleiros e o sr. Warsen, Evie permaneceu imóvel; uma parte dela se limitou a esperar o inevitável. Nunca tinha se sentido tão desamparada em toda a sua vida. Mais uma vez, estava sob o controle de alguém mais forte, alguém que só sabia tirar, tirar e tirar. Aquele homem já roubara várias coisas dela — o conforto, a segurança — e agora ia roubar sua vida.

Faça a coisa certa, Evie. Seja gentil, Evie. Seja boa, *Evie.*

Otto a segurava ali, rindo baixinho no ouvido dela. E alguma coisa naquele som acabou a estimulando, acendendo um fogo em sua barriga.

Quando foi que ser boa a levou a algum lugar, porra?

O que o Vilão diria? *Faça esse homem pagar, furacãozinho.*

E foi o que ela fez.

Evie mexeu o pé e cravou o salto na canela dele, parecido com o que tinha feito com o pai, só que, daquela vez, ela também deu uma cotovelada na cintura do homem. Quando Otto se dobrou de dor e a soltou para pôr as mãos na barriga, Evie se desvencilhou e saiu correndo o mais rápido que pôde. Mas os outros dois cavaleiros a cercaram, claramente tentando seguir as ordens e não se envolver, mas ao mesmo tempo relutantes em deixá-la ir embora. E Evie sabia que estava em desvantagem.

Sinto muito, Trystan, pensou ela. *Eu tentei.*

De repente, o sr. Warsen estava em cima dela de novo, com rosto vermelho e claramente dolorido, mas recuperado o suficiente para deixar a raiva dominá-lo. Ele a pegou e a jogou no chão.

O homem a segurou ali, prendendo os braços de Evie nos joelhos e envolvendo o pescoço dela com as mãos. Fim da linha, ela sabia. Ela lutou e tentou mexer os braços, mas foi tomada por uma onda de dor que nada tinha a ver com a rápida diminuição da oferta de ar.

Ela olhou para todos os lados e então viu a bolsa aberta, a caixa caída e a adaga no chão, tão perto que poderia matá-la.

Só que não a havia matado. Ainda não.

Ao olhar para o rosto do sr. Warsen, um rosto que já lhe causara tanto medo, ela entendeu que não queria mais temê-lo...

Ela queria ser temida.

O ferreiro afrouxou as mãos por um segundo e sorriu em cima dela com dentes amarelos.

— Eu estou prestando um serviço ao reino me livrando de você. Você não tinha que estar aqui. Depois de se rebaixar do jeito que fez, essa morte é uma forma de misericórdia.

Ela estreitou os olhos e o sr. Warsen não notou que a mão direita de Evie tinha se soltado. Ele ainda a enforcava enquanto se inclinava para perto do rosto dela.

— O que poderia ser melhor... para a prostituta do Vilão?

Evie fechou a palma e os olhos, sentindo a dor arder em cada poro, sentindo-a pulsar no próprio sangue.

— Na verdade — sussurrou ela, abrindo os olhos. — Eu. Sou. A. Assistente. Dele. Porra. — Em seguida, Evie sorriu, antes de erguer a adaga e cortar o pescoço do homem.

CAPÍTULO 60
Evie

O sangue espirrou no rosto de Evie conforme ele caía de olhos arregalados. Então, ela se levantou, ensopada de sangue, respirando com dificuldade e sentindo dor no pescoço.

A adaga pulsava na mão dela. Mas a dor havia desaparecido.

Evie sorriu de alívio, encarando a arma como se fosse uma velha amiga, e quase parecia que a adaga retribuía.

— Sua bruxa! — gritou um dos cavaleiros, correndo na direção dela. Evie ergueu a adaga pronta para lutar, disposta a destruí-lo, mas o homem parou quando uma grande espada cruzou sua barriga.

Evie arfou enquanto a espada era retirada e o cavaleiro caía. O outro cavaleiro atrás dele ficou ali, parado com a espada encharcada de sangue.

— Mas que… Por que você fez isso? Quer dizer, não estou reclamando, mas por que me ajudou?

O cavaleiro restante, seu herói improvável, não disse uma palavra. Continuou onde estava por mais um momento, avaliando-a com o rosto todo coberto por um elmo prateado, exceto os olhos. Evie deu um passo cuidadoso na direção dele, porém, o movimento pareceu assustar o cavaleiro, que entrou em ação. Assim, ele pegou as rédeas do cavalo, subiu rapidamente e lhe lançou um último olhar antes de cavalgar para longe.

O que raios foi aquilo?

Mas Evie não tinha tempo para fazer mais perguntas. Não depois de ter visto um pedaço da camisa de Trystan caída sobre a grama.

Ele tinha ido embora. Tinha sido levado. Por *eles*.

Ela respirava com dificuldade. As lágrimas ameaçavam jorrar, mas ela não podia chorar; ainda não. A adaga pulsava na mão dela como se sentisse a sua angústia, como se não quisesse que ela ficasse sozinha com a arma. O coração de Evie só tinha sentido dor nas últimas horas, mas aquilo... aquilo era insuportável. Ela pegou o pedaço da camisa dele e o apertou no punho. Seus sentimentos estavam muito instáveis. Não dava para controlá-los.

Só de imaginá-lo preso, na escuridão, revivendo seus momentos mais traumáticos... Não, ela daria um jeito naquilo; tinha que dar. Caso machucassem o homem que Evie tinha quase certeza de que dominava parte da sua alma, ela os destruiria.

A adaga pulsou na mão dela outra vez e Evie a segurou firme, mais calma do que nunca, enquanto olhava para o corpo inerte de Otto.

Ela sorriu.

Voltou para a mansão às pressas, para o caso de o cavaleiro que a salvara ter mudado de ideia, mas sentiu um enjoo ao entrar pelos portões sem Trystan. Após alertar os guardas sobre o ocorrido, com uma compostura que a enchera de orgulho, ela subiu as escadas.

Na mesma hora, foi ver como estava Lyssa, que dormia na cama extra de Tatianna com o dragão de tricô de Blade nas mãozinhas. Evie abriu um sorriso emocionado e voltou para o corredor. Assim que a porta se fechou, ela chorou. Chorou e chorou até soluçar e deslizar pouco a pouco até o chão. Chorou até o rosto ficar pegajoso e inchado por conta das lágrimas e enfiá-lo entre os joelhos.

Os soluços foram desaparecendo aos poucos e, quando Evie finalmente ergueu a cabeça, só lhe restava a raiva.

Algum tempo depois, Evie se viu no corredor da entrada. Tinha tomado banho e trocado de roupa e, graças a isso, uma determinação renovada a dominava enquanto observava Marvin cumprindo as ordens dela. Ao olhar para o próprio reflexo no espelho pendurado do outro lado, seus olhos pararam no vermelho dos lábios, pintados com o batom da mãe, e depois se voltaram para o cabelo, que estava solto. Ela o pôs atrás da orelha enquanto a calça larga se arrastava no piso de pedra.

— Mais alto, Marv — instruiu Evie, deixando um sorriso travesso se acomodar nos seus lábios. Becky surgiu como um fantasma ao lado dela, parecendo perdida e desamparada.

— Ele se foi mesmo? — Ela tirou os óculos enquanto falava, limpando as lentes no tecido grosso da saia.

Evie sentiu uma estranha conexão com ela por um breve momento. Em seguida, deu um tapinha reconfortante no ombro de Becky.

— Nós vamos trazê-lo de volta. Vou garantir que isso aconteça… custe o que custar.

E, apesar de tudo o que havia acontecido entre as duas, apesar de todos os insultos e todas as desconfianças, Becky olhou para Evie com algo que beirava o respeito.

— O que você pensou?

Evie olhou para a faixa dourada que rodeava o dedo mindinho.

— Bom, primeiro... — Ela fez uma pausa e sorriu sozinha. — Vou precisar que você me mate.

Becky curvou os lábios em um sorriso irônico enquanto começava a especular.

— Achei que você nunca fosse pedir.

— Pronto, srta. Sage! — chamou Marvin, e Evie olhou para o teto opulento e o que tinha acabado de ser acrescentado ali. Seu coração pulsou de satisfação ao ouvir o sussurro surpreso de Becky atrás dela. A cabeça de Otto Warsen pendia dali, com olhos eternamente congelados em uma expressão de medo e choque.

Recuando um passo e deixando o homem para trás, Evie seguiu em direção à escada que levava ao calabouço. E jurou a si mesma que salvaria o Vilão...

Ou viraria ela mesma uma vilã de tanto tentar.

Fim.
Quer dizer... por enquanto.

AGRADECIMENTOS

Por mais que eu ame as palavras, é difícil expressá-las aqui, com tantas emoções pesando-as. Estou muito animada por finalmente ter a chance de compartilhar esta história com o resto do mundo. Desde pequena, sempre amei contos de fadas, contação de histórias e a simples magia de rir até roncar pelo nariz. Sonhei com esse momento várias vezes, mas não fiz nada disso por conta própria.

Brent Taylor, meu agente incrível, foi a primeira pessoa que acreditou em mim e nesta história. Todo agradecimento é pouco diante de toda a paciência, o apoio e a gentileza com que ele me guiou ao longo do processo de publicação do meu primeiro romance. Liz Pelletier, que editou este livro e o levou à sua melhor versão possível, ao mesmo tempo que me orientava em cada momento de dúvida e me tornava uma escritora melhor. Muito obrigada a Lydia, Hannah, Stacy, Rae, Jessica, Heather e a todo mundo da Entangled que trabalhou incansavelmente nesta história comigo e a fez brilhar.

Muito obrigada a Elizabeth Turner Stokes por ter criado a incrível capa do livro e por ter capturado tão perfeitamente a história, como se a tivesse arrancado da minha mente. Mas, acima de tudo, agradeço pelo Reinaldo — ele não teria sido nada sem você! E agradeço a Toni por ter diagramado a capa tão bem. Muito obrigada a minha equipe na Kaye Publicity e a Meredith por terem levado este livro e a mim para tantos leitores.

Este livro foi criado a partir de muitas coisas. A partir de cada história que minha mãe e meu pai criavam para mim antes de dormir (digam oi a Mark e Jolie, pessoal! Os dois estão chorando enquanto leem isso). Este livro é feito de cada risada que dei ao longo dos anos com meus irmãos e os vários, vários, *vários* primos muito amados. Meus personagens são a bondade no sorriso da minha *sitto* Georgann e a força da minha avó Rosalie. Eu gostaria de pensar que a inteligência veio de mim, mas preciso dar crédito ao meu avô James, que ajudou a criar toda uma nova geração de netos perspicazes (alguns dos vários primos muito amados). Este livro é feito do meu *giddo* Richard, que faleceu muito antes que eu pudesse segurar uma caneta, mas cujo sonho de ser escritor eu carrego por nós dois.

Tenho sorte de poder pensar em tantas pessoas para incluir aqui, que me apoiaram e que me incentivaram, que me fizeram sentir que as coisas que eu criei tinham importância. Pessoas como a maravilhosa artista Brittany Torres, uma das primeiras a dar vida à minha personagem. A cada pessoa que acompanhou essa jornada no TikTok, quer tenha começado lá do início ou entrado no final, obrigada. A todos que já me disseram que eu os fiz sorrir: vocês me fizeram sorrir todos os dias, mesmo quando achei que não fosse conseguir. É um presente inestimável que eu jamais seria capaz de retribuir.

Encontrei outra pessoa que me fez sorrir ao longo dessa jornada: meu Michael, que não só me ama em todos os altos e baixos, mas também oferece livremente as costas toda vez que eu quero "o Vilão" para um vídeo. Ele cuidava de mim, sempre que eu pedia, sem reclamar. Eu te amo.

Uma parte imensa do processo de escrita deste livro envolveu me sentir menos sozinha no mundo. Meus personagens acabaram se tornando minha família, minha família escolhida. O que eu não esperava era encontrar um grupo de mulheres absurdamente talentosas que me fizeram esquecer o que era a solidão. Elas vibraram por mim a cada vitória. A Stacey, Kaven, Amber, Maggie e Sam... obrigada por terem destruído minha solidão e a substituído por uma vida inteira de afeto. Por vocês valeu a pena esperar.

E, por fim, agradeço a Evie Sage. Encontrei Evie e esta história quando estava num dos pontos mais baixos da minha saúde mental, e ela se tornou meu espaço seguro. Compartilhamos cada momento de dúvida. Ela me tornou uma pessoa mais corajosa, mais ousada e mais forte quando achei que não tinha mais forças. Ela me fez querer lutar, sentir, rir. Evie Sage me salvou e todos vocês fizeram o mesmo. Agradeço a todo mundo que escolheu este livro. Espero que tenha feito você sorrir.

Este livro, composto na fonte Fairfield,
foi impresso em papel Lux Cream 60g/m² na gráfica AR Fernandez.
São Paulo, Brasil, agosto de 2025.